빠작 초등 국어 비문학 독해 무료 스마트러닝

첫째 QR코드 스캔하여 1초 만에 바로 강의 시청

둘째 최적화된 강의 커리큘럼으로 학습 효과 UP!

지문 분석 강의

- 비문학 영역별 지문 분석을 통한 바른 독해법 강의 제공
- 설명문, 논설문 등 문종별 지문 분석과 배경지식 제공

빠작 초등 국어 **비문학 독해 6단계** 강의 목록

빠작 초등 국어 비문학 독해 6단계 **학습 계획표**

학습 계획표를 따라 차근차근 독해 공부를 시작해 보세요.
빠작과 함께라면 비문학 독해, 어렵지 않습니다.

지문명	학습한 날			교재 쪽수	지문명	학습한 날			교재 쪽수
'출사표를 던지다'의 유래	**1일차**	월	일	012 ~ 015쪽	생명 진화 이야기	**21일차**	월	일	094 ~ 097쪽
국어 순화	**2일차**	월	일	016 ~ 019쪽	뇌 과학의 활용	**22일차**	월	일	098 ~ 101쪽
디지털 기기를 움직이는 디지털 언어, '코딩'	**3일차**	월	일	020 ~ 023쪽	미생물은 해로울까?	**23일차**	월	일	102 ~ 105쪽
우리말 받침의 발음	**4일차**	월	일	024 ~ 027쪽	태양계의 끝은 어디일까?	**24일차**	월	일	106 ~ 109쪽
심리학이란 무엇인가?	**5일차**	월	일	028 ~ 031쪽	OTT 서비스는 무엇일까?	**25일차**	월	일	110 ~ 113쪽
역사의 시대를 구분하는 방법	**6일차**	월	일	032 ~ 035쪽	스마트 빌딩	**26일차**	월	일	114 ~ 117쪽
연역법의 원리	**7일차**	월	일	036 ~ 039쪽	우주 기술이 만든 물건들	**27일차**	월	일	118 ~ 121쪽
우리 가까이 있는 북유럽 신화	**8일차**	월	일	040 ~ 043쪽	투명 망토가 존재한다면?	**28일차**	월	일	122 ~ 125쪽
사람의 존엄성을 지켜 주는 '인권'	**9일차**	월	일	044 ~ 047쪽	펜싱에 대하여	**29일차**	월	일	128 ~ 131쪽
외모에 열광하는 사회	**10일차**	월	일	048 ~ 051쪽	빌라 사보아와 건축의 5원칙	**30일차**	월	일	132 ~ 135쪽
헌법 재판소의 역할	**11일차**	월	일	052 ~ 055쪽	발레의 변화	**31일차**	월	일	136 ~ 139쪽
재선거와 보궐 선거	**12일차**	월	일	056 ~ 059쪽	세상을 바꾸는 이타적 디자인	**32일차**	월	일	140 ~ 143쪽
해시태그의 다양한 활용	**13일차**	월	일	060 ~ 063쪽	욕심 없는 자연스러운 삶, 장자	**33일차**	월	일	144 ~ 147쪽
음식 문맹자	**14일차**	월	일	064 ~ 067쪽	천재 발명가 니콜라 테슬라	**34일차**	월	일	148 ~ 151쪽
어리석은 문화, '마녀사냥'	**15일차**	월	일	068 ~ 071쪽	개혁을 꿈꾸고 실천한 박지원	**35일차**	월	일	152 ~ 155쪽
일상의 문화가 된 디지털 플랫폼	**16일차**	월	일	072 ~ 075쪽	흑인 해방 운동가 해리엇 터브먼	**36일차**	월	일	156 ~ 159쪽
환율과 우리 생활	**17일차**	월	일	078 ~ 081쪽	온난화와 지구 위기	**37일차**	월	일	160 ~ 163쪽
물가와 인플레이션	**18일차**	월	일	082 ~ 085쪽	체르노빌 원전 사고	**38일차**	월	일	164 ~ 167쪽
자유 무역주의	**19일차**	월	일	086 ~ 089쪽	유전자 조작 농산물	**39일차**	월	일	168 ~ 171쪽
세상과 환경을 살리는 윤리적 소비	**20일차**	월	일	090 ~ 093쪽	국제 환경 협약	**40일차**	월	일	172 ~ 175쪽

초등 국어

비문학 독해

6단계

5·6학년

바른 독해의 빠른 시작,

〈빠작 초등 국어 독해〉를 추천합니다

독해 교재의 홍수 속에서 보석을 하나 찾은 느낌입니다. 『빠작 초등 국어 독해』는 **문학과 비문학을 나누어 초등학생 눈높이에 맞게 만든 독해 전문 교재**라는 생각이 드네요. 특히 지문의 핵심 내용을 이해하는 것은 물론 깊이 있는 배경지식까지 쌓을 수 있도록 섬세하게 구성한 점이 굉장히 마음에 듭니다. 『빠작 초등 국어 문학 독해』와 『빠작 초등 국어 비문학 독해』로 문학과 비문학의 독해 방법을 바르게 배워 보세요.

김소희 원장 | 한올국어학원

최근 수능에서 국어 영역이 가장 까다롭기로 유명합니다. 이런 국어를 잘하려면 무엇보다도 독해력을 길러야 합니다. 특히 문학은 작가가 전하는 주제를 파악하는 것이 중요합니다. 『빠작 초등 국어 문학 독해』는 다양한 갈래의 작품을 읽고, **작품의 구성 요소를 파악해 중심 내용을 스스로 정리해 보는 지문 분석 훈련**을 할 수 있어 좋습니다. 『빠작 초등 국어 문학 독해』로 까다로워진 수능 국어 영역을 지금부터 대비하시기 바랍니다.

하승희 원장 | 리딩아이국어논술학원

독해 능력은 글 읽기를 두려워하지 않는 데에서 출발합니다. 그리고 좋은 제재의 글을 읽으며 호기심과 즐거움을 느낄 때 독해는 완성되지요. 『빠작 초등 국어 비문학 독해』는 **영역별 다양한 제재의 지문과 사실적·추론적 사고력을 묻는 문제, 지문의 핵심 내용을 파악하는 지문 분석 훈련**으로 글을 정확하게 읽게 합니다. 또한 비문학 독해 비법을 충실히 담고 있어 낯설고 어려운 지문도 재미있게 읽을 수 있도록 이끌어 줄 것입니다.

김종덕 원장 | 갓국어학원

『빠작 초등 국어 독해』는 지문 독해, 지문 분석, 어휘 공부까지 탄탄한 구성이 눈길을 끄는 교재입니다. 특히 **비문학에서 영역을 세분화하여 지문을 수록한 것과 문학에서 온작품을 다룬 것은 깊이 있는 독해를 가능하게** 할 것입니다. 다양한 글을 읽고 내용을 바르게 파악해야 하는 비문학과 작품을 읽고 제대로 감상해야 하는 문학의 독해력은 단기간에 높일 수 없습니다. 지금부터 『빠작 초등 국어 독해』와 함께 독해 연습을 부지런히 하길 추천합니다.

강행림 원장 | 수풀림학원

이 책을 검토하신 선생님

강명자	창원지역방과후교사
강유정	참좋은보습학원
강행림	수풀림학원
구민경	혜윰국어논술
권애경	해냄국어논술
김나나	국어와나
김미숙	글과문장독서논술
김민경	리드인
김소희	한올국어논술학원
김수진	브레인논술교습소
김종덕	갓국어학원
문주희	다독과정독논술학원
박윤희	장복논술
박창현	탑학원
박현순	뿌리깊은독서논술국어교습소
방은경	열정학원
배성현	아카데미창논술국어학원
설호준	청암국어학원
송설아	한우리독서토론논술
심억식	천지인학원
안수현	안샘학원
염현경	박쌤과국어논술학원
오연	글오름국어언어논술학원
오영미	천호하나보습학원
윤인숙	윤쌤국어논술
이대일	멘사수학과연세국어학원
이동수	국동국어고샘수학학원
이선이	수논술교습소
이시은	이시은논술
이용순	한우리공부방
이정선	토론하는아이들
이지영	해랑
이지은	이지은의이지국어논술학원
이지해	이지국어학원
이창미	박원국어논술학원
이현주	토론하는아이들
이화정	창신보습학원
전민희	토론하는아이들
전지영	두드림에듀학원
조원식	이석호국어학원
조현미	국어날개달기학원
하승희	리딩아이국어논술학원
한민수	숙명창의인재교육
한수진	리드앤리드논술학원
허성완	st클래스입시학원
홍미애	이엠영수전문학원

바른 독해의 빠른 시작,

〈빠작 초등 국어 독해〉를 소개합니다

❶ 비문학과 문학을 분리하여 각각의 특성에 맞게 독해를 훈련하는 초등 국어 독해 기본서입니다.

❷ 설명문, 논설문 등 비문학 글의 종류별 지문 분석 훈련으로 바른 독해 학습이 가능합니다.

❸ 소설, 시, 수필 등 문학 작품의 갈래별 지문 감상 훈련으로 바른 독해 학습이 가능합니다.

빠작 비문학 독해

단계	대상	영역
1단계	1~2학년	언어, 실용/생활, 사회, 문화, 경제, 자연/과학, 기술, 예술, 인물, 안전/위생
2단계		
3단계	3~4학년	언어, 역사, 사회, 문화, 경제, 과학, 기술, 예술, 인물, 환경
4단계		
5단계	5~6학년	언어, 인문, 사회, 문화, 경제, 과학, 기술, 예술, 인물, 환경
6단계		

주요 키워드

- **1~2단계** 가족 (1단계 실용/생활), 낮과 밤 (2단계 자연/과학), 이 닦기 (2단계 안전/위생)
- **3~4단계** 문명 (3단계 역사), 물물 교환 (3단계 경제), 조선 건국 (4단계 역사)
- **5~6단계** 커피 (5단계 인문), 백신 (5단계 과학), 심리학 (6단계 인문)

빠작 문학 독해

단계	대상	갈래
1단계	1~2학년	창작·전래·외국 동화, 동시, 동요, 수필, 희곡
2단계		
3단계	3~4학년	창작·전래·외국 동화, 시, 현대·고전·외국 수필, 희곡
4단계		
5단계	5~6학년	현대·고전·외국 소설, 현대시, 고전 시조, 현대·고전 수필, 시나리오
6단계		

주요 작품

- **1~2단계** 아기의 대답 (1단계 시), 꺼벙이 억수 (2단계 창작 동화), 만복이네 떡집 (2단계 창작 동화)
- **3~4단계** 바위나리와 아기별 (3단계 창작 동화), 잘못 뽑은 반장 (4단계 창작 동화), 물새알 산새알 (4단계 시)
- **5~6단계** 이상한 선생님 (5단계 현대 소설), 고무신 (6단계 현대 소설), 풀잎에도 상처가 있다 (6단계 현대시)

비문학과 문학,

바른 독해 방법이 다릅니다

비문학의 바른 독해 방법

비문학은 핵심 주제를 파악하고 글쓴이의 관점을 이해하는 것이 중요합니다.

비문학은 지식이나 정보 또는 자신의 의견을 전달하는 글의 특성이 있기 때문에, 전체 글의 핵심 주제, 문단별 핵심 내용, 글쓴이의 관점 등을 이해하며 읽는 훈련을 해야 합니다. 따라서 비문학을 바르게 읽고 이해하려면 글의 전체 구조를 그려볼 수 있어야 하고, 글 전체의 중심 내용과 문단별 중심 내용 그리고 핵심 주제를 찾아보는 연습이 필요합니다.

설명문의 일반 구조

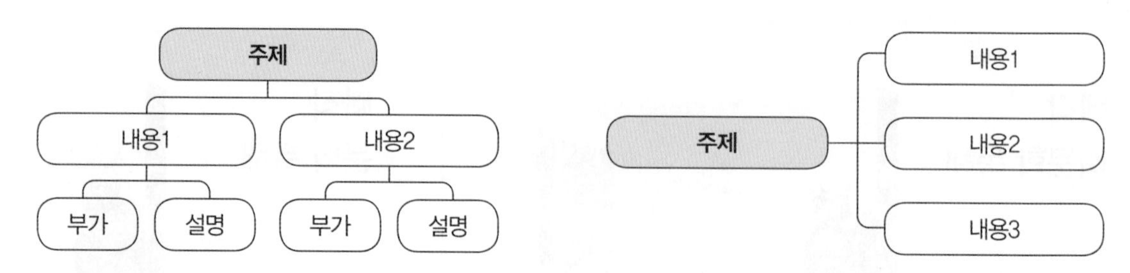

논설문의 일반 구조

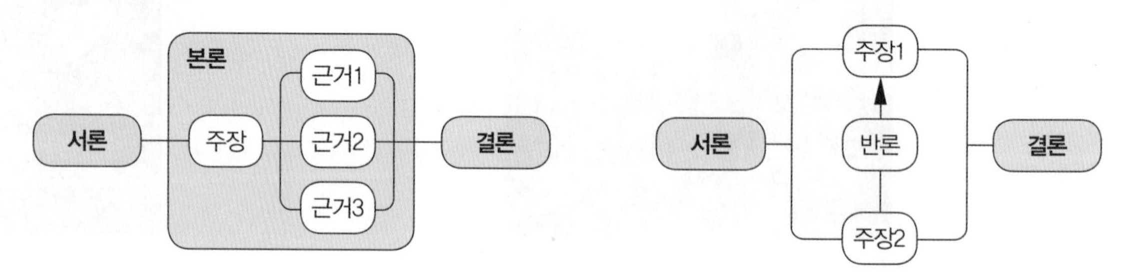

비문학은 정보 전달의 목적이 있기 때문에 다양한 지식과 정보를 쌓아야 합니다.

비문학은 어린이 신문이나 잡지 등을 통해 지식과 정보를 쌓는 것이 독해에 도움을 줍니다. 또한 독해 교재를 학습하면서 비문학 지문의 내용을 깊이 있게 이해하는 것도 중요합니다.

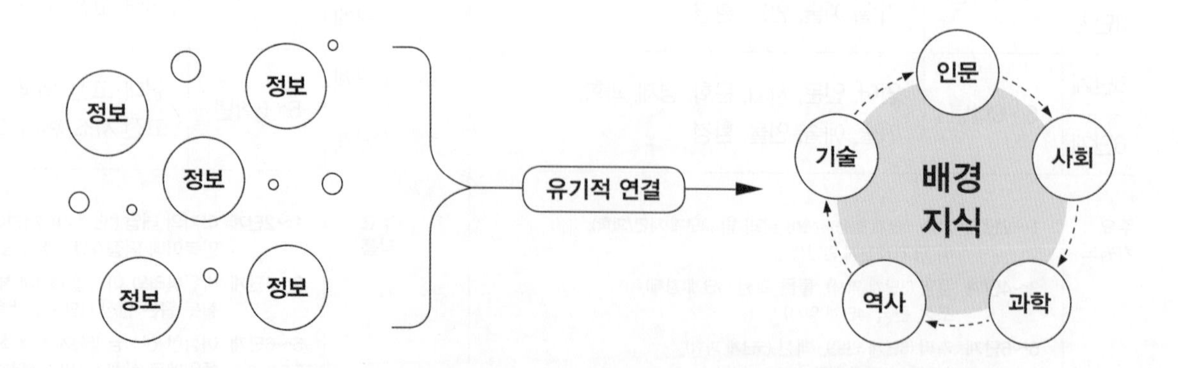

문학의 바른 독해 방법

문학은 갈래별 구성 요소를 이해하고 작품을 감상하는 것이 중요합니다.

문학은 소설, 시, 수필, 희곡 등 갈래에 따라 작품을 구성하는 요소가 다르기 때문에 갈래별 특징을 이해하고 작품을 감상하는 것이 중요합니다. 따라서 문학 작품을 읽고, 갈래에 따른 구성 요소를 중심으로 작품의 중요 내용을 정리하는 훈련이 필요합니다. 이때 온작품을 읽으면 작품 내용을 더욱 깊이 있게 이해할 수 있습니다.

갈래별 구성 요소

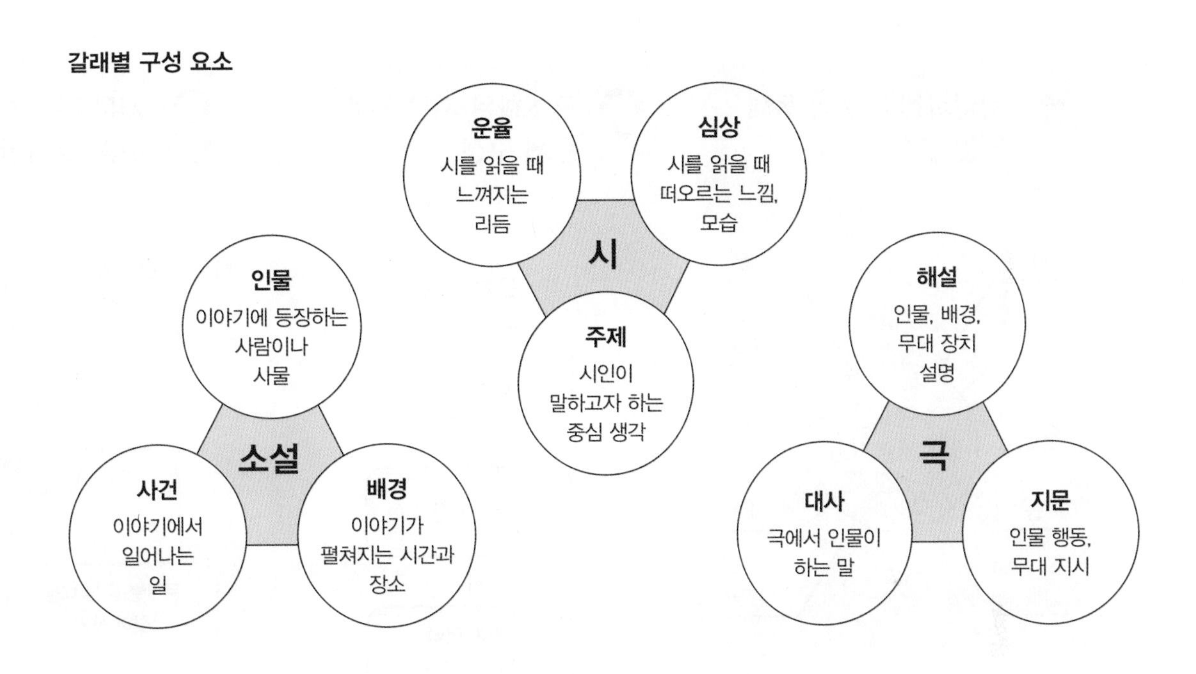

문학 작품을 감상하기 위해서 시대적 배경을 이해하고, 내용 흐름을 파악해야 합니다.

문학 작품을 읽을 때 작품이 쓰인 시대적 배경이나 작가의 삶과 관련지어 감상하면 작가가 전하고 싶은 주제를 파악하는 데 도움이 됩니다. 또 글의 내용 흐름을 제대로 파악하는 것도 중요합니다.

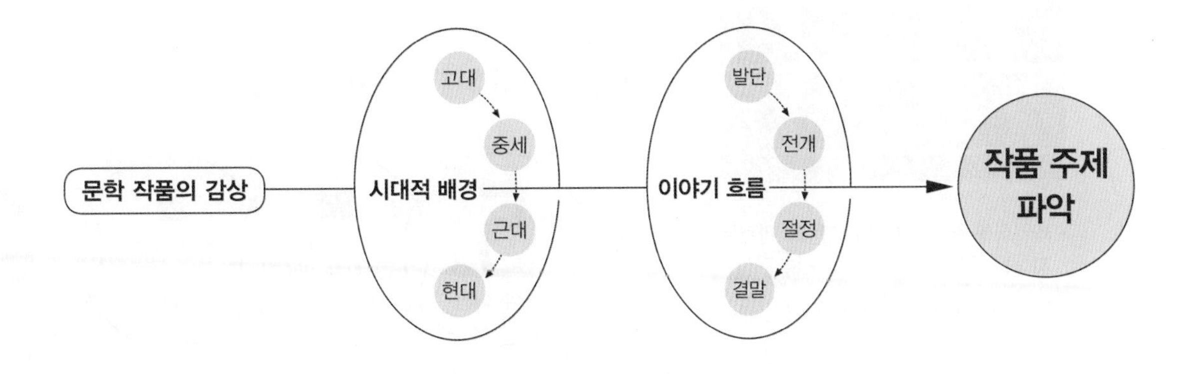

빠작 초등 국어 비문학 독해 6단계

구성과 특징

빠작 초등 국어 비문학 독해 6단계는 초등 5~6학년 학생들이 비문학 지문을 읽고 내용을 정확하게 이해하는 훈련 중심으로 구성하였습니다. 특히 설명문, 논설문 등 정보 글의 구조 분석 훈련을 통해 바른 독해 학습이 가능하도록 구성하였습니다.

1 차별화된 비문학 독해 지문 구성

5~6학년 필수 영역 10개 선정

- 언어
- 사회
- 경제
- 기술
- 인물
- 인문
- 문화
- 과학
- 예술
- 환경

2 구조화된 지문 독해 문제 구성

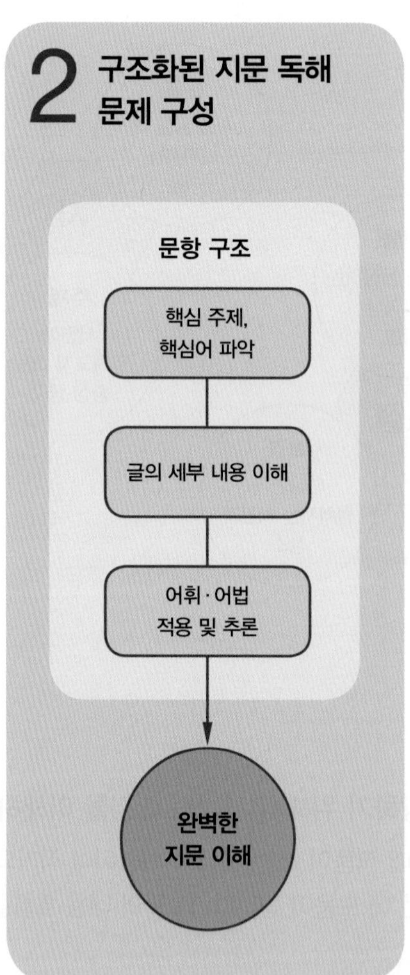

3 지문 구조 분석을 통한 바른 독해 훈련

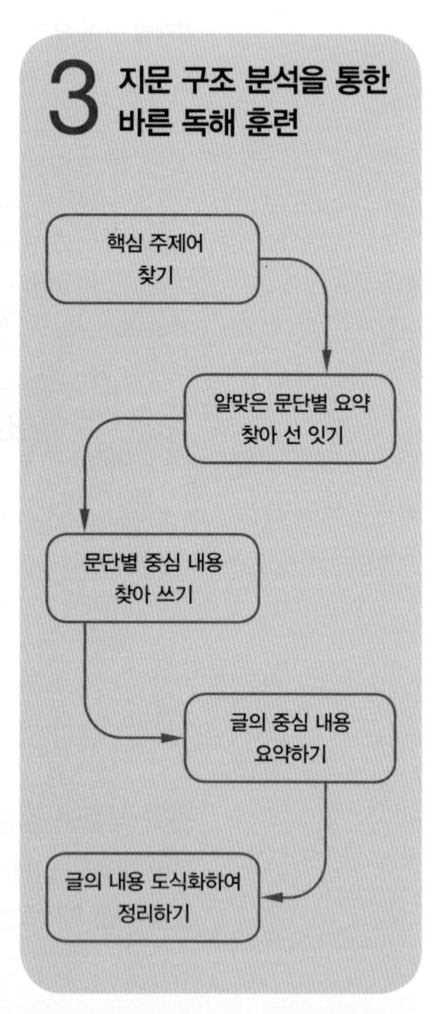

4 다양한 배경지식 습득

- 세밀화를 통해 지문의 내용과 관련된 지식을 풍부하게 알 수 있도록 구성
- 5~6학년 눈높이에 맞춰 쉽게 이해할 수 있도록 구성

5 지문별 5개 필수 어휘 학습

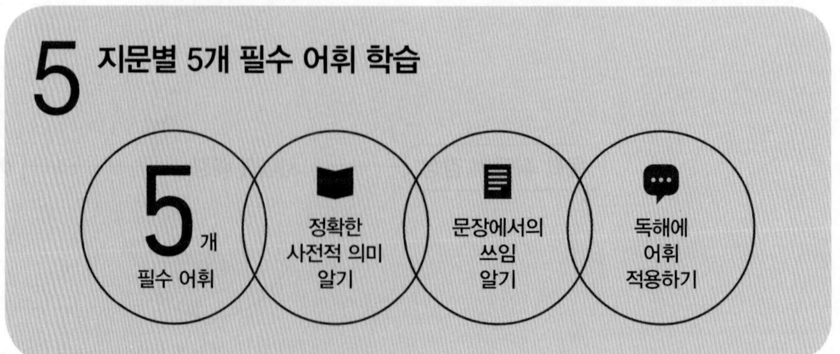

차별화된 독해 지문

구조화된 독해 문제

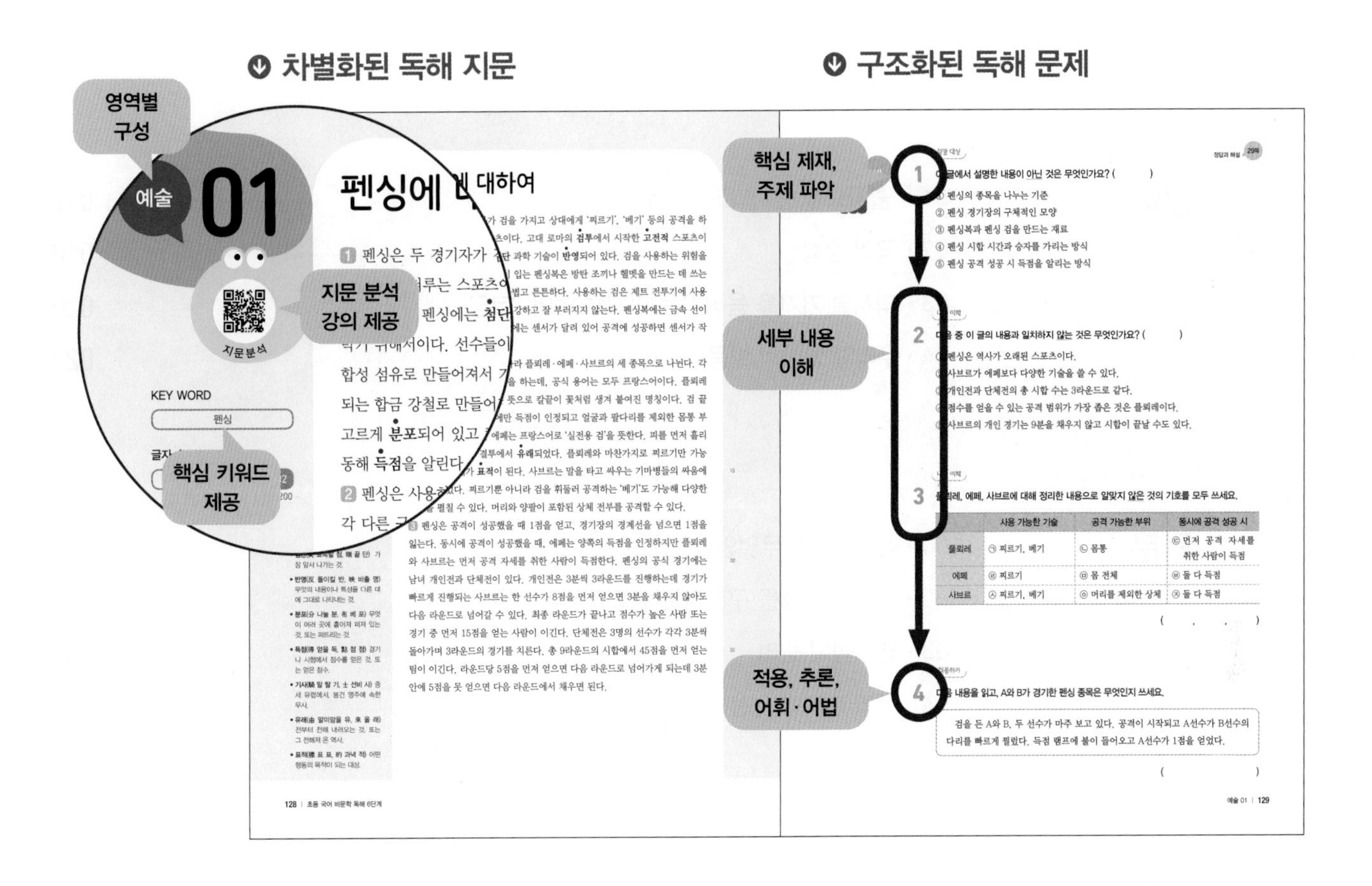

지문 구조 분석 & 배경지식

오늘의 어휘

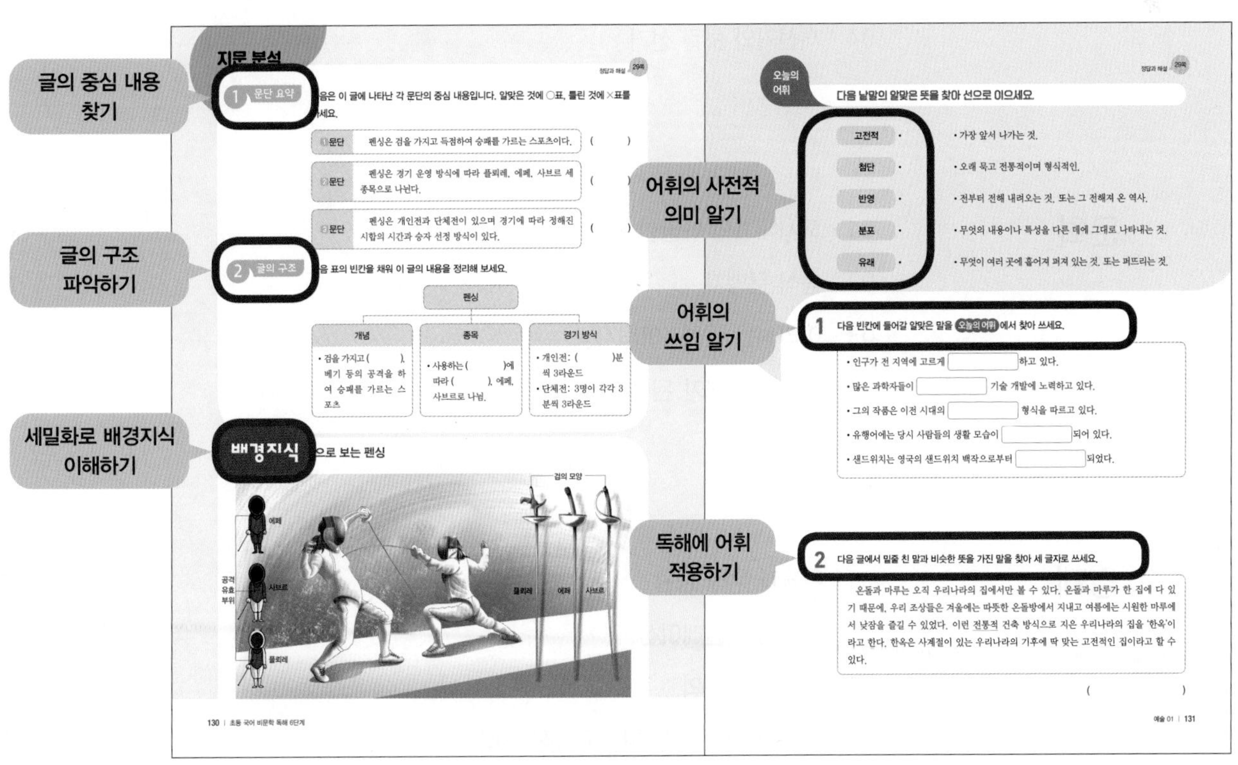

차례

언어

인문

사회

문화

경제

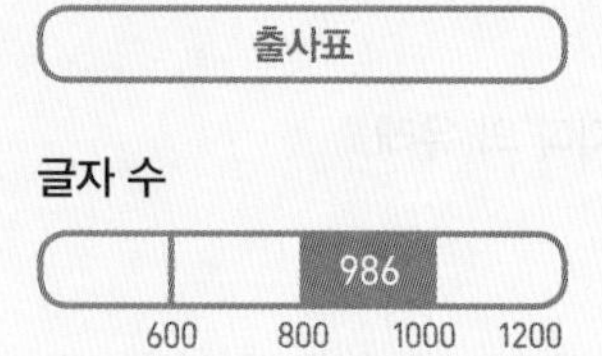

KEY WORD

출사표

글자 수

986

600 800 1000 1200

'출사표를 던지다'의 유래

1 선거철이 되면 뉴스나 기사에서 "○○○이 출사표를 던졌다."라는 표현을 자주 볼 수 있다. '출사표를 던지다'는 '경기, 경쟁 따위에 참가 **의사**를 밝히다.'라는 뜻을 지닌 관용어이다. 이 말에 사용된 '출사표'는 무엇일까?

2 원래 출사표는 싸움터에 나가는 신하가 임금에게 올리는 글을 말한다. 대개 죽음을 **각오**하고 전쟁에서 이기겠다는 내용을 담고 있다. 출사표는 매우 많지만 그중에서도 유비를 도와 촉나라를 이끌었던 제갈량이 쓴 출사표가 매우 유명하여, 출사표라고 하면 보통 제갈량이 쓴 글을 이른다.

3 위나라, 촉나라, 오나라 삼국이 천하를 두고 싸우던 시절, 촉나라의 유비는 꿈을 이루지 못한 채 죽는다. 죽음을 앞둔 유비는 제갈량에게 "반드시 위나라를 이겨 북방 땅을 빼앗아라."라는 **유언**을 남긴다. 제갈량은 그 유언을 받들어 위나라를 공격하러 나서며 후임 황제에게 출사표를 올린다.

4 출사표는 공평한 태도를 당부하며 시작한다. "간사하여 법을 어긴 자와 충성스럽고 착한 일을 한 자가 있거든 마땅히 담당자에게 맡겨 상과 벌을 공평하게 내려야 합니다." 그리고 어질고 현명한 신하를 가까이할 것을 강조한다. "어진 신하를 가까이하고 **소인배**를 멀리하면 나라가 융성해지고, 그 반대로 하면 나라가 기울어집니다." 그러고는 "㉠ 저는 본래 시골의 **미천한** 선비였을 뿐이었는데 선왕께서 몸소 세 번이나 저의 초가집을 찾아와 세상의 일을 물으셨습니다. 그 인연이 벌써 21년이나 되었습니다."라며 유비와의 인연을 **회상**하고, 이번 싸움이 유비의 유언을 따르기 위한 것이라는 **명분**을 드러낸다. 그리고 황제가 지녀야 할 자세를 다시 한번 강조하며 다음과 같이 끝맺는다. "부디 신하들의 **조언**에 귀를 기울이십시오. …… 먼 길을 떠남에 눈물이 앞을 가려 말씀 올릴 바를 더 이상 알지 못하겠나이다."

5 제갈량이 출사표에서 언급한 내용은 오늘날의 정치 지도자들에게도 필요한 것들이다. 결국 선거에서 쓰는 '출사표를 던지다'라는 말에는 지도자가 갖추어야 할 자세가 깃들어 있는 셈이다.

- **의사**(意 뜻 의, 思 생각 사) 어떤 일을 하려고 하는 생각.
- **각오**(覺 깨달을 각, 悟 깨달을 오) 앞으로 생길 힘든 일에 대하여 마음의 준비를 단단히 하는 것.
- **유언**(遺 남길 유, 言 말씀 언) 죽기 전에 가족이나 가까운 사람들에게 남기는 말.
- **소인배**(小 작을 소, 人 사람 인, 輩 무리 배) 마음이 좁고 행동이 간사한 사람들이나 그 무리.
- **미천**(微 작을 미, 賤 천할 천)**한** (기본형: 미천하다) (신분이나 사회적 지위가) 낮고 보잘것없는.
- **회상**(回 돌아올 회, 想 생각 상) 지난 일을 돌이켜 생각하는 것.
- **명분**(名 이름 명, 分 나눌 분) 겉으로 내세우는 이유나 구실.
- **조언**(助 도울 조, 言 말씀 언) 도움이 되는 말.

지문 독해

핵심어

1 **이 글에서 가장 중심이 되는 말은 무엇인가요? (　　　)**

① 전쟁　② 관용어　③ 제갈량
④ 지도자　⑤ 출사표

내용 이해

2 **이 글의 내용과 일치하지 않는 것은 무엇인가요? (　　　)**

① 촉나라의 유비는 천하 통일의 꿈을 이루지 못하고 죽었다.
② 제갈량은 황제에게 어진 신하를 가까이하라고 당부하였다.
③ 일반적으로 출사표라고 하면 제갈량이 쓴 출사표를 이른다.
④ 제갈량은 유비와의 인연을 내세워 황제의 잘못을 꾸짖었다.
⑤ 원래 출사표는 싸움터에 나가는 신하가 임금에게 올리는 글이다.

어휘·어법

3 **다음을 참고할 때, ㉠과 관련된 한자 성어로 알맞은 것은 무엇인가요? (　　　)**

> 삼국 시대 촉나라의 유비는 뛰어난 인재가 시골에서 숨어 지낸다는 말을 듣는다. 그 인물은 제갈량이었다. 유비는 임금의 신분에도 아랑곳하지 않고 추운 겨울에 직접 제갈량의 집을 방문하였으나 그를 만나지 못했다. 다음에 다시 찾아갔으나 역시 만나지 못하였고, 세 번째에 가서야 겨우 만날 수 있었다.

① 작심삼일: 결심이 굳지 못함을 이르는 말.
② 조삼모사: 간사한 꾀로 남을 속여 희롱함을 이르는 말.
③ 삼고초려: 인재를 맞아들이기 위하여 참을성 있게 노력함.
④ 장삼이사: 이름이나 신분이 특별하지 아니한 평범한 사람들을 이르는 말.
⑤ 맹모삼천: 맹자의 어머니가 아들을 가르치기 위하여 세 번이나 이사를 하였음을 이르는 말.

적용하기

4 **'출사표를 던지다'를 바르게 사용한 문장에 ○표 하세요.**

(1) 김 교수님은 새로운 강의에 출사표를 던지셨다. (　　　)
(2) 지원이가 교내 학생 회장 선거에 출사표를 던졌다. (　　　)
(3) 우리 아빠는 새로운 요리 배우기에 출사표를 던졌다. (　　　)

지문 분석

정답과 해설 01쪽

1 문단 요약 다음은 이 글에 나타난 각 문단의 중심 내용입니다. 알맞은 것에 ○표, 틀린 것에 ×표를 하세요.

1문단	관용어 '출사표를 던지다'의 뜻	(　　)
2문단	출사표의 개념과 여러 가지 종류	(　　)
3문단	제갈량이 출사표를 쓴 배경	(　　)
4문단	제갈량이 쓴 출사표의 주요 내용	(　　)
5문단	과거와 현재의 지도자의 자세 차이	(　　)

2 중심 내용 다음 빈칸에 알맞은 말을 넣어 이 글의 중심 내용을 요약하세요.

출사표는 보통 (　　　)이 쓴 글을 이른다. 제갈량은 유비의 유언에 따라 (　　　)를 공격하러 떠나며 후임 황제에게 출사표를 올린다. 그 글에는 나라에 대한 걱정과 충성심이 담겨 있다. 오늘날의 '(　　　)를 던지다'라는 관용어는 여기에서 유래했으며, 지도자가 갖추어야 할 자세에 대해 생각해 보게 하는 말이다.

배경지식 『삼국지』의 주인공, 촉나라의 대표적인 인물들

제갈량

자는 '공명'.
촉나라의 군사 전략가로, 총명하여 뛰어난 작전을 많이 짰다.

유비

자는 '현덕'.
관우, 장비와 의형제를 맺고 촉나라를 세워 황제가 되었다.

관우

자는 '운장'.
촉나라의 장수로, 성격이 강직하고 용맹하며 자존심이 매우 강했다.

장비

자는 '익덕'.
촉나라의 장수로, 정의롭고 인간적인 면이 많았다.

정답과 해설 01쪽

오늘의 어휘

다음 낱말의 알맞은 뜻을 찾아 선으로 이으세요.

의사 •	• 도움이 되는 말.
각오 •	• 어떤 일을 하려고 하는 생각.
미천한 •	• 지난 일을 돌이켜 생각하는 것.
회상 •	• (신분이나 사회적 지위가) 낮고 보잘것없는.
조언 •	• 앞으로 생길 힘든 일에 대하여 마음의 준비를 단단히 하는 것.

1

다음 빈칸에 들어갈 알맞은 말을 오늘의 어휘 에서 찾아 쓰세요.

- 어릴 때의 추억을 [   ]하면 절로 미소가 지어진다.
- 선생님께서 우리에게 국어 공부 방법을 [   ]해 주셨다.
- 이순신 장군은 죽음을 [   ]하고 왜군과의 전투에 나섰다.
- 장영실은 [   ] 신분이었으나 뛰어난 능력으로 출세하였다.
- 학급 회의를 할 때에는 자신의 [   ]를 분명하게 밝혀야 한다.

2

다음 글에서 밑줄 친 말과 반대의 뜻을 가진 말을 찾아 세 글자로 쓰세요.

옛날에는 타고난 신분으로 사회적 지위가 결정되는 경우가 많았다. 개인의 능력과 무관하게 미천한 집안에서 태어나면 사회적으로 낮은 대우를 받았고, 아무런 능력이 없어도 <u>고귀한</u> 집안에서 태어나면 일생을 편하게 살 수 있었다. 이는 동양과 서양에서 공통적으로 나타난 현상이다.

(   )

국어 순화

KEY WORD

국어 순화

글자 수

970

600 800 1000 1200

1 국어 **순화**는 바람직한 국어 생활을 위해 잘못 쓰이고 있는 말을 올바르게 사용할 수 있도록 **개선**하고 순화하는 것을 말한다. 맞춤법, 문장, 어휘 등 언어 활동 전체를 순화 대상으로 삼지만 대개 **어휘**를 중심으로 이루어진다. 구체적으로는 외래어를 우리말로, **비속어**를 고운 말로, 어려운 한자어를 고유어나 쉬운 한자어로 바꾼다. '인터체인지'를 '나들목'으로, '쪽팔리다'를 '창피하다'로, '해태(懈怠)'를 '게으름'으로 바꾸어 쓰는 것 등이 국어 순화의 예이다.

2 국어 순화는 광복 이후 일본어의 **잔재**를 없애려는 운동에서 시작되었다. 말은 그 민족의 정신을 담고 있으므로, 일제 강점기에 강제로 써야 했던 일본어를 우리말로 바꿈으로써 우리의 민족정신을 되살리려 한 것이다. '벤또'를 '도시락'으로, '모찌'를 '찹쌀떡'으로, '노가다'를 '막일, 막노동'으로 바꾼 것 등이 이에 해당한다. 이후 1990년대부터 외래어나 한자어로 된 법률 용어 등을 순화하는 운동이 일어나면서 지금까지 순화한 말은 이만 오천 개가 넘는다.

3 순화 대상이 되는 말을 바꿀 때에는 **일차적**으로 고유어를 활용하고, 마땅한 고유어가 없을 때는 널리 알려진 한자어를 활용하는 것을 원칙으로 한다. 기존 낱말 중에서 마땅한 것이 없을 때에는 새말을 만들어 바꾼다. 예를 들어 '헬퍼(helper)'를 '도우미'로 바꾸는 식이다.

4 외래어를 우리말로 다듬는 것은 쉬운 일이 아니다. 자칫 잘못 다듬으면 어색한 표현이 되거나 원래의 뜻과 달라지기도 한다. 이런 경우에는 다듬은 말, 즉 순화어가 사람들의 외면을 받기 **일쑤**이다. '누리그물[인터넷], 상황 관찰기[CCTV], 늘찬 배달[퀵서비스]' 같은 순화어가 일상에서 거의 사용되지 않는 것은 이런 이유에서이다. 따라서 순화어는 사람들에게 어색하게 느껴지지 않으면서도 순화 대상이 지닌 말의 본래 뜻을 잘 표현할 수 있어야 한다. '리플(reply)'을 '댓글'로, '노견(路肩)'을 '갓길'로 순화한 것이 좋은 예이다.

- **순화**(純 순수할 순, 化 될 화) 불순한 것을 없애고 순수하고 깨끗하게 하는 것.
- **개선**(改 고칠 개, 善 착할 선) 부족하거나 잘못된 것을 고쳐서 더 좋게 만드는 것.
- **어휘**(語 말씀 어, 彙 무리 휘) 한 언어에서 쓰이는 낱말 전체, 또는 각각의 낱말.
- **비속어**(卑 낮을 비, 俗 풍속 속, 語 말씀 어) 상스럽고 천한 말.
- **잔재**(殘 쇠잔할 잔, 滓 찌꺼기 재) 과거의 풍속이나 제도가 남은 찌꺼기.
- **일차적**(一 하나 일, 次 버금 차, 的 과녁 적) 여럿 중에 첫 번째가 되는 것. 우선적인 것.
- **일쑤** ① 흔히 그러는 일. ② 드물지 않게 흔히.

지문 독해

글의 특징

1 이 글에 대한 설명으로 알맞은 것은 무엇인가요? (　　　　　)

① 국어 순화는 반드시 고유어를 활용해야 한다고 주장하고 있다.
② 외래어의 부정적 영향을 지적하고 해결 방안을 제시하고 있다.
③ 국어 순화의 방법과 유의점을 구체적 예를 통해 설명하고 있다.
④ 과거와 현재의 국어 순화 운동이 지닌 장단점을 비교하고 있다.
⑤ 오늘날 국어가 잘못 쓰이는 원인을 다양한 측면에서 분석하고 있다.

내용 이해

2 이 글의 내용과 일치하지 않는 것은 무엇인가요? (　　　　　)

① 바람직한 국어 생활을 위해 국어 순화를 한다.
② 될 수 있으면 고유어를 활용해서 말을 다듬고자 한다.
③ 잘못 다듬어 어색한 순화어는 사람들의 외면을 받기 쉽다.
④ 국어 순화는 민족정신이 회복된 1990년대부터 시작되었다.
⑤ 어려운 한자어를 쉬운 한자어로 바꾸는 것도 국어 순화이다.

내용 이해

3 다음 낱말과 순화한 말을 알맞게 선으로 이으세요.

(1) 노가다 • 　　　　• ㉠ 막일
(2) 모찌 • 　　　　• ㉡ 갓길
(3) 노견(路肩) • 　　　　• ㉢ 도우미
(4) 헬퍼(helper) • 　　　　• ㉣ 찹쌀떡

적용하기

4 다음에서 설명하는 대상을 이 글에서 찾아 두 어절로 쓰세요.

> 비속어와 규범에 어긋난 말을 고운 말과 올바른 말로 바로잡고, 외래어를 가능한 고유어로 바꾸어 쓰는 일을 뜻한다. 어려운 한자어나 법률 용어를 이해하기 쉬운 말로 바꾸는 일도 포함한다.

(　　　　　　　　　　)

지문 분석

정답과 해설 02쪽

1 문단 요약 이 글에 나타난 각 문단의 중심 내용으로 알맞은 것을 찾아 선으로 이으세요.

1 문단 •	• 국어 순화의 역사
2 문단 •	• 국어 순화의 원칙
3 문단 •	• 국어 순화의 개념
4 문단 •	• 국어 순화 시 유의점

2 중심 내용 다음 빈칸에 알맞은 말을 넣어 이 글의 중심 내용을 요약하세요.

국어 순화는 언어를 개선하고 순화하는 것이다. 대개 (　　　　)를 중심으로 이루어지는데, (　　　　)를 우리말로, 비속어를 고운 말로, 어려운 (　　　　)를 쉬운 말로 바꾸는 방식으로 이루어진다. 이때 가능하면 (　　　　)나 널리 알려진 한자어를 활용한다. 그러나 잘못 다듬으면 사람들에게 외면을 받기도 하므로, 어색하지 않으면서도 본래 뜻을 잘 표현할 수 있도록 순화해야 한다.

배경지식 일상에서 흔히 사용하는 일본어 순화하여 쓰기

정답과 해설 02쪽

다음 낱말의 알맞은 뜻을 찾아 선으로 이으세요.

순화 •	• 상스럽고 천한 말.
개선 •	• ① 흔히 그러는 일. ② 드물지 않게 흔히.
비속어 •	• 여럿 중에 첫 번째가 되는 것. 우선적인 것.
일차적 •	• 불순한 것을 없애고 순수하고 깨끗하게 하는 것.
일쑤 •	• 부족하거나 잘못된 것을 고쳐서 더 좋게 만드는 것.

1 다음 빈칸에 들어갈 알맞은 말을 오늘의 어휘에서 찾아 쓰세요.

- 경찰의 ☐ 인 임무는 시민을 보호하는 것이다.
- 줄임 말이나 ☐ 를 많이 사용하는 것은 좋지 않다.
- 어린 시절 그는 숙제도 안 하고 놀러 다니기 ☐ 였다.
- 학교 주변 도로를 ☐ 해야 한다는 목소리가 높아지고 있다.
- 외래어나 외국어를 무분별하게 쓰지 말고 ☐ 된 말을 사용하자.

2 다음 글에서 밑줄 친 말과 반대의 뜻을 가진 말을 찾아 세 글자로 쓰세요.

일부 청소년들은 또래와 어울리기 위해 일부러 비속어를 즐겨 사용하기도 한다. 그러나 그 사람이 쓰는 말은 그 사람의 인품이나 마찬가지이다. 그러므로 적어도 공식적인 자리에서는 <u>점잖고 고상한 말</u>을 쓰는 것이 좋다.

(　　　　　　　　)

KEY WORD

코딩

글자 수

1121

600 800 1000 1200

디지털 기기를 움직이는 디지털 언어, '코딩'

1 최근 전 세계적으로 코딩 교육 **열풍**이 불고 있다. 코딩을 '디지털 시대의 영어'라고 할 정도로 **중시**하여 어릴 때부터 학교에서 가르치는 나라도 많아졌다. 도대체 코딩이 무엇이길래 이렇게 중요하게 여길까?

2 컴퓨터는 하드웨어와 소프트웨어로 이루어진다. 하드웨어는 컴퓨터를 구성하는 여러 기계 장치이다. 하드웨어만으로는 아무것도 할 수 없다. 휴대용 모바일 기기도 마찬가지이다. 기기만 있어서는 기계 덩어리에 지나지 않는다. 이것을 **작동**시키려면 소프트웨어가 필요하다. 소프트웨어는 일반적으로 프로그램이라고 불리는데, 컴퓨터를 관리하는 시스템 프로그램과 다양한 형태의 응용 프로그램으로 나뉜다. 응용 프로그램을 애플리케이션이라고도 하고, 줄여서 '앱'이라고도 한다. 하드웨어가 몸이라면 소프트웨어는 뇌나 정신에 비유할 수 있다.

3 컴퓨터 프로그램은 컴퓨터가 어떤 동작을 하게 만드는 것이다. 그런데 컴퓨터는 사람의 언어를 알아듣지 못한다. 모든 것을 0과 1로만 처리하기 때문이다. 따라서 컴퓨터에게 명령을 내리려면 컴퓨터가 알아들을 수 있는 언어를 사용해야 하는데, 이를 프로그래밍 언어라고 한다. 예를 들어 '1+1'을 계산하여 모니터에 **출력**하라는 간단한 명령도 컴퓨터가 알아들을 수 있는 말로 **변환**해서 내려야만 컴퓨터가 작업을 **수행**할 수 있다.

4 프로그래밍 언어는 우리가 사용하는 글자와 기호로 이루어져 있다. 대개 알파벳 문자와 숫자, 기호를 사용하며, 인간의 언어처럼 일정한 규칙이 있다. 따라서 프로그래밍 언어의 **용어**와 기호, 규칙을 알면 필요한 프로그램을 직접 만들 수 있다. 이 프로그래밍 언어로 시스템 프로그램이나 응용 프로그램을 만들어 내는 과정을 코딩이라고 한다. 즉, 코딩을 한다는 것은 컴퓨터 프로그램이 어떤 기능을 가지게 할지, 혹은 컴퓨터가 어떤 작동을 하게 만들지를 정한 뒤에 프로그래밍 언어로 한 줄 한 줄 **입력**하는 것이다. 이때 여러 가지 종류의 프로그래밍 언어를 사용할 수 있다.

5 컴퓨터나 스마트폰뿐만 아니라 디지털 신호로 작동되는 로봇 청소기나 화재경보기, 게임기, 디지털카메라, 도어 락 등 우리의 삶을 편리하게 해 주는 디지털 기기들은 모두 코딩 작업을 통해 입력된 프로그래밍 언어대로 행동한다. 그러므로 코딩을 얼마나 잘하느냐에 따라 기기의 성능이 결정된다고 볼 수 있다.

- **열풍**(烈 세찰 열, 風 바람 풍) 사나운 바람. 또는 매우 거세게 사회를 휩쓸고 지나가는 현상이나 기운.
- **중시**(重 무거울 중, 視 볼 시) 중요하게 여기는 것.
- **작동**(作 지을 작, 動 움직일 동) 기계가 움직이는 것.
- **출력**(出 날 출, 力 힘 력) (컴퓨터 등에서) 일정한 입력 자료가 처리되어 정보로 나타나는 것. 또는 그 정보.
- **변환**(變 변할 변, 換 바꿀 환) 어떤 사물이 변하여 다른 사물이 되는 것.
- **수행**(遂 이룰 수, 行 다닐 행) 일을 계획한 대로 해내는 것.
- **용어**(用 쓸 용, 語 말씀 어) 일정한 분야에서 주로 사용하는 말.
- **입력**(入 들 입, 力 힘 력) 컴퓨터에서 문자나 숫자 등의 정보를 기억하게 하는 것.

정답과 해설 03쪽

설명 대상

1 이 글에서 설명하는 것은 무엇인지 빈칸에 알맞은 말을 쓰세요.

> 이 글은 (　　　　)의 구성 요소와 특징을 바탕으로 (　　　　)의 개념과 중요성을 설명하고 있다.

내용 이해

2 이 글의 내용과 일치하지 않는 것은 무엇인가요? (　　　　)

① 컴퓨터는 모든 것을 0과 1로만 처리한다.
② 프로그래밍 언어에는 일정한 규칙이 있다.
③ 소프트웨어가 있어야만 컴퓨터를 활용할 수 있다.
④ 디지털 기기는 모두 미리 코딩된 내용에 따라 작동한다.
⑤ 하드웨어는 뇌나 정신에, 소프트웨어는 몸에 비유할 수 있다.

추론하기

3 4문단을 읽고 추론한 내용으로 알맞은 것은 무엇인가요? (　　　　)

① 디지털 기기의 크기에 따라 프로그래밍 언어가 달라지겠군.
② 코딩을 하기 위해서는 프로그래밍 언어를 먼저 배워야겠군.
③ 코딩이 조금 잘못되더라도 컴퓨터가 스스로 바르게 수정하겠군.
④ 시스템 프로그램의 코딩이 응용 프로그램의 코딩보다 더 쉽겠군.
⑤ 프로그래밍 언어는 우리가 쓰는 말의 문자와 문법을 이용하겠군.

적용하기

4 다음에서 설명하는 것을 이 글에서 찾아 두 어절로 쓰세요.

> 사람의 언어와 컴퓨터의 언어를 중간에서 이어 주는 언어를 이른다. 보통 코딩을 배운다는 말은 이 언어를 배우는 것을 의미한다. C 언어와 자바 언어, 파이톤 등 십여 가지 종류가 있다.

(　　　　　　　　)

지문 분석

정답과 해설 03쪽

1 정보 확인 이 글의 핵심어를 두 글자로 쓰세요.

( )

2 문단 요약 다음은 이 글에 나타난 각 문단의 중심 내용입니다. 알맞은 것에 ○표, 틀린 것에 ×표를 하세요.

문단	중심 내용	
1 문단	전 세계적으로 중시되는 코딩 교육	( )
2 문단	컴퓨터의 구성 요소인 하드웨어와 소프트웨어	( )
3 문단	모든 것을 0과 1로만 처리하는 컴퓨터	( )
4 문단	알파벳을 사용하며 일정한 규칙이 있는 프로그래밍 언어	( )
5 문단	디지털 기기의 성능을 결정하는 코딩의 중요성	( )

배경지식 데스크톱 컴퓨터의 일반적인 구조

데스크톱 컴퓨터는 여러 가지 부품으로 구성되는데, 각각의 부품은 다른 것으로 교체할 수 있다.

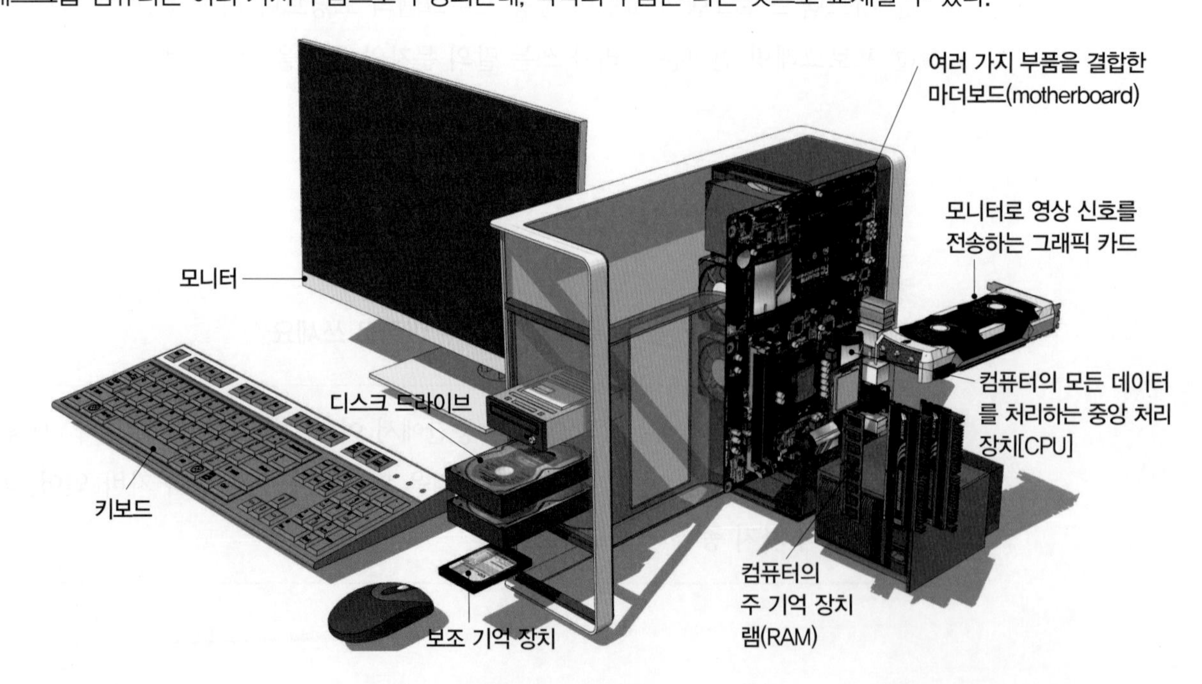

다음 낱말의 알맞은 뜻을 찾아 선으로 이으세요.

열풍 •	• 기계가 움직이는 것.
중시 •	• 중요하게 여기는 것.
작동 •	• 일을 계획한 대로 해내는 것.
변환 •	• 어떤 사물이 변하여 다른 사물이 되는 것.
수행 •	• 사나운 바람, 또는 매우 거세게 사회를 휩쓸고 지나가는 현상이나 기운.

1 다음 빈칸에 들어갈 알맞은 말을 오늘의 어휘 에서 찾아 쓰세요.

- 우리 할아버지께서는 예의범절을 (　　　　)한다.
- 전기 에너지는 다른 에너지로의 (　　　　)이 쉽다.
- 최근 전 세계적으로 케이 팝 (　　　　)이 불고 있다.
- 나는 네가 그 일을 성실히 (　　　　)할 것이라 믿는다.
- 갑자기 게임기가 (　　　　)되지 않아 수리를 받아야 한다.

2 다음 글에서 밑줄 친 말과 반대의 뜻을 가진 말을 찾아 두 글자로 쓰세요.

우리 사회는 유난히 학벌을 중시한다. 하지만 학벌이 좋지 않다는 이유만으로 그 사람의 능력까지 <u>경시</u>하는 것은 옳지 않다. 국어나 영어 점수가 그 사람이 지닌 능력의 전부가 아니기 때문이다. 학벌보다 능력을 중시하는 사회가 되어야 한다.

(　　　　　　　　)

우리말  의 발음

KEY WORD

받침의 발음

글자 수

1162

600 800 1000 1200

1 ㉡'철수는 닭을 기른다.'에서 '닭을'을 어떻게 발음해야 할까? 낱말을 올바르게 발음하지 않으면 **의사소통**이 **원활하게** 이루어지지 않는다. 특히 우리말에서는 받침의 발음을 유의해야 한다. 우리말 받침의 발음법을 알아보자.

2 우리말의 자음은 'ㄱ, ㄲ, ㄴ, ㄷ, ㄸ, ㄹ, ㅁ, ㅂ, ㅃ, ㅅ, ㅆ, ㅇ, ㅈ, ㅉ, ㅊ, ㅋ, ㅌ, ㅍ, ㅎ' 19개이다. 이 중에서 'ㄸ, ㅃ, ㅉ'을 **제외**한 16개가 받침으로 사용되는데, 받침소리로 발음하는 것은 'ㄱ, ㄴ, ㄷ, ㄹ, ㅁ, ㅂ, ㅇ' 7개이다. 겹받침을 **포함**한 **이외**의 받침은 이 7개 중 하나로 바꾸어 발음한다. 즉, 'ㄱ, ㄴ, ㄷ, ㄹ, ㅁ, ㅂ, ㅇ'은 단어 끝이나 자음 앞에서 그대로 발음하고, '밖, 부엌'의 'ㄲ, ㅋ'은 [ㄱ]으로, '옷, 있-, 빗, 빚, 밭, 히읗'의 'ㅅ, ㅆ, ㅈ, ㅊ, ㅌ, ㅎ'은 [ㄷ]으로, '숲'의 'ㅍ'은 [ㅂ]으로 발음한다. 단, 'ㅎ'이나 'ㅎ'이 들어가는 겹받침은 '놓다, 놓아'처럼 뒤에 이어지는 자음에 따라 'ㅎ'의 발음이 달라지기도 한다.

3 우리말의 겹받침은 'ㄳ, ㄵ, ㄶ, ㄺ, ㄻ, ㄼ, ㄽ, ㄾ, ㄿ, ㅀ, ㅄ' 등 11개이다. 이들은 단어 끝이나 자음 앞에서 두 개의 자음 중 하나로 발음한다. 우선, 'ㄳ, ㄵ, ㄶ, ㄼ, ㄽ, ㄾ, ㅀ, ㅄ'은 앞에 있는 자음으로 발음한다. 즉, 'ㄳ'은 [ㄱ], 'ㄵ, ㄶ'은 [ㄴ], 'ㄼ, ㄽ, ㄾ, ㅀ'은 [ㄹ], 'ㅄ'은 [ㅂ]으로 발음한다. '몫'을 [목], '앉-'을 [안-], '넓-'을 [널-], '값'을 [갑]으로 발음하는 것이 그 예이다. 그리고 'ㄺ, ㄻ, ㄿ'은 뒤에 있는 자음으로 발음한다. 'ㄺ'은 [ㄱ], 'ㄻ'은 [ㅁ], 'ㄿ'은 [ㅂ]으로 발음한다. 예를 들어 '흙'은 [흑], '삶'은 [삼], '읊-'은 [읍-]으로 발음한다.

4 예외도 있다. '밟-'은 자음 앞에서 [밥-]으로 발음하며, '넓-'은 '넓죽하다[넙쭈카다]'와 '넓둥글다[넙뚱글다]'와 같은 낱말에서는 [넙-]으로 발음한다. 그리고 '맑고[말꼬]'처럼 'ㄱ' 앞에서 [ㄹ]로 발음하는 경우도 있다.

5 한편, 모음으로 시작하면서 **실질적**인 의미가 없는 말 앞에서는 받침을 뒤 **음절**의 첫소리로 옮겨 발음한다. 이때 겹받침은 뒤엣것만을 옮긴다. 예를 들어, '옷이'는 [오시]로, '밖에'는 [바께]로, '여덟이'는 [여덜비]로 발음한다.

- **의사소통**(意 뜻 의, 思 생각 사, 疏 트일 소, 通 통할 통) 어떤 방법이나 수단을 써서 서로 자기의 생각을 주고받는 것.
- **원활**(圓 둥글 원, 滑 미끄러울 활)**하게** (기본형: 원활하다) (일의 진행이) 막히거나 거침이 없어 매끄럽고 순조롭게.
- **제외**(除 덜 제, 外 바깥 외) 어떤 대상에서 빼놓거나 셈에서 빼는 것.
- **포함**(包 쌀 포, 含 머금을 함) 무엇이 어떤 무리나 범위에 들어 있는 것. 무엇을 한 무리에 끼워 넣는 것.
- **이외**(以 써 이, 外 바깥 외) 어떤 범위의 밖. 그 밖의 것.
- **실질적**(實 열매 실, 質 바탕 질, 的 과녁 적) 꾸밈이나 겉모양이 아니라 속 내용 자체를 이루는 것.
- **음절**(音 소리 음, 節 마디 절) 모음 단독으로, 또는 모음과 자음이 어울려 나는 가장 작은 소리 단위.

지문 독해

제목

1 ㉠에 알맞은 말을 넣어 이 글의 제목을 완성하세요.

• 우리말 (   )의 발음

내용 이해

2 이 글의 내용과 일치하지 않는 것은 무엇인가요? (   )

① 겹받침 'ㄺ'은 모두 [ㄹ]로 발음한다.
② 겹받침은 두 개의 자음 중에서 하나로 발음된다.
③ 우리말에서 받침소리로 발음되는 자음은 모두 7개이다.
④ '넓죽하다'에서 '넓-'의 겹받침 'ㄼ'은 [ㅂ]으로 발음한다.
⑤ 받침 'ㅅ'은 단어 끝이나 자음 앞에서 [ㄷ]으로 발음한다.

내용 이해

3 다음 낱말의 받침은 어떻게 발음해야 하는지 알맞은 것을 찾아 선으로 이으세요.

(1)	닭, 삯	㉮	[ㄷ]
(2)	밭, 빗	㉯	[ㄹ]
(3)	값, 옆	㉰	[ㄱ]
(4)	얇다, 싫다	㉱	[ㅂ]

추론하기

4 5문단을 참고할 때, ㉡의 물음에 대한 답으로 알맞은 것은 무엇인가요? (   )

① [다글]　② [닥을]　③ [닥글]
④ [달읔]　⑤ [달글]

지문 분석

정답과 해설 04쪽

1 중심 내용 다음 빈칸에 알맞은 말을 넣어 이 글의 중심 내용을 요약하세요.

(　　　　)을 원활하게 하기 위해서는 낱말을 올바르게 발음해야 한다.

2 글의 구조 다음 표의 빈칸을 채워 이 글의 내용을 정리해 보세요.

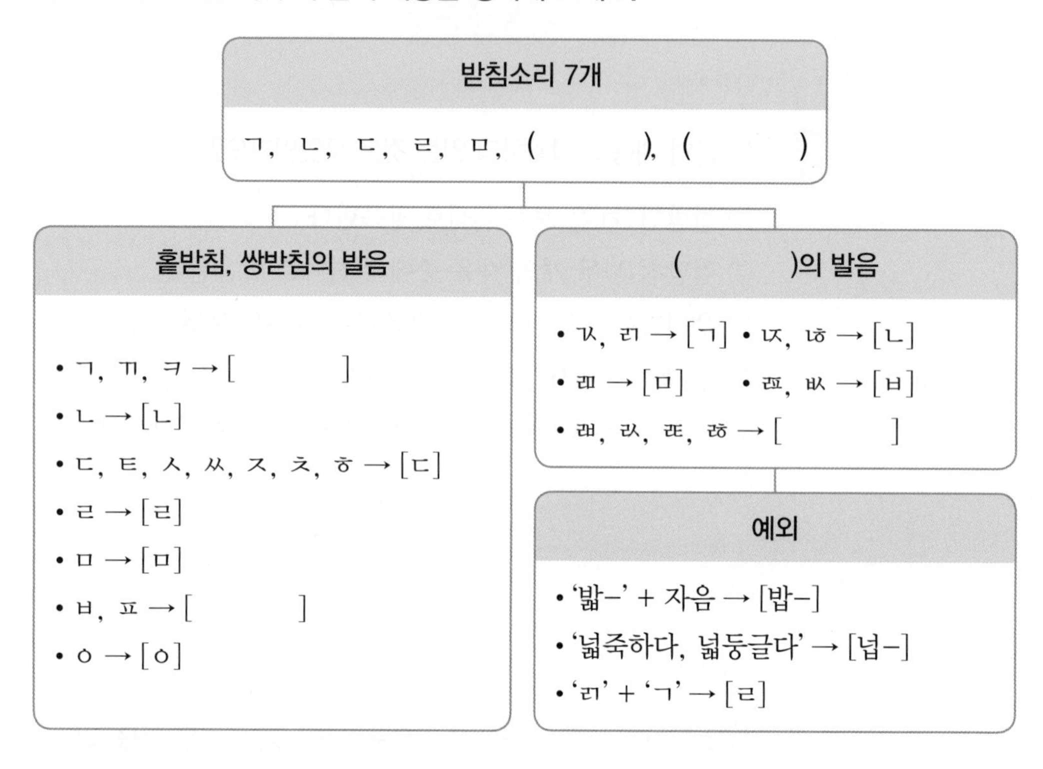

배경지식 우리말의 자음이 발음되는 위치

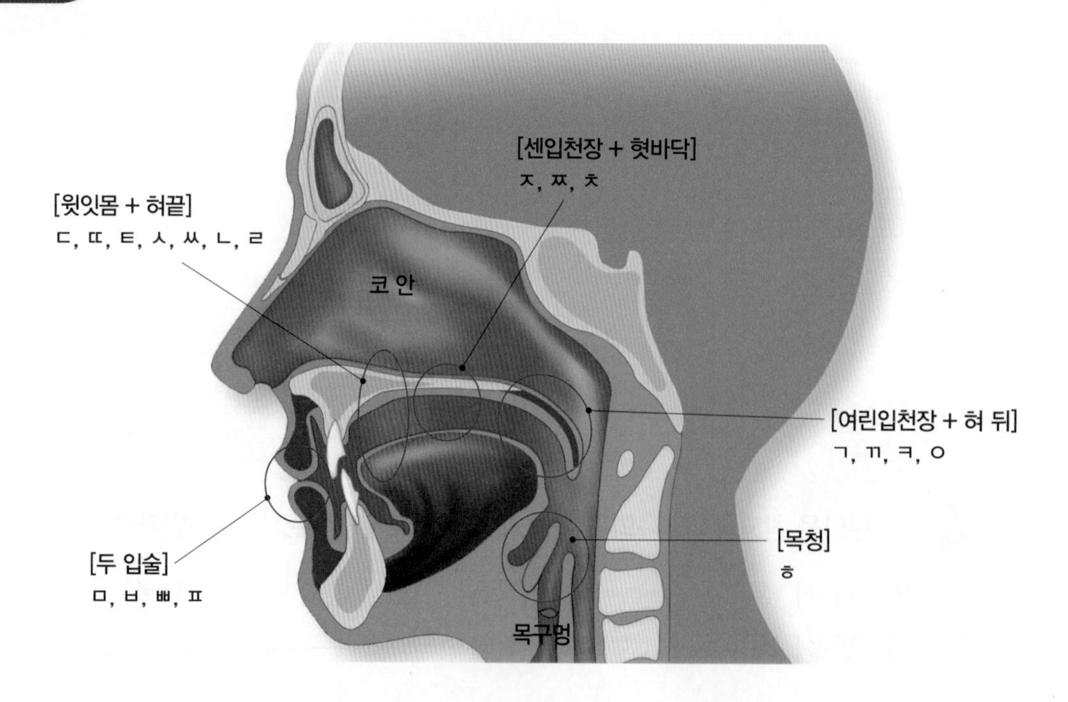

오늘의 어휘

다음 낱말의 알맞은 뜻을 찾아 선으로 이으세요.

의사소통 •	• 어떤 범위의 밖. 그 밖의 것.
원활하게 •	• 어떤 대상에서 빼놓거나 셈에서 빼는 것.
제외 •	• 꾸밈이나 겉모양이 아니라 속 내용 자체를 이루는 것.
이외 •	• (일의 진행이) 막히거나 거침이 없어 매끄럽고 순조롭게.
실질적 •	• 어떤 방법이나 수단을 써서 서로 자기의 생각을 주고받는 것.

1 다음 빈칸에 들어갈 알맞은 말을 오늘의 어휘 에서 찾아 쓰세요.

- 도로 공사가 끝나서 차량의 소통이 [ ] 풀렸다.
- 우리가 기울인 노력에 비해 [ ] 성과는 적은 편이다.
- 열심히 공부했던 단원이 시험 범위에서 [ ] 되어 버렸다.
- 몇 끼를 굶었더니 먹을 것 [ ] 에는 눈에 들어오지 않았다.
- 외국에서 말이 안 통할 때는 몸짓으로 [ ] 을 하기도 한다.

2 다음 글에서 밑줄 친 말과 반대의 뜻을 가진 말을 찾아 세 글자로 쓰세요.

> 명절이 되면 주변 사람들과 선물을 주고받는 경우가 많다. 그런데 그 선물 중에는 살림에 실질적으로 도움이 되지 않는 것이 많다. 이는 선물을 받는 사람의 처지나 형편을 생각하지 않고 형식적으로 선물을 보내기 때문이다. 받는 사람에게 필요한 것을 보내는 배려가 필요하다.

( )

KEY WORD

심리학

글자 수

1118

600 800 1000 1200

심리학이란 무엇인가?

1 어떤 사람이 당신에게 만 원을 주고 간단한 게임을 **제안**한다. 동전을 던져서 앞면이 나오면 받았던 만 원을 도로 내놓고, 뒷면이 나오면 이만 원을 더 준다는 것이다. 게임을 하지 않으면 만 원을 그대로 가질 수 있다. 어떻게 하는 것이 좋을까? **합리적**으로 따지면 게임을 하는 것이 이익이다. 동전의 어떤 면이 나와도 당신이 손해 볼 일은 없기 때문이다. 앞면이 나오면 받았던 돈을 다시 돌려주면 그만이고, 뒷면이 나오면 만 원에다가 추가로 이만 원을 더 얻을 수 있다. 그런데도 사람들은 (㉠) 게임 참가를 거절하였다. 왜 이렇게 많은 사람들이 어리석어 보이는 선택을 한 것일까?

2 사람은 합리적이므로 자기에게 더 이익이 되는 쪽을 선택할 것이라고 생각하는 경제학자들은 이런 상황을 이해할 수 없었다. 하지만 심리학자들은 이 이유를 설명한다. 그것은 **손실**을 이익보다 더 크게 여기는 심리 때문이다. 사람들은 심리적으로 자신이 손해 보았을 때 느끼는 고통을, 동일한 양만큼 이익을 얻었을 때 느끼는 기쁨보다 더 크게 여긴다. 즉, 이만 원을 얻을 때 예상되는 기쁨보다 방금 자신이 받은 만 원을 잃었을 때의 고통을 더 크게 여기기 때문에 더 많은 돈을 얻을 수 있는 게임에 참가하지 않은 것이다.

3 다른 사례를 보자. 넓은 카페나 식당에 가서 자리를 고르라고 하면 대부분의 사람들은 한가운데 자리를 피하고 창가나 구석 자리, 출입문을 마주 보는 벽 쪽 자리를 선택한다. 왜 그럴까? 심리학에 따르면 이것은 **원시 시대** 때의 습관 때문이다. 원시 시대에는 머리 위나 등 뒤를 가려 주면서 **사방**을 살필 수 있는 곳에 있는 것이 **맹수**를 피하는 데 유리했는데, 그때의 습관이 아직 남아 있어서 사방이 잘 보이면서 자신의 옆이나 뒤를 가려 주는 곳을 **선호**하는 것이다.

4 심리학은 앞의 사례들처럼 인간의 마음이 **작용**하는 과정을 과학적으로 연구하는 학문이다. 다만, 보이지 않는 마음을 직접 연구할 수 없기에 행동을 통해 그렇게 행동하게 만든 심리를 파악한다. 다시 말해, 심리학자는 사람들이 왜 그런 식으로 행동하거나 생각하는지에 대한 답을 다양한 관점에서 **객관적**으로 연구함으로써 인간을 더 깊이 이해하려 한다. 이런 점 때문에 심리학은 광고, 범죄 연구, 정신 의학, 교육, 상담 등 매우 다양한 분야에서 활용되고 있다.

- **제안**(提 끌 제, 案 책상 안) 할 일을 의논하기 위해 계획이나 의견을 말하는 것. 또는 그러한 계획이나 의견.
- **합리적**(合 합할 합, 理 다스릴 리, 的 과녁 적) 이치에 어긋나지 않는 것.
- **손실**(損 덜 손, 失 잃을 실) 줄어들거나 잃어버려서 손해를 보는 것.
- **원시 시대**(原 근원 원, 始 비로소 시, 時 때 시, 代 대신할 대) 인류의 문명이 아직 발달하지 않은 시대.
- **사방**(四 넉 사, 方 모 방) ① 동·서·남·북의 네 방위. ② 둘레의 모든 곳.
- **맹수**(猛 사나울 맹, 獸 짐승 수) 다른 짐승을 잡아먹고 사는 사나운 짐승.
- **선호**(選 가릴 선, 好 좋을 호) 여러 가지 중에서 특별히 좋아하는 것.
- **작용**(作 지을 작, 用 쓸 용) 어떠한 현상을 일으키거나 영향을 미침.
- **객관적**(客 손님 객, 觀 볼 관, 的 과녁 적) 자기 혼자만의 생각이나 감정에서 벗어나, 있는 그대로인 것.

지문 독해

설명 대상

1 **이 글에서 설명하는 것은 무엇인가요? (　　　　)**

① 게임　② 인간　③ 심리학
④ 이익과 손실　⑤ 합리적 사고

전개 방식

2 **1, 3 문단에서 사용하고 있는 설명 방법을 두 가지 찾아 기호를 쓰세요.**

㉠ 글쓴이가 경험한 일을 제시하여 독자의 공감을 자아내고 있다.
㉡ 독자에게 질문을 함으로써 내용에 대한 집중을 유도하고 있다.
㉢ 구체적인 연구 사례를 활용하여 독자의 호기심을 자극하고 있다.
㉣ 웃음을 유발하는 표현을 활용하여 독자의 흥미를 끌어내고 있다.

(　　　　,　　　　)

추론하기

3 **이 글을 통해 답을 알 수 있는 질문이 아닌 것은 무엇인가요? (　　　　)**

① 경제학자들은 사람을 어떻게 인식하고 있나요?
② 심리학은 일상생활의 어떤 분야에서 활용되나요?
③ 심리학자들이 인간의 행동을 연구하는 까닭은 무엇인가요?
④ 사람들이 구석진 창가 자리를 선호하는 까닭은 무엇인가요?
⑤ 사람들이 이익보다 손실을 더 크게 느끼는 까닭은 무엇인가요?

어휘·어법

4 **문맥상 ㉠에 들어갈 가장 알맞은 한자 성어는 무엇인가요? (　　　　)**

① 십중팔구: 대부분. 거의 전부.
② 일석이조: 한 가지의 일을 통해 두 가지의 이득을 얻는 것.
③ 구사일생: 위험한 상황에서 거의 죽을 뻔하다가 겨우 살아나는 것.
④ 칠전팔기: 여러 번의 실패에도 굽히지 않고 다시 일을 시작하는 것.
⑤ 오리무중: 어디에 있는지 알 수 없거나, 갈피를 잡을 수 없는 상태.

지문 분석

정답과 해설 05쪽

1 문단 요약 이 글에 나타난 각 문단의 중심 내용으로 알맞은 것을 찾아 선으로 이으세요.

1문단 •	• 동전 게임과 사람들의 반응
2문단 •	• 사람들이 구석 자리에 앉는 심리
3문단 •	• 사람들이 동전 게임에 참여하지 않는 심리
4문단 •	• 인간의 마음을 과학적으로 연구하는 학문인 심리학

2 중심 내용 다음 빈칸에 알맞은 말을 넣어 이 글의 중심 내용을 요약하세요.

심리학은 인간의 (   )이 작용하는 과정을 (   )으로 연구하는 학문이다. 심리학자들은 이를 통해 (   )을 더 깊이 이해하고자 한다. 이 때문에 심리학은 다양한 분야에서 활용된다.

배경지식 재미있는 심리학 실험 – 동조 현상

동조 현상은 의견의 옳고 그름과 상관없이 다수의 의견이나 행동에 따라가게 되는 현상이다. 이를 증명하기 위한 실험에서 문제의 답은 'C'가 맞지만 많은 사람들이 'A'라고 답하자 대부분의 실험자는 다른 사람들을 따라 'A'라고 답했다.

오늘의 어휘

다음 낱말의 알맞은 뜻을 찾아 선으로 이으세요.

제안 •	• 이치에 어긋나지 않는 것.
합리적 •	• 여러 가지 중에서 특별히 좋아하는 것.
손실 •	• 줄어들거나 잃어버려서 손해를 보는 것.
사방 •	• ① 동·서·남·북의 네 방위. ② 둘레의 모든 곳.
선호 •	• 할 일을 의논하기 위해 계획이나 의견을 말하는 것. 또는 그러한 계획이나 의견.

1 다음 빈칸에 들어갈 알맞은 말을 오늘의 어휘 에서 찾아 쓰세요.

- 요즘에는 유기농 식품을 [　　　]하는 소비자가 많다.
- 휴일에 가족끼리 영화를 보러 가자고 [　　　]하였다.
- 한국 전쟁 중에 막대한 양의 문화재가 [　　　]되었다.
- 산꼭대기에 오르니 [　　　]이 탁 트여 마음이 시원해졌다.
- 공정 무역으로 들여온 질 좋은 커피를 [　　　] 가격에 판매한다.

2 보기 를 참고하여, 다음 글에서 ㉠의 반의어이자 ㉡의 유의어에 해당하는 말을 찾아 두 글자로 쓰세요.

보기
- 반의어: 뜻이 서로 반대되는 말.
- 유의어: 뜻이 서로 비슷한 말.

사업을 갓 시작한 사람은 작은 손실에도 예민하게 반응한다. 하지만 그런 행동은 사업에 방해가 될 뿐이다. 당장의 ㉠이익이나 ㉡손해보다는 자신을 찾아온 고객을 어떻게 대해야 하는지를 먼저 고민해야 한다. 고객의 마음을 사로잡으면 돈은 자연스럽게 따라오는 법이니.

(　　　　　　)

인문 02

지문분석

KEY WORD

시대 구분

글자 수

1071

600 800 1000 1200

㉠

1 역사를 체계적으로 이해하려면 시대를 구분해서 보는 것이 필요하다. 어떤 사람이 자신의 인생을 되돌아볼 때 **유년** 시절, 청년 시절, **장년** 시절, 노년 시절이나 **학창** 시기, 직장인 시기, 은퇴 후 시기 등으로 나누어서 생각하면 좀 더 쉽게 과거를 살필 수 있는 것과 같다.

2 역사의 시대를 구분할 때 **절대적**인 기준은 없지만, 가장 널리 쓰이는 시대 구분법은 고대, 중세, 근대로 나누는 것이다. 이 구분법은 서양의 르네상스 시대 지식인들이 처음 사용하였다. 르네상스는 14~16세기에, 고대의 그리스·로마 문화를 **이상적**인 것으로 보고 그때의 문화를 되살려 새로운 문화를 **창출**해 내려 한 운동을 말한다. 당시 지식인들은 자신들의 문화, 예술, 학문이 모두 직전 시대보다 훨씬 뛰어나다고 여겼다.

3 '고대(古代)'는 한자어의 뜻 그대로 오래된 시대라는 뜻이다. 르네상스 지식인들은 자신들이 본받으려 한 그리스·로마 시대가 자신들이 사는 시대와 시간적으로 아주 멀리 떨어져 있으므로 '고대'라고 이름 붙였다. 이와 달리 '근대(近代)'는 가까운 시대라는 뜻으로, 자신들이 살고 있는 르네상스 시대를 이르는 말로 사용하였다. 그리고 고대와 근대 사이, 즉 그리스·로마 시대가 끝난 뒤부터 르네상스 시대 전까지를 '중세(中世)'라고 하였다. '중세'는 중간 세대라는 뜻이다. 르네상스 시대의 지식인들은 개인의 창조성이 **억압**되었던 중세를 문화의 **암흑기**로 여겼다.

4 그런데 시간은 계속 흘러가므로 '근대'가 계속 이어질 수밖에 없는 문제가 생겼다. 그래서 르네상스 시대에서 몇백 년이 지난 뒤에 역사학자들은 '현대(現代)'라는 용어를 새로 만들었다. '현대'는 지금의 시대라는 뜻으로, 우리가 사는 지금과 아주 가까운 시대를 가리킨다.

5 고대, 중세, 근대로 나누는 시대 구분은 동양의 역사에는 그대로 적용하기 어렵다. 동양에는 르네상스같이 과거와 뚜렷하게 구분되는 시기가 없기 때문이다. 예를 들어 우리나라는 대부분의 역사학자들이 고려의 건국부터 중세로 보는데, 고려 시대가 서양 중세처럼 문화의 암흑기라서가 아니라 사회 **체제**가 이전과 뚜렷하게 달라졌기 때문이다. 다만 근대의 시작 시기에 대해서는 역사학자들 간에 의견이 다르다.

- **유년(幼 어릴 유, 年 해 년)** 나이가 어릴 때. 어린 나이.
- **장년(壯 씩씩할 장, 年 해 년)** 사람의 일생에서 한창 사회적으로 왕성하게 활동할 나이. 또는 그런 나이의 사람.
- **학창(學 배울 학, 窓 창문 창)** 학생의 학교생활.
- **절대적(絶 끊을 절, 對 대답할 대, 的 과녁 적)** 비교하거나 상대될 만한 것이 없는 것.
- **이상적(理 다스릴 이, 想 생각 상, 的 과녁 적)** 가장 완전하다고 여겨지는 것.
- **창출(創 비롯할 창, 出 날 출)** 전에 없던 것을 처음으로 생각하여 지어내거나 만들어 냄.
- **억압(抑 누를 억, 壓 누를 압)** 행동이나 자유를 억지로 누르는 것.
- **암흑기(暗 어두울 암, 黑 검을 흑, 期 기약할 기)** 도덕이나 이성, 문명 등이 쇠퇴하고 세상이 어지러운 시기.
- **체제(體 몸 체, 制 억제할 제)** 사회적인 제도나 조직이 이루어진 짜임새.

지문 독해

제목

1 ㉠에 들어갈 이 글의 제목으로 가장 알맞은 것은 무엇인가요? (　　　　)

① 동서양의 시대 구분 차이
② 역사를 공부해야 하는 까닭
③ 그리스·로마 문화의 위대함
④ 르네상스 시대 사람들의 자부심
⑤ 역사의 시대를 구분하는 방법

전개 방식

2 1~5문단에 사용된 설명 방법으로 알맞은 것은 무엇인가요? (　　　　)

① 1문단: 말하고자 하는 바를 유사한 상황에 빗대어 설명하고 있다.
② 2문단: 두 대상의 공통점을 중심으로 설명하고 있다.
③ 3문단: 구체적인 사례를 활용하여 중심 내용을 뒷받침하고 있다.
④ 4문단: 설명 대상을 일정한 기준에 따라 나누어 설명하고 있다.
⑤ 5문단: 전문가의 견해를 인용하여 말하려는 바를 강조하고 있다.

내용 이해

3 시대 구분과 그에 대한 설명으로 알맞은 것끼리 선으로 이으세요.

(1) 고대(古代) •　　　　• ㉠ 가까운 시대라는 뜻으로, 르네상스 시대를 가리킴.

(2) 중세(中世) •　　　　• ㉡ 오래된 시대라는 뜻으로, 그리스·로마 시대를 가리킴.

(3) 근대(近代) •　　　　• ㉢ 중간 세대라는 뜻으로, 르네상스 직전의 시대를 가리킴.

(4) 현대(現代) •　　　　• ㉣ 지금의 시대라는 뜻으로, 지금과 아주 가까운 시대를 가리킴.

추론하기

4 이 글을 읽고 보인 반응으로 알맞지 않은 것은 무엇인가요? (　　　　)

① 시대를 구분하면 역사를 보다 체계적으로 이해할 수 있겠군.
② '고대, 중세, 근대'로는 부족하여 '현대'라는 용어를 추가했군.
③ 르네상스 시대의 지식인들은 직전 시대의 문화를 좋아했겠군.
④ '근대'라는 말에는 르네상스 시대에 대한 자부심이 반영되었군.
⑤ 역사학자에 따라 각기 다른 방식으로 시대를 구분할 수 있겠군.

지문 분석

정답과 해설 06쪽

1 중심 내용 **다음 빈칸에 알맞은 말을 넣어 이 글의 중심 내용을 요약하세요.**

역사에서 시대는 일반적으로 '고대, (　　　　), 근대'로 구분한다. 이 용어는 (　　　　) 시대의 지식인들이 자신이 사는 시대를 기준으로 만든 것이다. 그러나 '(　　　　)'가 계속 이어지는 문제가 있어 후세의 역사학자들이 '현대'라는 용어를 추가하였다. 한편, 이런 서양 중심의 시대 구분은 (　　　　)의 역사 구분에는 적용하기 어렵다.

2 글의 구조 **다음 표의 빈칸을 채워 이 글의 내용을 정리해 보세요.**

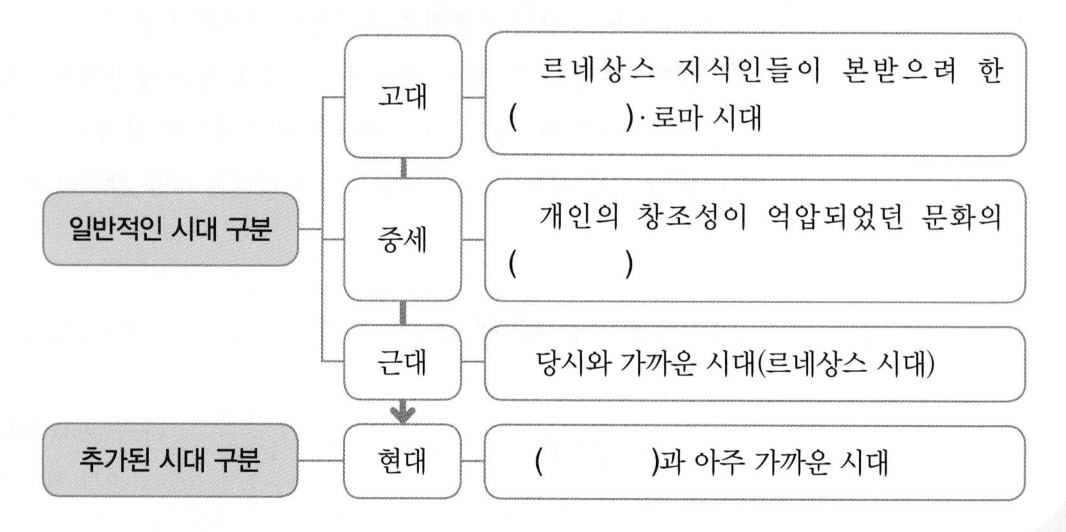

배경지식 문화 부흥기 르네상스 시대

건축 기술이 발달했다.

「천지 창조」 등 유명한 미술 작품이 그려졌다.

나침반의 발명으로 활발한 항해가 이루어졌다.

인쇄 기술이 발달했다.

다음 낱말의 알맞은 뜻을 찾아 선으로 이으세요.

유년 •	• 학생의 학교생활.
학창 •	• 나이가 어릴 때. 어린 나이.
이상적 •	• 가장 완전하다고 여겨지는 것.
창출 •	• 행동이나 자유를 억지로 누르는 것.
억압 •	• 전에 없던 것을 처음으로 생각하여 지어내거나 만들어 냄.

1 다음 빈칸에 들어갈 알맞은 말을 오늘의 어휘에서 찾아 쓰세요.

- 어머니께서는 가끔 꿈 많던 [　　　　] 시절을 떠올리신다.
- 사업을 성공시키기 위해 새로운 아이디어 [　　　　]이 필요하다.
- 우리 아버지는 바닷가에서 태어나 그곳에서 [　　　　]을 보냈다.
- 독재자는 자신의 권력을 지키기 위해 언론의 자유를 [　　　　]했다.
- 내가 [　　　　]으로 생각하는 친구는 진심으로 축하할 줄 아는 친구이다.

2 다음 글에서 밑줄 친 말과 비슷한 뜻을 가진 말을 찾아 두 글자로 쓰세요.

오로지 자신의 생각만으로 <u>새로운 것을 만들어 내는 것</u>은 불가능하다. 처음 만든 발명품이라고 하더라도 이전 세대의 사람들이 그때까지 쌓아온 지식이 밑바탕이 되기 때문이다. 새로운 문화의 창출도 전통문화를 밑바탕으로 삼을 때 가능하다.

(　　　　　　　　)

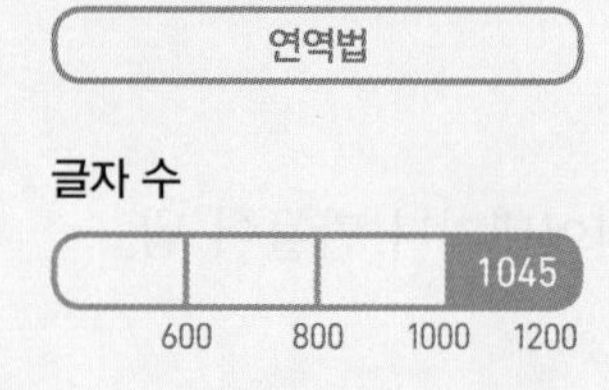

KEY WORD

연역법

글자 수

1045

600 800 1000 1200

연역법의 원리

1 지식을 얻는 방법에는 두 가지가 있다. 경험을 활용하는 방법과 **이성**을 활용하는 방법이다. 앞의 방법은 동일한 **현상**을 반복적으로 관찰하여 공통점을 이끌어 내는 과정을 거친다. 이와 달리 뒤의 방법은 **명백한** 진리를 근거로 삼아 구체적 사실을 이끌어 내는 과정을 거친다. 이렇게 이성을 활용하는 방법을 연역법이라고 한다.

2 연역법은 진리로 볼 수 있는 **보편적** 사실을 근거로 삼아 그것과 관련 있는 구체적 사실을 이끌어 내는 **추론**으로, 삼단 논법이 대표적이다. 다음 삼단 논법을 보자.

[대전제] 모든 사람은 죽는다.

[소전제] 홍길동은 사람이다.

[결론] 따라서 홍길동은 죽는다.

'모든 사람은 죽는다.'라는 내용은 누구도 의심하지 않는 보편적 사실이다. 이 사실이 결론을 이끌어 내는 근본적인 근거가 되므로 이를 '대전제'라고 한다. '홍길동은 사람이다.' 또한 결론의 근거가 되지만 대전제보다 그 범위가 좁다. 그래서 이를 '소전제'라고 한다. 소전제에는 '사람'처럼 대전제의 내용 일부가 들어 있어야 한다. '홍길동은 죽는다.'는 대전제와 소전제를 모두 근거로 삼아 이끌어 낸 '결론'이다. 결론의 내용은 반드시 대전제와 소전제에서 나온 것이어야 한다. '홍길동은 죽는다.'의 '홍길동은'은 소전제에서, '죽는다'는 대전제에서 제시된 내용이다. ㉠만약 동일한 대전제와 소전제에서 '홍길동은 똑똑하다.'와 같은 결론이 나온다면 올바른 추론이 아니다. 삼단 논법의 대전제와 소전제가 참이면 결론도 무조건 참이며, 둘 중 하나라도 거짓이면 결론은 무조건 거짓이다.

3 연역법을 통해 얻은 지식은 새로운 진리라고 보기는 힘들다. 왜냐하면 대전제 속에 이미 결론의 내용이 들어 있기 때문이다. 즉 '모든 사람은 죽는다.'라는 대전제 속에 '사람'인 홍길동이 죽을 것이라는 사실이 이미 포함되어 있다.

4 그렇다고 하더라도 연역법은 **체계적**인 논리를 지닌다는 점에서 **의의**가 있다. 이런 논리는 규칙이나 **규범**이 **확립**되어 있는 사회에서 어떤 행동에 대한 판단을 내리는 데 효과적이다. 예를 들어 '사람을 때리는 것은 나쁜 일이다. ○○은 사람을 때렸다. 따라서 ○○은 나쁜 일을 한 것이다.'와 같은 판단을 논리적으로 내릴 수 있다. 또한 수학에서 특정한 값을 구하는 과정도 대개 연역법에 ㉡기댄다.

- **이성**(理 다스릴 이, 性 성품 성) 논리적으로 생각하고 판단하는 능력.
- **현상**(現 나타날 현, 象 형상 상) 실제 나타나 보이는 사물의 모양이나 상태.
- **명백**(明 밝을 명, 白 흰 백)**한** (기본형: 명백하다) 의심할 데가 없이 분명한.
- **보편적**(普 널리 보, 遍 두루 편, 的 과녁 적) 두루 널리 퍼져 있고 모든 것에 공통되는 것.
- **추론**(推 옮길 추, 論 논의할 론) 이치나 논리에 따라 어떤 일을 미루어 생각하여 논하는 것.
- **체계적**(體 몸 체, 系 이을 계, 的 과녁 적) 여러 요소나 부분들이 서로 연결되고 어울리도록 일정한 원칙에 따라 조직한 전체를 이루는 것.
- **의의**(意 뜻 의, 義 옳을 의) 어떤 사실·말·행동의 중요성이나 가치.
- **규범**(規 법 규, 範 법 범) 마땅히 따라야 할 본보기.
- **확립**(確 굳을 확, 立 설 립) 생각·체계·조직 등을 든든하고 분명하게 만드는 것.

주제

1 다음 빈칸에 들어갈 말을 이 글에서 각각 찾아 쓰세요.

이 글은 (   )을 예로 들어 (   )에 대해 설명하고 있다.

내용 이해

2 이 글의 내용과 일치하지 않는 것은 무엇인가요? (   )

① 삼단 논법의 결론은 대전제와 소전제에 제시된 내용이어야 한다.
② 연역법은 경험을 활용하는 방법과 달리 일상에서는 쓸모가 없다.
③ 연역법은 인간의 이성을 활용하여 논리적으로 추론하는 방법이다.
④ 일반적인 삼단 논법으로 완전히 새로운 사실을 찾아내기는 어렵다.
⑤ 삼단 논법은 대전제와 소전제를 근거로 구체적 결론을 이끌어 낸다.

추론하기

3 ㉠의 이유로 가장 알맞은 것은 무엇인가요? (   )

① 삼단 논법의 세 단계를 거치지 않았기 때문에
② 대전제와 소전제가 거짓이어서 결론이 거짓이기 때문에
③ 경험을 통해 증명할 수 없는 내용을 이끌어 내었기 때문에
④ 대전제 속에 이미 포함되어 있는 내용이 제시되었기 때문에
⑤ 대전제와 소전제에 포함되지 않은 내용이 제시되었기 때문에

어휘·어법

4 다음 문장의 밑줄 친 말이 ㉡과 같은 뜻으로 사용된 것은 무엇인가요? (   )

① 난간에 몸을 기대는 것은 매우 위험한 행동이다.
② 그 사람은 벽에 기대어 서서 이쪽을 보고 있었다.
③ 그는 피곤했는지 배낭에 등을 기대고 쪽잠을 잤다.
④ 이 문제는 남의 도움에 기대지 말고 스스로 해결해 봐라.
⑤ 그는 과학적으로 검증된 사실에 기대어 주장을 내세웠다.

지문 분석

정답과 해설 07쪽

1 문단 요약 다음은 이 글에 나타난 각 문단의 중심 내용입니다. 알맞은 것에 ○표, 틀린 것에 ×표를 하세요.

1문단	체계적인 논리를 지닌 연역법은 일상에서 흔히 활용된다.	(　　)
2문단	연역법은 보편적 사실에서 구체적 사실을 이끌어 내는 추론으로, 삼단 논법이 대표적이다.	(　　)
3문단	연역법으로 얻은 지식은 새로운 진리라고 보기 어렵다.	(　　)
4문단	연역법은 이성을 활용하여 지식을 얻는 방법이다.	(　　)

2 글의 구조 다음 표의 빈칸을 채워 이 글의 내용을 정리해 보세요.

연역법
- (　　　　)을 활용하여 지식을 얻는 방법

연역법의 형식	연역법의 한계	연역법의 의의
• 보편적 사실(근거) → 구체적 사실(결론) • 삼단 논법: (　　　　) – 소전제 – 결론	• 대전제에 결론이 이미 포함되므로 새로운 진리를 이끌어 내기 어려움.	• 체계적인 (　　　　)를 지님. • 논리적인 판단에 도움이 됨.

배경지식 연역법 vs 귀납법

일반적 원리에서 구체적 사실을 이끌어 내는 '연역법'을 중시한 데카르트

다양한 경험에서 일반적 원리를 이끌어 내는 '귀납법'을 중시한 베이컨

오늘의 어휘

다음 낱말의 알맞은 뜻을 찾아 선으로 이으세요.

현상 •	• 의심할 데가 없이 분명한.
명백한 •	• 어떤 사실·말·행동의 중요성이나 가치.
보편적 •	• 실제 나타나 보이는 사물의 모양이나 상태.
의의 •	• 두루 널리 퍼져 있고 모든 것에 공통되는 것.
확립 •	• 생각·체계·조직 등을 든든하고 분명하게 만드는 것.

1 다음 빈칸에 들어갈 알맞은 말을 오늘의 어휘 에서 찾아 쓰세요.

- 누가 보더라도 그것은 (   ) 거짓말이다.
- 물을 사 마시는 일은 이제 (   )인 일이 되었다.
- 청소년기는 올바른 가치관을 (   )해야 하는 시기이다.
- 한글은 백성을 위해 만든 글자라는 점에서 큰 (   )가 있다.
- 농촌에서 젊은 사람을 찾아보기 힘든 (   )이 심화되고 있다.

2 다음 글에서 밑줄 친 말과 비슷한 뜻을 가진 말을 찾아 세 글자로 쓰세요.

탐관오리가 백성의 재산을 빼앗는 일은 세계 역사에서 보편적으로 찾아볼 수 있는 일이다. 그 정도가 지나칠 때에는 백성들이 힘을 모아 관리를 비롯한 지배 계층의 횡포에 저항하였다. 이렇게 백성들이 자신의 권리를 지키기 위해 함께 들고 일어나는 것 또한 흔히 볼 수 있는 <u>일반적</u>인 현상이다.

(   )

KEY WORD

북유럽 신화

글자 수

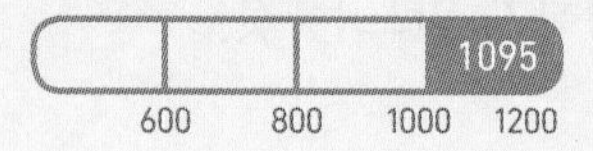

우리 가까이 있는 북유럽 신화

1 역사가 오래된 민족이나 지역에는 거의 대부분 **고유**한 신화가 전해 내려온다. 노르웨이, 스웨덴, 핀란드, 덴마크, 아이슬란드 같은 나라가 있는 북유럽 지역도 마찬가지이다. 제우스, 포세이돈, 아폴론, 아테나 등 신들의 이름만 들어도 관련된 이야기가 **연상**될 만큼 친숙한 그리스·로마 신화에 비해 북유럽 신화는 낯설다. 하지만 북유럽 신화는 알게 모르게 우리 생활 가까이에 존재한다. 가령, 일주일 중 화요일, 수요일, 목요일, 금요일의 영어 이름은 북유럽 신화에 나오는 신들의 이름을 따서 **명명**된 것이다. 또한 북유럽 신화는 영화나 소설, 모바일 게임 등 문화 산업의 중요한 소재로도 즐겨 활용된다.

2 북유럽 신화는 위그드라실이라는 나무를 배경으로 한다. 고대 북유럽 사람들은 위그드라실이라고 불리는 큰 물푸레나무에 세상이 존재한다고 여겼다. 이 나무는 우주를 뚫고 서 있는데, 3개의 수평면으로 나뉜다. 맨 위의 세계에는 신들과 요정들이 영역을 나누어 살고, 중간 세계에는 인간과 거인족, 소인족이 영역을 나누어 산다. 그리고 맨 아래 세계는 불타는 지역과 얼음, 안개로 뒤덮인 지역이 있는 저승 세계이다.

3 위그드라실에는 개성적인 신들이 산다. 세상을 만든 신이자 신들의 왕인 오딘, 인간을 **수호**하는 천둥의 신 토르, 한쪽 팔이 없는 전쟁의 신 티르, 풍요와 번영을 **관장**하는 프레이르, 미와 사랑의 여신인 프레이야, 거인족 출신으로 늘 신들과 갈등을 빚는 로키, 신의 나라 아스가르드의 문지기인 헤임달 등이 대표적이다. 이 신들은 서로 싸우기도 하고, 인간이나 거인족 같은 다른 종족과 다양한 관계를 맺기도 하면서 **웅장**한 이야기를 만들어 간다.

4 북유럽 신화에 나오는 이야기는 다른 신화에 비해 난폭하고 거칠다. 이는 북유럽 지역 사람들이 거친 바다와 싸워야 했으며 **혹독**한 추위에 끊임없이 시달렸다는 점이 반영된 것이다. 그리고 북유럽 신화에서는 신도 죽음을 맞는다. 심지어 신 중의 신이라 일컬어지는 오딘도 죽는다. 이는 신은 **전지전능**하면서 죽지 않는다고 여기는 다른 지역의 신화와 큰 차이를 보이는 부분이다. 또한 북유럽 신화의 신들은 인간에게 잡혀 협박을 받기도 하고, 별것 아닌 일로 서로 다투기도 하는 등 인간다운 면을 지닌 경우가 많아서 매력적이다.

- **고유**(固 굳을 고, 有 있을 유) 오래된 집단이나 사물이 본래부터 지니고 있는 것.
- **연상**(聯 잇닿을 연, 想 생각 상) 어떤 사물을 보거나 듣거나 생각하거나 할 때 그와 관련되는 다른 사물이 마음속에 떠오르는 것.
- **명명**(命 목숨 명, 名 이름 명) 이름을 붙이는 것.
- **수호**(守 지킬 수, 護 보호할 호) 지키고 보호하는 것.
- **관장**(管 피리 관, 掌 손바닥 장) 기관이나 조직의 일을 맡아서 다루는 것.
- **웅장**(雄 수컷 웅, 壯 씩씩할 장) 감탄을 일으킬 만큼 규모가 크고 으리으리한 것.
- **혹독**(酷 혹독할 혹, 毒 독 독) (아픔이나 괴로움이) 매우 심함.
- **전지전능**(全 온전할 전, 知 알 지, 全 온전할 전, 能 능할 능) 모든 것을 다 알며 모든 일을 할 수 있음.

글의 특징

1 이 글에 대한 설명으로 알맞은 것은 무엇인가요? (　　　)

① 북유럽 신화를 그리스·로마 신화와 비교하면서 설명하고 있다.
② 북유럽 신화의 전체 이야기를 시간 순서에 따라 제시하고 있다.
③ 북유럽 신화가 만들어진 과정과 현대적인 가치를 분석하고 있다.
④ 비교적 낯선 북유럽 신화를 중요 요소를 중심으로 설명하고 있다.
⑤ 북유럽 신화가 사회에 미친 긍정적·부정적 영향을 소개하고 있다.

내용 이해

2 이 글의 내용과 일치하지 않는 것은 무엇인가요? (　　　)

① 요일 이름의 일부는 북유럽 신화의 영향을 받은 것이다.
② 북유럽 신화의 공간적 배경인 위그드라실은 큰 나무이다.
③ 북유럽 신화에 나오는 신들은 전지전능하며 죽지 않는다.
④ 역사가 오래된 민족은 대개 자신만의 신화를 지니고 있다.
⑤ 북유럽 신화의 난폭한 면에는 북유럽의 자연 환경이 반영되었다.

내용 이해

3 북유럽 신화에 나오는 신들의 특징으로 알맞은 것을 찾아 선으로 이으세요.

(1)	오딘 •	• ㉠	전쟁의 신
(2)	토르 •	• ㉡	미와 사랑의 여신
(3)	티르 •	• ㉢	인간을 수호하는 천둥의 신
(4)	프레이르 •	• ㉣	풍요와 번영을 관장하는 신
(5)	프레이야 •	• ㉤	세상을 만든 신이자 신들의 왕

적용하기

4 다음에서 설명하는 말을 이 글에서 찾아 두 글자로 쓰세요.

> 아주 오래전 옛날 사람들은 천지 창조나 이해할 수 없는 자연 현상은 모두 신과 관련되어 있다고 여겼다. 그래서 신들의 이야기를 만들어 후대로 전하였다. 특정 민족이나 지역에는 이런 이야기가 각각 고유하게 전해 내려온다.

(　　　　　　　　)

지문 분석

정답과 해설 08쪽

1 정보 확인 이 글의 핵심어를 두 어절로 쓰세요.

(   )

2 문단 요약 다음은 이 글에 나타난 각 문단의 중심 내용입니다. 알맞은 것에 ○표, 틀린 것에 ×표를 하세요.

1문단	요일 이름 중 일부는 북유럽 신화에 나오는 신의 이름을 딴 것이다.	( )
2문단	북유럽 신화는 위그드라실이라는 나무를 배경으로 한다.	( )
3문단	오딘은 세상을 만든 신이자 위그드라실에 존재하는 신들의 왕이다.	( )
4문단	북유럽 신화는 난폭하고 거칠지만 인간다운 면이 많다.	( )

배경지식 북유럽 신화 속 신들의 이름을 딴 요일 이름

화요일(Tuesday)	수요일(Wednesday)	목요일(Thursday)	금요일(Friday)
전쟁의 신 '티르'의 날	신들의 왕 '오딘'의 날	천둥의 신 '토르'의 날	대지의 여신 '프리그'의 날
[Tyr + Day]	[Odin(Woden) + Day]	[Thor + Day]	[Frigg + Day]

오늘의 어휘

다음 낱말의 알맞은 뜻을 찾아 선으로 이으세요.

낱말	뜻
고유 •	• 이름을 붙이는 것.
명명 •	• 지키고 보호하는 것.
수호 •	• (아픔이나 괴로움이) 매우 심함.
웅장 •	• 감탄을 일으킬 만큼 규모가 크고 으리으리한 것.
혹독 •	• 오래된 집단이나 사물이 본래부터 지니고 있는 것.

1 다음 빈칸에 들어갈 알맞은 말을 오늘의 어휘 에서 찾아 쓰세요.

- 한복은 우리 민족의 [ ] 한 의상이다.
- 지난겨울은 추위가 유난히 [ ] 하여 힘들었다.
- 저 멀리 높이 솟은 백두산의 모습은 정말 [ ] 하였다.
- 이순신 장군은 자신이 만든 배를 '거북선'이라고 [ ] 하였다.
- 국제 연합은 세계 평화를 [ ] 하기 위한 만든 국제기구이다.

2 다음 글에서 밑줄 친 말과 비슷한 뜻을 가진 말을 찾아 두 글자로 쓰세요.

피자, 파스타, 카레, 햄버거 등 세계적으로 널리 알려진 음식들은 모두 다른 음식과 구분되는 고유한 특징을 지니고 있으면서도 어디서나 어렵지 않게 만들 수 있다. 한식도 세계화를 위해서 한식 <u>특유</u>의 맛을 살리면서도 외국인이 쉽게 만들 수 있는 조리법을 개발해야 한다.

(　　　　　　　　)

KEY WORD

글자 수

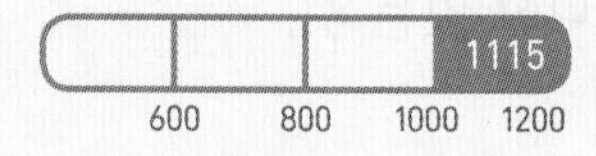

사람의 존엄성을 지켜 주는 '인권'

1 "모든 사람은 태어날 때부터 자유롭고, **동등**한 **존엄성**과 권리를 가진다."
「세계 인권 선언문」 제1조의 내용이다. 이 말은 누구에게나 사람으로서 존중받고 행복하게 살아갈 권리가 있다는 의미이다. 이러한 기본적 권리를 인권이라고 한다. 사람이면 누구에게나 주어지는 권리이기 때문에 하늘이 준 권리라는 의미에서 천부인권이라고도 부른다. 구체적으로 자유로울 권리, 차별받지 않을 권리, 생명을 지킬 권리, 행복을 **추구**할 권리, 생각이나 의견을 표현할 권리, 교육을 받을 권리, 일할 권리, 종교를 가질 권리, 정치에 참여할 권리, 깨끗한 환경에서 살 권리 등이 있다.

2 옛날에는 타고난 신분에 따라 누릴 수 있는 권리가 달랐다. 우리나라의 예를 들면, 신라 시대에는 왕족, 귀족, 평민, 천민 등으로 신분을 세세하게 나누었는데, 아무리 똑똑해도 신분이 낮으면 높은 벼슬을 할 수 없었다. 심지어 결혼할 수 있는 사람, 옷 색깔, 집의 크기, 방의 개수 등도 신분에 따라 정해졌다. 고려 시대와 조선 시대에도 상류 계층만 모든 권리를 누릴 수 있었으며, 평민과 천민에게는 제약이 많았다. 이런 차별은 다른 나라들에서도 흔히 볼 수 있었으며, 신분 차별은 민주주의가 **정착**된 이후에야 **공식적**으로 사라졌다.

3 하지만 오늘날에도 '보이지 않는 차별', 즉 비공식적인 차별을 사회 곳곳에서 찾아볼 수 있다. 특정한 성별이거나 장애가 있다는 이유, 우리나라 사람이 아니라는 이유, 나이가 어리다는 이유 등으로 불이익을 주는 것이 그 예이다. 이는 모두 ㉠인권을 침해하는 행위이다. 피부색이 다르다거나 생김새가 다르다는 이유로 놀리는 것도 인권 침해이다. 인권 침해를 당하는 사람들은 대개 사회적 약자나 **소수자**들이다. 이 때문에 세계의 여러 나라 정부와 국제기구는 제도적으로 ㉡인권을 보호하기 위해 노력하고 있다.

4 우리나라도 헌법 제10조에 "모든 국민은 인간으로서의 존엄과 가치를 가지며, 행복을 추구할 권리를 가진다. 국가는 …… 이를 보장할 의무를 진다."라고 **명시**하고 있으며, '국가 인권 위원회' 같은 인권 보호 기구를 설치해 두고 있다. 이러한 제도적인 **조치**도 중요하지만 우리 스스로도 인권을 존중해야 한다는 인식을 가져야 한다. 다른 사람의 인권을 존중해야 자신의 인권 또한 보호받을 수 있다.

- **동등**(同 같을 동, 等 같을 등) (무엇과) 등급이나 정도가 서로 같은 것.
- **존엄성**(尊 높을 존, 嚴 엄할 엄, 性 성품 성) 함부로 다룰 수 없는 높은 위엄이 있는 것.
- **추구**(追 쫓을 추, 求 구할 구) 원하는 것을 이루거나 얻으려고 계속하여 애쓰는 것.
- **정착**(定 정할 정, 着 붙을 착) 새로운 제도나 문화 현상, 사상 등이 사회에 널리 받아들여지는 것.
- **공식적**(公 공변될 공, 式 법 식, 的 과녁 적) 사회적으로 널리 인정된 것.
- **소수자**(少 적을 소, 數 셀 수, 者 놈 자) 적은 수의 사람.
- **명시**(明 밝을 명, 示 보일 시) (글로) 분명하게 드러내 보임.
- **조치**(措 둘 조, 置 둘 치) 어떤 문제를 해결하기 위해 필요한 일을 하는 것.

지문 독해

핵심어

1 **다음 빈칸에 들어갈 말을 이 글에서 찾아 두 글자로 쓰세요.**

인간이라면 누구나 태어나면서부터 가지고 있는 권리로, 생명을 지킬 권리, 자유롭고 평등할 권리, 일을 하거나 교육을 받을 권리 같은 기본적인 권리를 의미한다. 이를 [　　　]이라고 한다.

(　　　　　　　　)

글의 특징

2 **이 글에 대한 설명으로 알맞은 것은 무엇인가요? (　　　　)**

① 인권이 변화해 온 과정을 시간 순서에 따라 살펴보고 있다.
② 「세계 인권 선언문」의 중요성과 여러 조항을 소개하고 있다.
③ 인권의 개념과 인권을 보호하기 위한 노력을 설명하고 있다.
④ 인권을 존중한 사례를 활용하여 인권의 가치를 분석하고 있다.
⑤ 현재와 과거의 시대상을 비교하여 미래 사회를 예측하고 있다.

내용 이해

3 **이 글의 내용과 일치하지 않는 것은 무엇인가요? (　　　　)**

① 옛날에는 많은 나라에서 신분에 따른 차별이 있었다.
② 누구나 사람으로서 존중받고 행복하게 살아갈 권리를 지닌다.
③ 성별이나 나이, 국적 등으로 불이익을 주는 것은 인권 침해이다.
④ 교육을 받을 권리나 깨끗한 환경에서 살 권리도 인권에 해당한다.
⑤ 민주주의가 정착된 이후에는 세계적으로 차별이 완전히 사라졌다.

적용하기

4 **다음 중 ㉠과 ㉡에 해당하는 사례를 찾아 각각 기호를 쓰세요.**

㉮ 친구의 전화번호를 인터넷에 공개한다.
㉯ 가난한 사람들을 위해 공공 주택을 마련해 준다.
㉰ 누구나 적절한 교육을 받을 수 있도록 지원한다.
㉱ 시각 장애인이 이동하기 편하게 점자 블록을 깐다.
㉲ 놀이공원에서 외국인에게 입장료를 비싸게 받는다.

㉠: (　　　　,　　　　), ㉡: (　　　,　　　,　　　)

지문 분석

정답과 해설 09쪽

1 문단 요약 이 글에 나타난 각 문단의 중심 내용으로 알맞은 것을 찾아 선으로 이으세요.

1 문단 •		• 인권의 개념
2 문단 •		• 인권을 보호하기 위한 방법
3 문단 •		• 신분에 따른 차별이 있었던 옛날
4 문단 •		• 오늘날 존재하는 '보이지 않는 차별'

2 중심 내용 다음 빈칸에 알맞은 말을 넣어 이 글의 중심 내용을 요약하세요.

누구나 사람으로서 (   )받고 행복하게 살아갈 권리를 지니고 있다. 이를 (   )이라고 한다. 옛날에는 (   ) 차별로 인권이 보호받지 못하였고, 오늘날에도 여전히 국적, 장애, 나이, 외모 등으로 인한 '보이지 않는 (   )'이 존재한다. 모두의 인권이 중요함을 인식하고, 타인의 인권을 존중해야 자신의 인권도 보호받을 수 있다는 것을 알아야 한다.

배경지식 사회에서 흔히 일어나는 인권 침해의 요소들

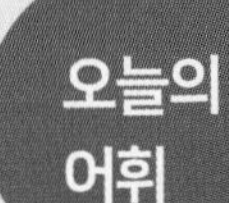

정답과 해설 09쪽

다음 낱말의 알맞은 뜻을 찾아 선으로 이으세요.

동등 •	• 적은 수의 사람.
추구 •	• 분명하게 드러내 보임.
공식적 •	• 사회적으로 널리 인정된 것.
소수자 •	• (무엇과) 등급이나 정도가 서로 같은 것.
명시 •	• 원하는 것을 이루거나 얻으려고 계속하여 애쓰는 것.

1 다음 빈칸에 들어갈 알맞은 말을 오늘의 어휘 에서 찾아 쓰세요.

- 모든 인간은 [   ]한 대우를 받을 권리가 있다.
- 정부에서 사건에 대한 [   ]인 입장을 발표하였다.
- 물질적 풍요만을 [   ]하는 것은 바람직하지 않다.
- 다수자의 이익을 위해 [   ]의 이익을 짓밟아서는 안 된다.
- 식재료를 판매할 때는 포장지에 유통 기한을 [   ]해야 한다.

2 다음 글에서 밑줄 친 말과 비슷한 뜻을 가진 말을 찾아 두 글자로 쓰세요.

경쟁에 참여할 기회는 원하는 사람 누구에게나 동등하게 주어져야 한다. 법에서 규정된 범죄를 저지른 경우가 아니라면 누구나 대등한 위치에서 경쟁할 수 있어야 한다. 물론 경쟁의 과정도 공정하게 이루어져야 한다. 그래야 경쟁의 결과가 정당해진다.

(   )

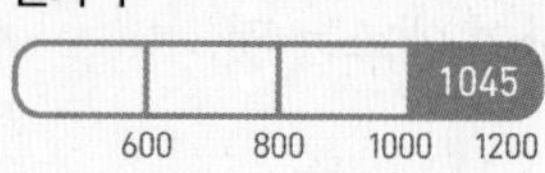

외모에 열광하는 사회

KEY WORD

외모 지상주의

글자 수

1045 (600 / 800 / 1000 / 1200)

1 '같은 값이면 다홍치마'라는 속담이 있다. 가격이 비슷하다면 이왕이면 보기 좋은 것을 택한다는 의미이다. 이는 당연한 말이다. 그런데 사람의 가치를 평가할 때 겉으로 드러나는 '다홍치마'에만 **몰두**하는 현상이 나타나고 있어 문제가 되고 있다. 그 사람이 지닌 능력이나 **인성**은 제쳐 둔 채 겉모습만으로 가치를 평가하는 것이다.

2 피트니스 센터와 아름다움을 위한 성형 수술 전문 병원은 전국적으로 **성업** 중이며, 우리나라의 인구 대비 성형 수술 비율은 전 세계에서 상위권이다. 방학 기간을 이용하여 쌍꺼풀 수술을 받는 청소년도 쉽게 찾아볼 수 있다. 이는 모두 외모를 중시하는 사회 분위기에서 비롯된 현상이다. 물론 자신의 외모를 가꾸는 것을 나쁘다고만 할 수는 없다. 외모를 가꾸면서 자신감을 얻기도 하고, 외모로 인한 열등감을 성형 수술로 극복할 수도 있다. 또한 적정한 몸무게를 유지하는 것은 건강에 도움이 된다.

3 하지만 ㉠무엇이든지 너무 지나치면 문제가 된다. 외모에 대한 관심이 지나치면 외모 지상주의로 이어지기 쉽다. 외모 지상주의는 외모가 개인 간의 **우열**뿐 아니라 인생의 성공과 실패까지 **좌우한다**고 믿어 외모에 지나치게 **집착**하는 경향을 말한다. 곧 외모가 결혼이나 취업, 소득 등 사회생활의 모든 것을 좌우한다고 여기는 것이다. 게다가 이런 외모 지상주의는 차별로 이어질 수 있다는 데 더 큰 문제가 있다. 뚱뚱하거나 키가 작거나 못생겼다는 이유만으로 개인적, 사회적으로 차별을 당하는 것이다. 외모로 사람을 평가하고 심지어 차별까지 하는 것은 어떻게 보더라도 옳지 않다.

4 외모는 수없이 많은 가치 중의 하나일 뿐이다. 아름다운 외모는 짧은 기간 우리의 눈을 즐겁게 할 수 있지만 그것이 **절대적**인 가치나 평가 기준이 될 수는 없다. 그러므로 자신의 외모를 남과 비교하거나 타인의 시선을 의식할 필요가 없다. 우리가 추구해야 할 바람직한 가치는 내면의 아름다움이다. 외적인 가치만을 **좇으며** 외모로 인한 차별을 **당연시**할 것이 아니라, 실력과 인성을 기르고 자신만의 개성을 찾아야 한다. 실질적인 **효용**을 무시한 채 오로지 '다홍치마'에만 열광하는 태도는 버려야 한다.

- **몰두**(沒 잠길 몰, 頭 머리 두) (한 가지 일에만) 온 정신을 기울임.
- **인성**(人 사람 인, 性 성품 성) 사람의 성품.
- **성업**(盛 성할 성, 業 업 업) 사업이 잘됨.
- **우열**(優 넉넉할 우, 劣 못할 열) 남보다 더 나은 것과 못한 것.
- **좌우(左 왼쪽 좌, 右 오른쪽 우)한다** (어떤 원인이나 힘이 무엇을) 결정한다.
- **집착**(執 잡을 집, 着 붙을 착) 어떤 일에만 마음이 쏠려 있는 것.
- **절대적** 다른 것과 비교할 수 없이 완전한 것.
- **좇으며** 목표, 이상, 행복 등을 추구하며.
- **당연시**(當 마땅할 당, 然 그럴 연, 視 볼 시) (이치로 보아) 마땅한 것으로 여김.
- **효용**(效 본받을 효, 用 쓸 용) 이롭게 쓰이는 것. 이익이 되는 것.

중심 내용

1 다음 빈칸에 들어갈 말을 보기 에서 찾아 순서대로 쓰세요.

보기

능력, 외모, 차별, 존중, 설명, 주장

이 글은 (1) (　　　　)를 중시하는 태도가 (2) (　　　　)로 이어질 수 있음을 지적하고 그것에서 벗어나야 함을 (3) (　　　　)하고 있다.

전개 방식

2 다음은 글쓴이가 글을 쓰기 전에 떠올린 생각입니다. 이 글에서 찾아볼 수 있는 것을 모두 골라 기호를 쓰세요.

㉮ 속담을 활용하여 말하고자 하는 내용을 인상 깊게 제시하자.
㉯ 통계 자료를 출처와 함께 제시하여 내용의 신뢰성을 높이자.
㉰ 화제와 관련 있는 청소년들의 모습을 언급하여 공감을 얻자.
㉱ 외모 가꾸기의 긍정적인 점도 제시하여 내용의 공정성을 높이자.

(　　,　　,　　)

내용 이해

3 이 글에서 답을 찾을 수 없는 질문은 무엇인가요? (　　　)

① 외모 지상주의란 무엇인가요?
② 외모 지상주의의 문제점은 무엇인가요?
③ 외모 지상주의를 극복할 방법은 무엇인가요?
④ 외모 지상주의가 널리 퍼진 원인은 무엇인가요?
⑤ 외모 지상주의를 보여 주는 현상은 무엇인가요?

어휘·어법

4 ㉠을 표현하기에 가장 적절한 한자 성어는 무엇인가요? (　　　)

① 과유불급: 지나친 것은 부족한 것보다 못하다는 말.
② 설상가상: 어려운 일이 계속 겹쳐서 일어남을 이르는 말.
③ 괄목상대: 학식이나 재주가 놀랄 만큼 부쩍 늚을 이르는 말.
④ 용두사미: 처음에는 대단했으나 끝이 약하고 미미한 것을 이르는 말.
⑤ 안하무인: 세상에서 자기가 가장 잘난 듯이 남을 깔보고 업신여기는 태도를 이르는 말.

지문 분석

정답과 해설 10쪽

1 문단 요약 이 글에 나타난 각 문단의 중심 내용으로 알맞은 것을 찾아 선으로 이으세요.

1문단 •		• 외적인 가치보다는 내면의 아름다움을 추구해야 한다.
2문단 •		• 외모만으로 사람의 가치를 평가하는 현상이 나타나고 있다.
3문단 •		• 외모 가꾸기는 자신감을 높이고 건강에 도움이 되기도 한다.
4문단 •		• 외모에 대한 지나친 관심은 외모 지상주의로 이어질 수 있다.

2 글의 구조 다음 표의 빈칸을 채워 이 글의 내용을 정리해 보세요.

(　　　　)를 중시하는 세태

외모 가꾸기의 긍정적인 면	(　　　　　)의 문제점
• 자신감을 얻음. • 열등감을 극복함. • (　　　　)에 도움이 되기도 함.	• 외모에 지나치게 집착함. • 외모로 사람을 평가하고 차별함.

• 외모는 절대적인 평가 기준이 아님.
• (　　　　)의 아름다움을 추구해야 함.

배경지식 내면의 아름다움을 키우는 방법

건강한 생활

당당한 자신감

배려하는 마음

성실한 태도

오늘의 어휘

다음 낱말의 알맞은 뜻을 찾아 선으로 이으세요.

몰두	남보다 더 나은 것과 못한 것.
우열	이롭게 쓰이는 것. 이익이 되는 것.
좌우한다	(한 가지 일에만) 온 정신을 기울임.
절대적	다른 것과 비교할 수 없이 완전한 것.
효용	(어떤 원인이나 힘이 무엇을) 결정한다.

1 다음 빈칸에 들어갈 알맞은 말을 오늘의 어휘 에서 찾아 쓰세요.

- 우리의 선택이 미래를 [ ].
- 종교를 가진 사람에게 신은 [ ]인 존재이다.
- 저 두 사람은 실력이 비슷하여 [ ]을 가리기 힘들다.
- 조선 시대의 선비 이덕무는 어릴 때부터 독서에 [ ]하였다.
- 우연히 만들어진 포스트잇은 일상생활에서 [ ] 가치가 높다.

2 다음 글에서 밑줄 친 말과 반대의 뜻을 가진 말을 찾아 세 글자로 쓰세요.

사람의 능력은 상대적이다. 사람마다 각기 잘하는 것이 있으므로 누구나 사회에 필요한 존재이다. 그런데 오로지 시험 성적만으로 학생을 평가하는 어른들이 있다. 성적이라는 하나의 기준만 절대적인 것으로 여기는 것은 거북이, 토끼, 고래, 두루미를 백 미터 달리기로만 평가하는 것과 같다.

( )

헌법 재판소의 역할

KEY WORD

헌법 재판소

글자 수

1096

600 800 1000 1200

1 모든 운동 경기에는 일정한 규칙이 존재한다. 규칙이 없거나, 있더라도 따르지 않으면 공정한 경기가 불가능하다. 이 때문에 선수는 물론 심판과 감독, 관중도 규칙을 지켜야 한다. 운동 경기의 규칙과 마찬가지로 사회에도 모든 사람들이 지켜야 하는 규칙이 있다. 그것은 바로 법이다. 법으로 정해 놓은 규칙을 지키지 않으면 사회 질서가 불안정해지고, 우리의 삶도 매우 불안해진다.

2 법률 **조항**은 아주 많고 다양하다. 따라서 이들 조항을 뒷받침하는 기본 방향을 **제시**할 필요가 있다. 이런 역할을 하는 것이 헌법이다. 모든 법률은 헌법에서 정한 범위를 벗어날 수 없다. 그런데 많은 법을 만들다 보면 헌법 규정에서 벗어나는 경우가 생길 수 있고, 만들 당시에는 정당했지만 사회가 변하면서 헌법 정신과 일치하지 않는 법이 되는 경우도 있다. 헌법 재판소는 헌법과 관련된 다툼이 생겼을 때 그것을 해결하는 국가 기관으로, 헌법의 규정과 정신을 지킴으로써 국민의 기본적 자유와 권리를 보호하는 역할을 한다.

3 ㉠헌법 재판소가 하는 일은 다음과 같다. 첫째, 법원의 **요청**으로 법률이 헌법에 어긋나는지 판단한다. 둘째, 국회의 요청으로 대통령이나 국무총리 등 법률로 정한 **고위** 공무원이 헌법에 어긋나는 일을 했을 때 물러나게 할지 판단한다. 셋째, 개인의 요청으로 법률에 따른 국가 기관의 행위가 개인의 기본권을 **침해**했는지 판단한다. 넷째, 국가 기관이나 지방 자치 단체들 사이에서 일어나는 다툼을 해결한다. 다섯째, 정부의 요청에 의해 특정 정당이 헌법 질서를 어지럽혔는지 판단한다. 이를 순서대로 각각 **위헌** 법률 **심판**, 탄핵 심판, 헌법 소원 심판, 권한 쟁의 심판, 정당 해산 심판이라고 한다.

4 헌법 재판소는 독립된 국가 기관이며, 9명의 재판관으로 구성된다. 그중 3명은 대통령이, 3명은 대법원장이, 3명은 국회가 **선임**한다. 이렇게 하는 이유는 권력을 지닌 기관 중 어느 한쪽이 마음대로 권력을 휘두르지 못하게 하기 위해서이다. 그리고 위헌인지를 가리는 중요한 결정에는 9명 중 6명 이상의 찬성이 필요하다. 헌법 재판소의 결정은 국민들의 생활에 큰 영향을 미친다. 남성을 가정의 대표로 규정한 호주제가 헌법의 평등권을 위반한다고 보고 **폐지**하도록 한 결정이 대표적이다.

- **조항**(條 가지 조, 項 목덜미 항) 법률이나 규칙의 각 항목.
- **제시**(提 끌 제, 示 보일 시) 글이나 말로 어떤 내용, 문제, 의사 등을 남이 알 수 있게 드러내는 것.
- **요청**(要 중요할 요, 請 청할 청) 필요한 것을 해 달라고 부탁함.
- **고위**(高 높을 고, 位 자리 위) 높은 지위.
- **침해**(侵 침노할 침, 害 해로울 해) 함부로 남의 일에 끼어들어 해를 끼치는 것.
- **위헌**(違 어길 위, 憲 법 헌) 어떤 법률이나 규칙 등이 헌법에 어긋나는 것.
- **심판**(審 살필 심, 判 판가름할 판) 사회적으로 중요한 일에 대한 잘잘못을 법적으로 따져서 밝히는 것.
- **선임**(選 가릴 선, 任 맡길 임) 여러 사람 가운데서 어떤 직무나 임무를 맡을 사람을 골라냄.
- **폐지**(廢 폐할 폐, 止 그칠 지) 하던 일, 제도, 풍습 등을 그만두게 하거나 없애는 것.

지문 독해

목적

1 글쓴이가 이 글을 쓴 목적은 무엇인가요? (   )

① 헌법을 만든 목적을 설명하기 위해서
② 법을 지켜야 하는 까닭을 설명하기 위해서
③ 헌법 재판소가 하는 역할을 설명하기 위해서
④ 헌법에 어긋나는 법률이 많음을 주장하기 위해서
⑤ 시대에 맞지 않는 법률은 없애야 함을 주장하기 위해서

내용 이해

2 이 글을 통해 알 수 있는 내용이 아닌 것은 무엇인가요? (   )

① 헌법 재판소의 뜻
② 헌법 재판소가 하는 일
③ 헌법 재판관의 선임 방법
④ 헌법 재판소의 설립 역사
⑤ 헌법 재판의 위헌 여부 결정 방법

내용 이해

3 다음은 ㉠의 내용입니다. 서로 관계 있는 것끼리 선으로 이으세요.

(1) 탄핵 심판 •
(2) 위헌 법률 심판 •
(3) 헌법 소원 심판 •
(4) 권한 쟁의 심판 •
(5) 정당 해산 심판 •

• ㉮ 법률이 헌법에 어긋나는지 판단
• ㉯ 특정 정당이 헌법 질서를 어지럽혔는지 판단
• ㉰ 국가 기관의 행위가 개인의 기본권을 침해했는지 판단
• ㉱ 고위 공무원이 헌법에 어긋나는 일을 했을 때 물러나게 할지 판단
• ㉲ 국가 기관이나 지방 자치 단체들 사이에서 일어나는 권한 다툼 해결

추론하기

4 다음에서 설명하는 것을 이 글에서 찾아 두 글자로 쓰세요.

국민의 자유와 권리를 보장하는 원리를 국가를 이끌어 나가는 원칙으로 제시하고 있는 법으로, '법 중의 법' 또는 '최고의 법'으로 불린다. 어떤 법도 이 법의 규정이나 근본 정신에서 벗어나서는 안 된다. 총 130개 조항으로 이루어져 있으며, 제1조 1항에 "대한민국은 민주 공화국이다."라고 되어 있다.

(   )

지문 분석

정답과 해설 11쪽

1 정보 확인 이 글의 핵심어를 두 어절로 쓰세요.

(   )

2 글의 구조 다음 표의 빈칸을 채워 이 글의 내용을 정리해 보세요.

헌법 및 헌법 재판소

- (   ): 법률의 기본 방향 제시
- 헌법 재판소: 헌법과 관련된 다툼 해결

헌법 재판소가 하는 일	재판관 구성 및 위헌 결정 방법
• 위헌 법률 심판 • 탄핵 심판 • 헌법 소원 심판 • 권한 쟁의 심판 • 정당 해산 심판	• 총 9명: 대통령이 3명, 대법원장이 3명, ( )에서 3명 선임함. • 중요 결정: 9명의 재판관 중 ( )명 이상의 찬성이 필요함.

배경지식 헌법 재판소 재판정의 모습

다음 낱말의 알맞은 뜻을 찾아 선으로 이으세요.

낱말	뜻
제시 •	• 높은 지위.
요청 •	• 필요한 것을 해 달라고 부탁함.
고위 •	• 함부로 남의 일에 끼어들어 해를 끼치는 것.
침해 •	• 하던 일, 제도, 풍습 등을 그만두게 하거나 없애는 것.
폐지 •	• 글이나 말로 어떤 내용, 문제, 의사 등을 남이 알 수 있게 드러내는 것.

1 다음 빈칸에 들어갈 알맞은 말을 오늘의 어휘 에서 찾아 쓰세요.

- 남의 사생활을 (   )하면 안 된다.
- 학급 회의에서 나의 의견을 (   )하였다.
- 우리나라는 오래전에 신분 제도를 (   )하였다.
- 나는 중요한 일이 있어 그의 (   )을 거절할 수밖에 없었다.
- 고전 문학에는 (   ) 관료의 부정부패를 풍자하는 내용이 많다.

2 다음 글에서 밑줄 친 말과 비슷한 뜻을 가진 말을 찾아 두 글자로 쓰세요.

우리 학교에는 학생들의 활동을 제약하는 규칙이 많다. 이 때문에 학생들의 불만이 많아지자 학생회는 학생들의 의견을 모아서 <u>요구</u> 사항을 정리하였다. 그리고 그것을 학교에 제시하며 최대한 빨리 수용해 줄 것을 요청하였다.

(   )

재선거와 보궐 선거

KEY WORD

재선거, 보궐 선거

글자 수

1082

600 800 1000 1200

1 우리나라는 선거를 통해 대통령, 국회 의원, 교육감, 지방 자치 단체장 및 지방 자치 단체 의원 등 우리나라와 각 지역을 이끌어 갈 사람을 뽑는다. 그리고 **정당하게** 뽑힌 사람은 법으로 정해진 **임기** 동안 주어진 임무를 하게 된다. 그런데 어떤 사정에 의해 당선인이 아예 임무를 수행하지 못하거나 임기를 다 채우지 못하는 경우가 있다. 이때는 선거를 다시 해서 새로운 사람을 뽑는다.

2 당선인의 임기가 끝나기 전에 다시 치르는 선거에는 ㉠재선거와 ㉡보궐 선거가 있다. 재선거는 당선된 사람이 없거나, 부정 선거 등으로 선거 자체가 무효가 되었거나, 임기 시작 전에 당선인이 **사퇴**하거나 사망했을 때 실시한다. 즉 **애초**에 했던 선거 자체를 없었던 것으로 여기고 다시 선거를 치르는 것이라고 볼 수 있다. 예를 들어 선거로 뽑힌 국회 의원이 선거 과정에서 선거법을 위반하였거나 임기 시작 전에 사퇴하면 재선거를 한다.

3 이와 달리 보궐 선거는 정당하게 당선된 사람이 맡은 임무를 수행하던 중에 죽거나 사퇴했을 때, 또는 선거법과 상관없는 잘못을 저질러 수행하던 직위에서 **해임**되었을 때 실시한다. 재선거와 달리 처음의 선거 결과를 인정한 채 새로운 사람을 뽑는 것이다. 예를 들어 국회 의원 당선인이 국회 의원 일을 하다가 다른 선거에 **출마**하기 위해 사퇴하는 경우에는 보궐 선거를 한다.

4 재선거나 보궐 선거를 통해 당선된 사람은 **전임자**의 **잔여** 임기 동안만 일을 할 수 있다. 가령 임기가 4년인 국회 의원이 어떤 이유로 2년 6개월 만에 그 자리에서 물러나면, 재선거나 보궐 선거를 통해 새로 뽑힌 국회 의원은 남은 기간인 1년 6개월 이내에서만 국회 의원으로 일할 수 있다. 다만, 임기가 5년인 대통령은 전임 대통령의 잔여 임기가 아니라 새로 5년을 시작한다. 한편, 잔여 임기가 1년 미만일 경우에는 재선거나 보궐 선거를 치르지 않을 수도 있다.

5 재선거나 보궐 선거는 대체로 투표율이 낮다. 투표율이 너무 낮으면 선거를 통해 뽑힌 사람이 전체 **유권자**를 대표한다고 보기 어렵다. 적은 유권자의 지지만 받은 사람이 당선될 수도 있기 때문이다. 따라서 유권자는 재선거나 보궐 선거의 중요성이 덜하다고 여기지 말고 소중한 한 표를 **행사**해야 한다.

- **정당(正 바를 정, 當 마땅할 당)하게** (기본형: 정당하다) 바르고 옳게.
- **임기(任 맡길 임, 期 기약할 기)** 임무를 맡아보는 일정한 기간.
- **사퇴(辭 말씀 사, 退 물러날 퇴)** 어떤 직책이나 지위에서 물러나는 것.
- **애초** 맨 처음.
- **해임(解 풀 해, 任 맡길 임)** 중요한 지위에서 물러나게 하는 것.
- **출마(出 날 출, 馬 말 마)** 선거에 입후보자로 나서는 것.
- **전임자(前 앞 전, 任 맡길 임, 者 놈 자)** 이전에 그 임무를 맡아보던 사람.
- **잔여(殘 쇠잔할 잔, 餘 남을 여)** 아직 남아 있는 것.
- **유권자(有 있을 유, 權 권세 권, 者 놈 자)** 선거할 권리를 가진 사람.
- **행사(行 다닐 행, 使 부릴 사)** 어떤 일에 권력·힘·권리 등을 실지로 쓰는 것.

중심 내용

1 다음 빈칸에 알맞은 말을 넣어 이 글의 중심 내용을 완성하세요.

(   )와 (   )의 공통점과 차이점

전개 방식

2 2문단과 3문단에 사용된 설명 방법으로 알맞은 것을 두 가지 골라 기호를 쓰세요.

㉮ 일정한 기준에 따라 대상을 나누어 제시하고 있다.
㉯ 구체적인 예를 들어 내용에 대한 이해를 돕고 있다.
㉰ 두 대상을 공통점을 중심으로 견주어 설명하고 있다.
㉱ 대상을 유사한 성격을 지닌 다른 상황에 빗대고 있다.

(,   )

내용 이해

3 ㉠과 ㉡을 비교하여 정리한 내용으로 알맞지 않은 것은 무엇인가요? (   )

비교 항목			㉠ 재선거	㉡ 보궐 선거
공통점	①	목적	선거를 다시 치러 당선자를 뽑는 것	
	②	임기	원칙적으로 전임자의 잔여 임기 동안만 일함.	
차이점	③	이전 선거	이전 선거 결과 무효	이전 선거 결과 인정
	④	법 위반	선거법을 위반한 잘못	선거법과 상관없는 잘못
	⑤	실시 시기	임기 수행 중 사퇴, 사망	임기 시작 전 사퇴, 사망

추론하기

4 이 글을 통해 추론한 내용으로 알맞지 않은 것은 무엇인가요? (   )

① 선거를 치렀는데 당선된 사람이 없으면 재선거를 하겠군.
② 당선된 사람이 임무를 수행하다가 사망하면 보궐 선거를 하겠군.
③ 정당한 당선인이 임기 시작 전에 병으로 사망하면 재선거를 하겠군.
④ 정당한 당선인이 임기 시작 전에 스스로 사퇴하면 보궐 선거를 하겠군.
⑤ 선거 운동을 하다가 잘못을 저질러서 당선이 취소되면 재선거를 하겠군.

지문 분석

정답과 해설 12쪽

1 정보 확인 이 글의 내용을 다음과 같이 정리할 때, 알맞은 말을 골라 ○표 하세요.

당선인이 없거나, 선거 자체가 무효가 되었거나, 임기 시작 전에 당선인이 사퇴하거나 사망했을 때 실시하는 선거를 (재선거, 보궐 선거)라고 한다. 그리고 정당하게 당선된 사람이 맡은 임무를 수행하던 중에 죽거나 사퇴했을 때, 선거법과 상관없는 잘못을 저질러 해임되었을 때 실시하는 선거를 (재선거, 보궐 선거)라고 한다.

2 문단 요약 다음은 이 글에 나타난 각 문단의 중심 내용입니다. 알맞은 것에 ○표, 틀린 것에 ×표를 하세요.

1문단	선거를 다시 하는 경우	( )
2문단	선거 무효가 되었거나 당선자가 임기를 시작할 수 없을 때 하는 재선거	( )
3문단	임기를 시작한 정당한 당선자가 임무를 계속할 수 없을 때 하는 보궐 선거	( )
4문단	재선거나 보궐 선거를 치르지 않는 경우	( )
5문단	투표율이 높은 재선거나 보궐 선거	( )

배경지식 투표를 하는 과정

오늘의 어휘

다음 낱말의 알맞은 뜻을 찾아 선으로 이으세요.

정당하게 •	• 맨 처음.
임기 •	• 바르고 옳게.
애초 •	• 선거에 입후보자로 나서는 것.
해임 •	• 임무를 맡아보는 일정한 기간.
출마 •	• 중요한 지위에서 물러나게 하는 것.

1 다음 빈칸에 들어갈 알맞은 말을 오늘의 어휘 에서 찾아 쓰세요.

- 우리나라 대통령의 (　　　　) 는 5년이다.
- 비록 경기에 지더라도 항상 (　　　　) 싸워야 한다.
- 우리 삼촌은 선거에 (　　　　) 하여 떨어진 적이 있다.
- 김 의원은 사람들에게 뇌물을 받은 죄로 (　　　　) 되었다.
- 올해 봉사 활동은 (　　　　) 계획보다 조금 늦추는 게 좋겠다.

2 다음 글에서 밑줄 친 말과 반대의 뜻을 가진 말을 찾아 기본형을 네 글자로 쓰세요.

> 일본이 독도를 자기네 땅이라고 주장하는 것은 부당하다. 역사적으로 독도는 우리나라가 오래전부터 관리하며 어업을 하던 곳이고, 수많은 옛날 지도에도 우리나라 땅으로 표시되어 있다. 심지어 일본의 옛지도에도 우리나라 땅으로 표시된 것이 많다. 이런 점을 볼 때 일본의 주장은 정당하지 않다.

(　　　　　　　　)

해시태그의 다양한 활용

KEY WORD

해시태그

글자 수

1071

600 800 1000 1200

1 해시(hash)는 '전화기의 우물 정(#)자' 기호를 의미하며, 태그(tag)는 꼬리표라는 뜻이다. 즉, 해시태그는 특정 단어나 **문구** 앞에 '#' 기호를 붙여서 그 게시물에 대한 정보를 나타내는 것이다. 이때 해시 기호 뒤 문구는 기본적으로 띄어쓰기를 하지 않고, 특수 기호도 사용하지 않는다. '#고양이'나 '#우리집멍멍이', '#말복_삼계탕' 같은 것은 가능하지만, '#우리 집 귀염둥이'나 '#*예쁜동생*' 같은 것은 해시태그로 인식되지 않는다. 하나의 게시글에 여러 개의 해시태그를 달 수도 있다.

2 해시태그는 누리 소통망[SNS]에서 정보 **검색**을 편하게 하기 위해 만들어졌다. '#' 기호를 넣으면 자동으로 링크가 **생성**되어, 이를 클릭하면 동일한 해시태그가 들어간 게시물들을 검색해서 보여 준다. 예를 들어, '#떡볶이맛집'이라는 해시태그를 검색하면 해당 누리 소통망에 올라온 '#떡볶이맛집'이라는 해시태그를 가진 모든 게시물을 모아 볼 수 있다. 사진같이 검색이 어려운 게시물도 해시태그로 검색할 수 있다. 이런 기능은 인터넷 매체의 성격상 매우 많은 게시글이 빠른 속도로 만들어지는 상황에서 원하는 정보를 검색하는 데 **유용하다**.

3 그런데 최근에는 해시태그가 **본연**의 목적에서 벗어나는 용도로 사용되기도 한다. 우선, 해시태그로 특정한 사회 문제에 대한 자신의 의견을 나타낼 수 있다. 가령 인종 차별이 사회적 문제로 **대두**될 때 '#인종차별반대'나 '#나는인종차별을반대합니다' 같은 해시태그를 자신의 게시 글에 달아서 의견을 표현하는 사람들이 많아졌다.

4 기업의 제품이나 이벤트 등을 **홍보**하는 수단으로 해시태그를 활용하기도 한다. 소비자의 흥미를 끌 수 있는 해시태그를 단 사진이나 영상 등을 **배포**함으로써 홍보 효과를 높이는 것이다. 그러나 게시물의 내용과 관련이 없는 해시태그를 달거나 너무 많은 수의 해시태그를 달아 문제가 되기도 한다.

5 누리꾼들은 해시태그를 놀이 수단으로 이용하기도 한다. [㉠] 라면과 단무지를 찍은 게시물을 올리면서 '#라면과_단무지_단짝친구_너와_나처럼' 같은 해시태그를 달아 재미를 주는 방식이다. 이제 해시태그를 다는 행위는 인터넷 시대에서 일종의 문화 현상이 되었다고 볼 수 있다.

- **문구**(文 글월 문, 句 구절 구) 특별한 뜻을 나타내는, 몇 낱말로 된 말.
- **검색**(檢 검사할 검, 索 찾을 색) 필요한 자료나 정보를 찾아내는 일.
- **생성**(生 날 생, 成 이룰 성) 사물이 생겨나는 것.
- **유용**(有 있을 유, 用 쓸 용)**하다** (어떤 데에) 쓸모가 있다.
- **본연**(本 근본 본, 然 그럴 연) 본래 그대로의 상태나 모습.
- **대두**(擡 들 대, 頭 머리 두) 어떤 세력이나 현상이 새롭게 나타남.
- **홍보**(弘 넓을 홍, 報 갚을 보) (회사·단체·기관이) 상품·사업·업적 등을 널리 알리는 것.
- **배포**(配 짝 배, 布 베 포) 책이나 유인물 같은 것을 널리 나누어 주는 것.

정답과 해설 13쪽

제목

1 빈칸에 알맞은 낱말을 넣어 이 글의 다른 제목을 완성하세요.

(　　　　) 검색 수단에서 놀이 수단으로 변하고 있는 '(　　　　)'

내용 이해

2 이 글에서 알 수 있는 내용이 아닌 것은 무엇인가요? (　　　　)

① 해시태그의 개념
② 해시태그의 도입 목적
③ 해시태그의 변화 전망
④ 해시태그의 다양한 활용
⑤ 해시태그를 달 때의 조건

어휘·어법

3 ㉠에 들어갈 알맞은 이어 주는 말은 무엇인가요? (　　　　)

① 게다가　　② 그래서　　③ 예컨대
④ 그렇지만　　⑤ 왜냐하면

적용하기

4 다음 중 조건에 맞게 해시태그를 바르게 사용한 것은 무엇인가요? (　　　　)

① 우리집#
② #짜장면$$
③ #학교 소풍
④ #엄마♡사랑해요
⑤ #치킨은_사랑이지

지문 분석

정답과 해설 13쪽

1 문단 요약 이 글에 나타난 각 문단의 중심 내용으로 알맞은 것을 찾아 선으로 이으세요.

1문단 •	• 해시태그의 개념 및 조건
2문단 •	• 홍보 수단으로 활용되는 해시태그
3문단 •	• 놀이 수단으로 활용되는 해시태그
4문단 •	• 정보 검색을 위해 만들어진 해시태그
5문단 •	• 의견 표현 수단으로 활용되는 해시태그

2 글의 구조 다음 표의 빈칸을 채워 이 글의 내용을 정리해 보세요.

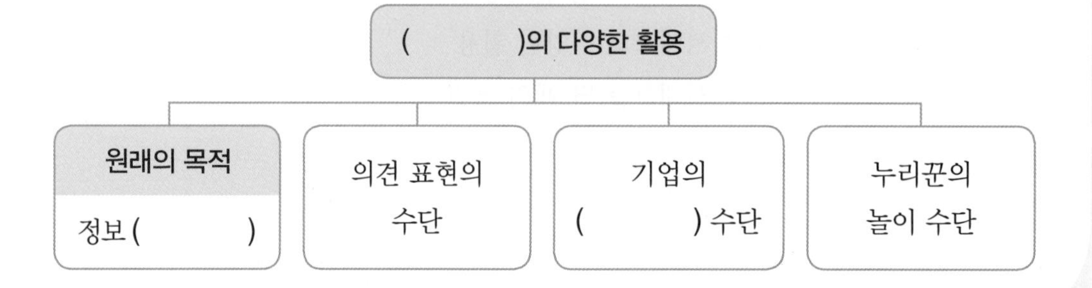

배경지식

인터넷 발전과 인간관계

해시태그를 통한 검색이 쉬워지면서 자신과 취미나 취향이 비슷한 친구들을 만나기 쉬워졌고, 서로 관심사를 나누면서 성별, 나이와 관계없이 친밀해지는 경우도 많아지고 있다.

정답과 해설 13쪽

오늘의 어휘

다음 낱말의 알맞은 뜻을 찾아 선으로 이으세요.

검색 •	• (어떤 데에) 쓸모가 있다.
유용하다 •	• 필요한 자료나 정보를 찾아내는 일.
대두 •	• 어떤 세력이나 현상이 새롭게 나타남.
홍보 •	• 책이나 유인물 같은 것을 널리 나누어 주는 것.
배포 •	• (회사·단체·기관이) 상품·사업·업적 등을 널리 알리는 것.

1 다음 빈칸에 들어갈 알맞은 말을 오늘의 어휘 에서 찾아 쓰세요.

- 학교 신문을 학생들에게 무료로 [ ]한다.
- 환경 보호를 [ ]하기 위해 포스터를 만들었다.
- 전자계산기는 복잡한 계산을 빨리 하는 데 [ ].
- 빈부의 격차가 심각한 사회 문제로 [ ]되고 있다.
- 궁금한 것을 [ ]할 때는 인터넷을 이용하는 것이 편리하다.

2 다음 글에서 밑줄 친 말과 반대의 뜻을 가진 말을 찾아 기본형을 네 글자로 쓰세요.

이 세상에 쓸모없게 태어나는 것은 아무것도 없다. 모든 생물은 생태계를 유지하는 요소이므로, 하나라도 없어지면 그만큼 문제가 생긴다. 우리가 '잡초'라고 부르는 풀들도 유용할 때가 있는 것이다.

( )

음식 문맹자

KEY WORD

글자 수

1103 (600 / 800 / 1000 / 1200)

1 글을 읽거나 쓰지 못하는 것을 문맹이라고 하며, 그런 사람을 문맹자라고 한다. 그런데 글이 아니라 음식에서도 문맹과 비슷한 경우가 있다. 음식은 우리가 살아가는 데 **필수적**인 것임에도 **불구하고** 음식을 제대로 알지 못하는 것이다. 이런 경우를 음식 문맹이라 하고, 음식을 제대로 알지 못하는 사람을 음식 문맹자라고 할 수 있다.

2 음식 문맹자는 우리가 **일상적**으로 먹는 음식이 어떻게 만들어지는지 알지 못하고, 관심을 가지지도 않는다. 그들에게 음식은 당장의 배고픔을 해결할 수 단일 뿐이다. 이 때문에 매일 음식을 먹으면서도 음식의 소중함을 느끼지 못하고, '좋은 음식'과 '나쁜 음식'을 구분할 능력이 없다. 늘 시간에 쫓기며 식사하는 시간마저 아까워하는 현대인들은 대부분 음식 문맹자나 마찬가지이다.

3 음식 문맹자는 간편하게 배를 채울 수 있는 패스트푸드나 인스턴트 식품을 즐겨 먹는다. 그런데 패스트푸드나 인스턴트 식품은 어떤 재료를 사용하여 어떤 방식으로 만들어지는지 명확하지 않은 경우가 많다. 기업의 이익을 높이기 위해 질이 떨어지는 재료로 만들거나 건강에 해로운 식품 첨가물을 많이 넣기도 한다. 이 때문에 **열량**은 높지만 영양가가 낮다. 즉 배는 불러도 건강에는 좋지 않다. 이런 음식을 자주 먹으면 고혈압이나 당뇨 같은 성인병, 비만, 아토피 같은 질병에 걸리기 쉽다. 살기 위해 먹는 음식이 오히려 건강을 해치는 꼴이 되는 것이다.

4 전문가들은 문맹에서 벗어나려면 글을 배워야 하듯이 음식 문맹에서 벗어나려면 음식을 배워야 한다고 입을 모은다. 그리고 자신이 먹는 음식에 관심을 가지는 것부터 시작해야 한다고 조언한다. 자신이 먹고 있는 음식이 어떤 재료로 만들어졌는지 확인하고, 가능하면 **제철** 음식을 먹는 것이 좋다. **식재료**를 구해 직접 음식을 만들어 보는 것도 좋다.

5 사회적 차원의 노력도 필요하다. 우선 제도적으로 현대인들이 **여가**를 즐길 수 있는 시간을 충분히 마련해 주어야 한다. 또한 유치원 때부터 음식 교육을 더 적극적으로 **시행**해야 한다. 우리가 먹는 음식이 어떻게 만들어지는지, 식재료에는 어떤 것이 있는지, 제철 음식은 무엇인지, 어떻게 **조리**를 하는지 등등 음식에 관한 여러 가지를 가르치면 음식의 소중함과 가치를 자연스럽게 깨달을 수 있을 것이다.

- **필수적**(必 반드시 필, 須 모름지기 수, 的 과녁 적) 반드시 있어야 하는 것.
- **불구**(不 아닐 불, 拘 잡을 구)**하고** (무엇이 사실인데도) 그것을 신경 쓰지 않고.
- **일상적**(日 날 일, 常 항상 상, 的 과녁 적) 늘 있는 예사로운 것.
- **열량**(熱 더울 열, 量 헤아릴 량) 음식이나 연료가 내는 힘의 양.
- **제철** 알맞은 때.
- **식재료**(食 먹을 식, 材 재목 재, 料 되질할 료) 음식을 만드는 재료.
- **여가**(餘 남을 여, 暇 겨를 가) 일을 하는 가운데 잠시 생기는 자유로운 시간.
- **시행**(施 베풀 시, 行 다닐 행) 실지로 행함.
- **조리**(調 고를 조, 理 다스릴 리) 여러 재료를 요리 방법에 따라 잘 써서 음식을 만드는 것.

지문 독해

글의 특징

1 이 글에 대한 설명으로 알맞은 것은 무엇인가요? (　　　　)

① 음식 문맹이 발생하는 원인을 다양한 차원에서 살펴보고 있다.
② 음식 문맹과 관련된 일화를 통해 부정적인 면을 분석하고 있다.
③ 음식 문맹자의 문제점을 지적한 뒤 극복 방안을 제시하고 있다.
④ 음식 문맹에 대한 상반된 입장을 제시한 뒤 이를 통합하고 있다.
⑤ 음식에 대해 널리 알려져 있는 생각을 소개한 뒤 비판하고 있다.

내용 이해

2 이 글의 내용과 일치하는 것은 무엇인가요? (　　　　)

① 패스트푸드나 인스턴트 식품은 영양가는 높지만 열량이 낮다.
② 패스트푸드는 제조 과정과 사용한 재료를 명확하게 안내한다.
③ 음식 문맹은 타고난 것이라서 개인적 노력으로는 고치기 어렵다.
④ 제철 음식이 비싸기 때문에 패스트푸드로 대신하는 사람들이 많다.
⑤ 많은 현대인들이 자신이 먹는 음식에 대하여 제대로 알지 못하고 있다.

추론하기

3 이 글을 통해 추론한 내용으로 알맞지 않은 것은 무엇인가요? (　　　　)

① 음식 문맹자가 아니더라도 패스트푸드는 먹지 않는 것이 좋겠군.
② 제철 음식을 먹으려고 노력하면 음식 문맹에서 벗어날 수 있겠군.
③ 어릴 때부터 음식 교육을 받은 사람은 음식을 소중하게 여기겠군.
④ 음식 문맹자는 성인병에 걸릴 위험이 그렇지 않은 사람보다 높겠군.
⑤ 현대인은 마음의 여유가 없기 때문에 음식이라도 좋은 것을 찾는군.

적용하기

4 다음에서 설명하는 두 어절의 말을 이 글에서 찾아 쓰세요.

자신이 먹는 음식의 재료는 무엇인지, 이것들이 어디에서 길러져서 어떻게 왔는지, 어떤 조리 과정을 거쳐서 만들어졌는지 등에 대해 알지 못하며, 그것에 대해 관심도 없는 사람을 이르는 말. 즉 음식의 중요성을 모르고 있는 사람을 말한다. 현재 많은 현대인이 이것에 해당한다.

(　　　　　　　　)

지문 분석

정답과 해설 14쪽

1 문단 요약 다음은 이 글에 나타난 각 문단의 중심 내용입니다. 알맞은 것에 ○표, 틀린 것에 ×표를 하세요.

1문단	음식 문맹자는 음식을 제대로 알지 못하는 사람이다.	(　　)
2문단	음식 문맹자들은 화려해 보이고 비싼 음식을 좋아한다.	(　　)
3문단	음식 문맹자들이 즐겨 먹는 패스트푸드는 건강에 좋다.	(　　)
4문단	음식 문맹을 벗어나려면 음식을 한 번에 많이 먹어야 한다.	(　　)
5문단	음식 문맹에서 벗어나기 위한 사회적 노력도 필요하다.	(　　)

2 글의 구조 다음 표의 빈칸을 채워 이 글의 내용을 정리해 보세요.

음식 (　　　　)

- 음식을 배고픔을 해결하는 수단으로만 인식 ⇨ 음식의 소중함을 모르는 사람
- (　　　　)와 인스턴트 식품을 즐겨 먹음.

개인적 차원의 극복 방안	사회적 차원의 극복 방안
• 음식에 대한 관심 가지기 • (　　　　) 음식 먹기	• (　　　　) 시간 마련해 주기 • 음식 교육 확대하기

배경지식 계절별 제철 음식

제철 음식을 먹으면 그 음식의 영양분이 가장 무르익었을 때 먹을 수 있어 맛도 있고 영양도 풍부하다.

오늘의 어휘

다음 낱말의 알맞은 뜻을 찾아 선으로 이으세요.

불구하고 •	• 음식을 만드는 재료.
일상적 •	• 늘 있는 예사로운 것.
식재료 •	• (무엇이 사실인데도) 그것을 신경 쓰지 않고.
여가 •	• 일을 하는 가운데 잠시 생기는 자유로운 시간.
조리 •	• 여러 재료를 요리 방법에 따라 잘 써서 음식을 만드는 것.

1 다음 빈칸에 들어갈 알맞은 말을 오늘의 어휘 에서 찾아 쓰세요.

- 아침에는 [   ]가 간편한 음식을 먹는다.
- 아버지께서는 [   ]를 이용하여 악기를 배우신다.
- 커피는 이제 우리나라에서 [   ]인 음료가 되었다.
- 비가 조금씩 내리는데도 [   ] 우리는 캠핑을 했다.
- 음식점에서는 [   ]의 원산지를 반드시 표기해야 한다.

2 다음 글에서 밑줄 친 부분을 모두 포함하는 말을 찾아 세 글자로 쓰세요.

달걀볶음밥은 집에 있는 식재료를 이용해서 손쉽게 만들 수 있는 요리이다. 2인분 기준으로 달걀 2~3개, 밥 1.5공기, 베이컨이나 햄 조금, 파 조금, 간장, 소금, 참기름, 설탕 등이 필요하다. 자신이 좋아하는 재료를 추가해도 된다.

(   )

어리석은 문화, '마녀사냥'

KEY WORD

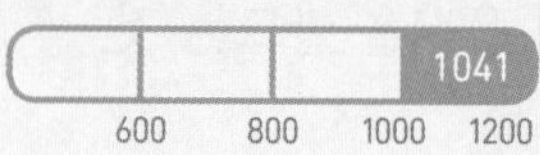

글자 수

1041

600 800 1000 1200

1 동화책에는 마녀가 종종 등장한다. 마녀는 대부분 추하게 생겼으며, 이상한 마법의 약을 만들고, 순진한 아이들을 유혹하여 잡아먹거나, 밤에 빗자루를 타고 날아다니기도 한다. 이런 마녀는 사람들이 상상하여 만들어 낸 존재이다.

2 그런데 마녀가 진짜로 존재한다고 믿고 마녀를 사냥한 시절이 있었다. 14세기부터 17세기까지 유럽 사회가 그러하였는데, 이 시절 유럽에서 마녀로 몰려 죽은 여성이 최소 수만 명에서 최대 수십만 명 이상이었다. 마녀를 **판별**하는 방법은 대부분 어처구니없는 것이었다. 마녀로 의심받는 사람을 단단히 묶은 뒤에 발에 무거운 돌을 매달아 강이나 호수같이 깊은 물에 빠뜨린다. 물은 깨끗한 속성을 지니고 있으므로 마녀가 들어오면 물 밖으로 떠오를 것이라고 믿었기 때문이다. 하지만 물에 빠진 사람은 대부분 죽을 수밖에 없었다. 만에 하나 물 위로 떠오른다 해도 마녀로 몰려 **화형**을 당해야 했다. 마녀든 아니든 의심을 받으면 죽임을 당할 수밖에 없었던 것이다. 이 때문에 **당시** 마녀로 몰린 사람은 거의 죽임을 당했다.

3 왜 이런 말도 안 되는 마녀사냥이 전 유럽에서 몇백 년 동안이나 일어났을까? 그 시절 유럽은 전쟁과 전염병 때문에 살기가 어려웠다. 게다가 흉년까지 계속되어 백성들의 불만이 **극심**하였다. 이런 상황에서 정치 지도자들과 종교 지도자들 같은 지배 계층은 이 모든 일이 마녀 때문에 일어난 것이라고 주장하며 백성들의 관심을 딴 데로 돌리려 한 것이다. 하지만 실제 마녀가 있을 리 없으므로 죄 없는 사람들을 잡아다 마녀라는 **누명**을 씌웠다. 이들은 억울하게 지배 계층의 **희생양**이 된 것이다.

4 그런데 이런 마녀사냥이 그로부터 수백 년이 지난 오늘날에도 가끔 일어나 문제가 되고 있다. 인터넷에서 일부 누리꾼들에 의해 이루어지는 **신상** 털기가 바로 그것이다. **사소한** 잘못을 저지른 사람의 신상 정보를 마구잡이로 퍼뜨리거나 자신의 마음에 들지 않는다는 이유로 죄 없는 사람에게 누명을 씌워 개인 정보를 인터넷에 올리는 것이다. 이런 짓은 중세 시절의 마녀사냥과 다를 바 없다. ㉠다른 사람이 한다는 이유로 따라 하는 것은 더더욱 어리석은 짓이다.

- **판별**(判 판가름할 판, 別 다를 별) 판단하여 구별하는 것.
- **화형**(火 불 화, 刑 형벌 형) 사람을 불살라 죽이는 형벌.
- **당시**(當 마땅할 당, 時 때 시) (어떤 일이 생긴) 바로 그때.
- **극심**(極 지극할 극, 甚 심할 심) (주로 나쁜 일의 정도가) 한껏 심함.
- **누명**(陋 더러울 누, 名 이름 명) 사실이 아닌 일 때문에 억울하게 얻은 나쁜 평판.
- **희생양**(犧 희생 희, 牲 희생 생, 羊 양 양) 다른 사람의 이익이나 어떤 목적을 위하여 목숨, 재산, 명예, 이익 등을 빼앗긴 사람을 비유적으로 이르는 말.
- **신상**(身 몸 신, 上 위 상) 한 사람의 개인적인 사정이나 형편.
- **사소**(些 적을 사, 少 적을 소)**한** (기본형: 사소하다) 중요하지 않은. 아주 작거나 적은.

목적

1 다음 빈칸을 채워 글쓴이가 이 글을 쓴 목적을 쓰세요.

글쓴이는 중세 (　　　　)에서 일어났던 (　　　　)이 어처구니없는 일이었음을 설명하면서 오늘날 인터넷상에서 가끔 벌어지는 무분별한 (　　　　)도 마녀사냥과 다를 바 없음을 지적하고 있다.

내용 이해

2 이 글의 내용과 일치하지 않는 것은 무엇인가요? (　　　　)

① 동화책에 등장하는 마녀들은 사람들이 만들어 낸 존재이다.
② 중세 유럽에서 마녀를 판별하는 방법은 비교적 과학적이었다.
③ 마녀사냥 시기에 유럽에서 마녀로 몰리면 거의 죽임을 당했다.
④ 마녀사냥은 지배 계급이 자신들의 지위를 유지하려고 저질렀다.
⑤ 마녀사냥 시기 유럽은 여러 가지 이유로 사람들의 삶이 어려웠다.

어휘·어법

3 ㉠을 나타내기에 가장 알맞은 속담은 무엇인가요? (　　　　)

① 숭어가 뛰니까 망둥이도 뛴다
② 굼벵이도 구르는 재주가 있다
③ 간에 붙었다 쓸개에 붙었다 한다
④ 가는 말이 고와야 오는 말이 곱다
⑤ 열 번 찍어 아니 넘어가는 나무 없다

적용하기

4 다음에서 설명하는 말을 4문단에서 찾아 두 어절로 쓰세요.

인터넷 검색을 통하여 찾아낸 개인의 신상 정보를 온라인에 퍼뜨리는 일을 이르는 표현으로, 일부 누리꾼에 의해 무분별하게 이루어져서 문제가 되고 있다. 개인의 사생활과 관련된 정보를 누구나 볼 수 있는 인터넷에 마음대로 올리는 것은 범죄 행위이므로 하지 말아야 한다.

(　　　　　　　　)

지문 분석

정답과 해설 15쪽

1 문단 요약 다음은 이 글에 나타난 각 문단의 중심 내용입니다. 알맞은 것에 ○표, 틀린 것에 ×표를 하세요.

1문단	마녀는 사람들이 상상하여 만들어 낸 존재이다.	(　　)
2문단	중세 유럽에서는 마녀가 진짜로 존재한다고 믿었다.	(　　)
3문단	중세 유럽은 전쟁과 전염병, 흉년 등으로 살기가 어려웠다.	(　　)
4문단	오늘날 인터넷상에서 마녀사냥 같은 신상 털기가 일어나 문제가 되고 있다.	(　　)

2 글의 구조 다음 표의 빈칸을 채워 이 글의 내용을 정리해 보세요.

중세의 마녀사냥	(　　　) 계층이 백성들의 불만을 다른 데로 돌리려고 함.	→	(　　　)라는 누명을 씌워서 죽게 함.
오늘날의 신상 털기	잘못을 저질렀거나 마음에 들지 않는 사람을 비난함.	→	인터넷에 (　　　) 정보를 마구잡이로 퍼뜨림.

배경지식 만들어진 '마녀' 이미지

오늘의 어휘

다음 낱말의 알맞은 뜻을 찾아 선으로 이으세요.

판별 •	• 판단하여 구별하는 것.
극심 •	• 중요하지 않은. 아주 작거나 적은.
누명 •	• 한 사람의 개인적인 사정이나 형편.
신상 •	• (주로 나쁜 일의 정도가) 한껏 심함.
사소한 •	• 사실이 아닌 일 때문에 억울하게 얻은 나쁜 평판.

1 다음 빈칸에 들어갈 알맞은 말을 오늘의 어휘에서 찾아 쓰세요.

- 친구와 [ ] 일로 다툰 것이 신경 쓰인다.
- 어느 쪽의 말이 옳은지 그른지 [ ]하기 어렵다.
- 그는 어처구니없는 [ ]을 쓰고 벌을 받게 되었다.
- 휴가철이나 주말에는 고속 도로가 [ ]하게 막힌다.
- 선거 벽보에는 후보자의 경력과 [ ] 정보가 적혀 있다.

2 다음 글에서 밑줄 친 말과 비슷한 뜻을 가진 말을 찾아 기본형을 네 글자로 쓰세요.

병아리의 암수를 가리는 일은 매우 어렵다. 그런데 전 세계 병아리 감별사의 60퍼센트가 한국인이라고 한다. 한국인은 관찰력이 아주 좋고 손가락 감각이 뛰어나서 병아리의 암수를 거의 정확하게 판별할 수 있다고 한다.

( )

일상의 문화가 된 디지털 플랫폼

1 코로나-19가 전 세계적으로 유행하면서 스마트폰 앱을 기반으로 하는 배달 **대행** 서비스나 인터넷 쇼핑몰의 규모가 전에 비해 매우 커졌다. 이런 서비스나 쇼핑은 오프라인과 달리 소비자와 판매자가 직접 **대면**하지 않고 스마트폰 앱 같은 디지털 네트워크를 **기반**으로 이루어진다. 이런 일이 가능한 것은 디지털 플랫폼 덕분이다.

2 어떤 서비스가 이루어지는 공간을 구성하는 틀을 플랫폼이라고 한다. 플랫폼은 원래 기차나 버스 등을 타고 내리는 승강장이라는 뜻이다. 누구나 자신의 목적지로 가는 기차나 버스를 골라 탈 수 있는 승강장처럼 디지털 시대의 플랫폼은 누구나 자신이 원하는 **콘텐츠**를 이용할 수 있는 공간을 제공한다. 즉 디지털 플랫폼은 온라인에서 어떤 것의 생산, **유통**, 소비가 이루어지도록 **매개**하는 시스템이다. 예를 들어 개인이 영상 콘텐츠를 만들어 온라인 공간에 올리고 불특정 다수의 이용자가 그것을 검색해서 볼 수 있도록 온라인 공간을 제공하는 시스템이나, 개인이 중고 물건을 사고팔 수 있도록 중간에서 매개하는 온라인 시스템은 모두 디지털 플랫폼에 해당한다.

3 디지털 플랫폼은 모바일 기술의 발전과 함께 급속하게 발전하였다. 통장을 들고 직접 은행 창구나 현금 자동 입출금기를 찾아야 했던 금융 거래도 이제는 스마트폰의 앱을 통해 **실시간**으로 처리할 수 있다. 물건을 주문하는 것도 이와 같다. 소비자가 스마트폰의 앱이나 개인용 컴퓨터로 상품이나 서비스를 구매하고 온라인으로 결제하면, 주문을 받은 생산자는 상품을 소비자들에게 ㉠보낸다. 이때 상품을 배달하는 사람도 플랫폼을 통해 구해진다. 모든 것이 디지털 플랫폼을 매개로 하여 이루어지므로 소비자와 생산자 모두 이전보다 편리해진다.

4 이런 편리함 때문에 시장에서 디지털 플랫폼의 영향력이 점점 커지고 있다. 심지어 **오프라인** 플랫폼이라고 할 수 있는 백화점이나 대형 마트도 자체적인 앱, 즉 디지털 플랫폼을 가지고 있을 정도이다. 심지어 오프라인 매장 없이 앱으로만 운영되는 기업도 있다. 디지털 기기에 익숙한 젊은 세대의 경우 실제 상품을 오프라인 매장에서 구경한 뒤, 주문은 앱으로 하는 것이 **보편화**되어 있을 정도이다. 많은 전문가들은 디지털 플랫폼이 일상생활에서 필수적인 문화가 될 것이라고 **전망**한다.

KEY WORD

디지털 플랫폼

글자 수

1093 (600 / 800 / 1000 / 1200)

- **대행**(代 대신할 대, 行 행할 행) 남의 일을 대신 맡아서 하는 것.
- **대면**(對 대답할 대, 面 낯 면) 직접 얼굴을 마주 보며 대하는 것.
- **기반**(基 터 기, 盤 소반 반) 크고 중요한 일의 기초가 되는 바탕.
- **콘텐츠**(contents) 인터넷이나 방송 등을 통해 제공되는 정보.
- **유통**(流 흐를 유, 通 통할 통) 상품이 생산자에서 상인을 거쳐 소비자에게로 옮겨 가는 것.
- **매개**(媒 중매 매, 介 끼일 개) 여러 사물 사이에서 그것들을 서로 이어 주는 것.
- **실시간**(實 열매 실, 時 때 시, 間 사이 간) 실제 흐르는 시간과 같은 시간.
- **오프라인** 인터넷 등을 활용한 사이버 세계가 아닌 실제 세계.
- **보편화**(普 널리 보, 遍 두루 편, 化 될 화) (생각·방식 같은 것이) 두루 널리 퍼지는 것.
- **전망**(展 펼 전, 望 바랄 망) 미리 내다보는 앞날.

지문 독해

핵심어

1 **이 글에서 가장 중심이 되는 말은 무엇인가요? (　　　　)**

① 모바일 기술　② 인터넷 쇼핑몰　③ 오프라인 매장
④ 디지털 플랫폼　⑤ 디지털 네트워크

전개 방식

2 **2 문단에서 사용된 설명 방법을 두 가지 찾아서 기호를 쓰세요.**

㉮ 대상을 분류하여 각각을 설명하고 있다.
㉯ 구체적인 예를 들어 대상을 설명하고 있다.
㉰ 핵심적인 용어의 뜻을 풀어서 설명하고 있다.
㉱ 원인과 결과를 중심으로 현상을 설명하고 있다.

(　　　　,　　　　)

내용 이해

3 **'디지털 플랫폼'에 대한 설명으로 알맞지 않은 것은 무엇인가요? (　　　　)**

① 모바일 기술의 발전과 함께 급속하게 발전하였다.
② 누구나 원하는 콘텐츠를 이용할 수 있도록 매개한다.
③ 콘텐츠의 생산자와 소비자 모두 이전보다 편리해진다.
④ 오프라인 매장이 있어야 이용자가 제대로 활용할 수 있다.
⑤ 일상생활에서 빼놓을 수 없는 문화가 될 것으로 전망된다.

어휘·어법

4 **㉠ '보낸다'와 바꾸어 쓸 수 있는 말로 알맞은 것은 무엇인가요? (　　　　)**

① 기증한다　② 파견한다　③ 배송한다
④ 배출한다　⑤ 평가한다

지문 분석

정답과 해설 16쪽

1 문단 요약 이 글에 나타난 각 문단의 중심 내용으로 알맞은 것을 찾아 선으로 이으세요.

1문단 •	• 디지털 네트워크를 기반으로 하는 디지털 플랫폼
2문단 •	• 시장에서의 영향력이 점점 커지는 디지털 플랫폼
3문단 •	• 모바일 기술의 발전과 함께 발전한 디지털 플랫폼
4문단 •	• 온라인에서 생산, 유통, 소비를 매개하는 디지털 플랫폼

2 중심 내용 다음 빈칸에 알맞은 말을 넣어 이 글의 중심 내용을 요약하세요.

어떤 서비스가 이루어지는 공간을 구성하는 틀을 (　　　　)이라고 한다. (　　　　) 플랫폼은 온라인에서 어떤 것의 생산, 유통, 소비가 이루어지도록 매개한다. 이를 이용하면 생산자와 (　　　　) 모두 편리해지므로 디지털 플랫폼은 일상생활에서 필수적인 문화가 될 것으로 보인다.

배경지식 음식이 배달되는 과정

정답과 해설 16쪽

오늘의 어휘

다음 낱말의 알맞은 뜻을 찾아 선으로 이으세요.

대행 •	• 미리 내다보는 앞날.
대면 •	• 남의 일을 대신 맡아서 하는 것.
유통 •	• 직접 얼굴을 마주 보며 대하는 것.
매개 •	• 여러 사물 사이에서 그것들을 서로 이어 주는 것.
전망 •	• 상품이 생산자에서 상인을 거쳐 소비자에게로 옮겨 가는 것.

1 다음 빈칸에 들어갈 알맞은 말을 오늘의 어휘 에서 찾아 쓰세요.

- 두 사람은 처음으로 [ ]했지만 어색하지 않았다.
- 판매자는 생산자와 소비자를 [ ]하는 역할을 한다.
- 딸기는 쉽게 상해서 보관하거나 [ ]하는 데 어려움이 많다.
- 가뭄 때문에 추석에는 과일값이 많이 오를 것으로 [ ]된다.
- 바쁜 현대인을 위해 귀찮은 일을 [ ]하는 서비스가 늘고 있다.

2 다음 글에서 밑줄 친 말과 비슷한 뜻을 가진 말을 찾아 두 글자로 쓰세요.

앞으로 사회가 어떤 방향으로 변할지를 생각해 보면 미래에 유망한 직업을 예상할 수 있다. 미래 사회는 생활 곳곳에서 로봇이 활용될 것으로 전망된다. 따라서 로봇을 연구하거나 설계하는 직업이 유망할 것이다. 또한 수명이 늘어날 것이므로 노인 복지와 관련된 직업이 유망할 것이다.

( )

경제

01 | 환율과 우리 생활

02 | 물가와 인플레이션

03 | 자유 무역주의

04 | 세상과 환경을 살리는 윤리적 소비

과학

01 | 생명 진화 이야기

02 | 뇌 과학의 활용

03 | 미생물은 해로울까?

04 | 태양계의 끝은 어디일까?

기술

01 | OTT 서비스는 무엇일까?

02 | 스마트 빌딩

03 | 우주 기술이 만든 물건들

04 | 투명 망토가 존재한다면?

환율과 우리 생활

KEY WORD

환율

글자 수

1083

600 800 1000 1200

1 세계의 여러 나라들은 **각기** 다른 화폐를 사용한다. 우리나라는 '원', 미국은 '달러', 일본은 '엔', 중국은 '위안', 유럽 연합은 '유로' 등을 쓴다. 서로의 화폐 단위가 다르기 때문에 다른 나라와 무역을 하거나 그 나라로 여행을 갈 때는 **자국**의 화폐를 그 나라의 화폐로 바꾸어야 한다. 이를 위해서는 서로의 화폐 가치를 비교해야 하는데, 그 기준을 환율이라고 한다. 즉 환율은 서로 다른 두 나라의 화폐를 맞바꾸는 비율이다.

2 환율을 표시할 때는 미국의 달러를 기준으로 삼아 표시하는 경우가 많다. 달러는 전 세계적으로 널리 사용되면서 화폐 가치의 **변동**이 적기 때문이다. 예를 들어 환율이 '1달러=1000원'이면 우리나라 화폐 1000원과 미국의 화폐 1달러를 바꿀 수 있다는 뜻이다.

3 환율은 세계 경제 상황에 따라 매일매일 달라진다. 가령 우리나라 화폐를 사려는 사람이 많아지면 우리나라 화폐의 가치가 높아지면서 환율이 **하락**한다. 이전보다 적은 돈으로 미국 달러와 바꿀 수 있는 것이다. 자국 화폐의 가치가 오르는 것을 '환율 하락'이라고 하고, 반대로 자국 화폐의 가치가 떨어지는 것을 '환율 **상승**'이라고 한다. 예를 들어 '1달러 =1000원'이던 환율이 '1달러=900원'이 되면 환율이 하락한 것이고, '1달러=1100원'이 되면 환율이 상승한 것이다.

4 환율이 오르내리는 것은 우리와 어떤 관련이 있을까? 환율이 상승하면 외국 상품을 그만큼 더 비싼 값에 수입해야 한다. 환율 상승은 수입 상품의 가격 상승으로 이어져, 이전보다 더 비싸게 수입 상품을 사야 하기 때문이다. 또한 외국 여행을 할 때도 이전보다 더 많은 돈을 써야 한다. 반대로 환율이 하락하면 수입 상품을 더 싸게 살 수 있고, 외국 여행을 갈 때도 **유리**하다. 그렇지만 우리나라에서 수출하는 상품의 값이 싸져서 우리의 생활이 더 힘들어질 수 있다.

5 환율의 변동 폭이 너무 크면 외국과의 무역에 좋지 않은 영향을 미쳐 국가의 경제가 **불안정**해진다. 이는 국민들의 생활에도 부정적인 영향을 미친다. 따라서 환율은 큰 변동 없이 안정적으로 유지되어야 한다. 그렇기 때문에 세계 각국은 자국의 환율이 **급격히** 상승하거나 하락하는 것을 막기 위해 노력하고 있다.

- **각기**(各 각각 각, 其 그 기) 저마다 서로 다르게.
- **자국**(自 스스로 자, 國 나라 국) 국제 관계에서, 자기 나라.
- **변동**(變 변할 변, 動 움직일 동) 사정이나 상황이 바뀌어 달라지는 것.
- **하락**(下 아래 하, 落 떨어질 락) 값·질·가치 등이 떨어지는 것.
- **상승**(上 위 상, 昇 오를 승) (무엇이) 높아지거나 위로 올라가는 것.
- **유리**(有 있을 유, 利 이로울 리) 정신적으로나 물질적으로 보탬이 되는 것이 있음.
- **불안정**(不 아닐 불, 安 편안할 안, 定 정할 정) 안정된 상태를 유지하지 못한 것.
- **급격**(急 급할 급, 激 과격할 격)**히** (변화나 움직임이) 매우 빠르고 세차게.

지문 독해

글의 특징

1 이 글에 대한 설명으로 알맞은 것은 무엇인가요? (   )

① 환율의 변동에 영향을 미치는 요소들을 설명하고 있다.
② 우리나라 화폐를 외국 화폐로 바꾸는 방법을 설명하고 있다.
③ 환율이 결정되는 과정을 구체적 사례를 들어 설명하고 있다.
④ 세계 각국에서 사용하는 다양한 종류의 화폐를 자세히 설명하고 있다.
⑤ 환율의 개념과 환율의 변동이 우리 생활에 미치는 영향을 설명하고 있다.

내용 이해

2 이 글의 내용과 일치하지 않는 것은 무엇인가요? (   )

① 환율은 고정되지 않고 세계의 경제 상황에 따라 달라진다.
② 가치 변동이 적은 달러를 환율의 기준으로 삼는 경우가 많다.
③ 서로 다른 두 나라의 화폐를 교환하는 비율을 환율이라고 한다.
④ 각국 정부는 자국 화폐의 환율을 안정적으로 유지하려 노력한다.
⑤ 환율이 하락하면 같은 금액의 달러를 구할 때 돈이 더 많이 든다.

내용 이해

3 다음에서 설명하는 것을 글에서 찾아 두 글자로 쓰세요.

자국의 화폐를 필요로 하는 사람들이 많아져서 자국 화폐의 가치가 높아지는 상황을 가리키는 말이다. 이 현상이 일어나면 이전보다 더 적은 돈을 주고 이전과 같은 금액의 외국 화폐와 바꿀 수 있다.

환율 (   )

추론하기

4 4문단을 참고하여, 다음 (   ) 안에 알맞은 말을 골라 ○표 하세요.

환율이 상승하면 (수입, 수출)에 유리하고, 환율이 하락하면 (수입, 수출)에 유리하다.

지문 분석

정답과 해설 17쪽

1 문단 요약 이 글에 나타난 각 문단의 중심 내용을 정리한 것입니다. 알맞은 것에 ○표, 틀린 것에 ×표를 하세요.

1문단	두 나라의 화폐를 서로 교환하는 비율을 환율이라고 한다.	(　　　)
2문단	환율은 가치 변동이 적은 화폐인 달러를 기준으로 삼는 경우가 많다.	(　　　)
3문단	환율이 하락하면 더 적은 돈으로 미국 달러를 구할 수 있다.	(　　　)
4문단	환율이 하락하면 외국 여행을 갈 때 유리하다.	(　　　)
5문단	각국은 자국 화폐의 환율을 안정적으로 유지하려고 노력한다.	(　　　)

2 중심 내용 다음 빈칸에 알맞은 말을 넣어 이 글의 중심 내용을 요약하세요.

(　　　　)은 서로 다른 두 나라의 화폐를 맞바꾸는 비율이다. 자국 화폐의 가치가 올라가면 환율이 (　　　　)하고, 자국 화폐의 가치가 떨어지면 환율이 상승한다. 환율의 변동은 국가 간 (　　　　)과 국민들의 생활에 큰 영향을 미친다.

배경지식 환율 변동이 소비자에게 영향을 미치는 사례

환율이 상승하면 수입 상품을 기존에 사던 가격보다 더 비싸게 사야 한다. 상품 수입 가격이 환율이 오른 만큼 상승하기 때문에 판매 가격도 높아지는 것이다. 이와 반대로 환율이 하락하면 수입 상품을 기존에 사던 가격보다 더 싸게 살 수 있다. 상품 수입 가격이 환율이 떨어진 만큼 하락하기 때문에 판매 가격도 낮아지는 것이다.

오늘의 어휘

다음 낱말의 알맞은 뜻을 찾아 선으로 이으세요.

각기 •	• 저마다 서로 다르게.
자국 •	• 국제 관계에서, 자기 나라.
변동 •	• 사정이나 상황이 바뀌어 달라지는 것.
유리 •	• (변화나 움직임이) 매우 빠르고 세차게.
급격히 •	• 정신적으로나 물질적으로 보탬이 되는 것이 있음.

1 다음 빈칸에 들어갈 알맞은 말을 오늘의 어휘 에서 찾아 쓰세요.

- 사람들은 [ ] 다른 직업을 가지고 살아간다.
- 올해는 이상 기후 때문에 과일값의 [ ]이 평소보다 심하다.
- 국제 사회에서 모든 나라는 [ ]의 이익을 가장 중요시한다.
- 우리나라는 삼면이 바다라서 해양으로 진출하는 데 [ ]하다.
- 최근 우리나라의 출산율이 [ ] 떨어져 사회 문제가 되고 있다.

2 다음 글에서 밑줄 친 말과 반대의 뜻을 가진 말을 찾아 두 글자로 쓰세요.

학교에서 모둠 활동을 할 때 항상 자기에게 유리한 일만 하려는 친구가 있다. 그런데 모든 사람이 이런 생각을 하면 모둠 활동이 제대로 이루어질 수 없다. 당장 자신에게 불리한 일이라도 나서서 한다면 결과적으로는 자신을 비롯하여 모든 사람에게 유리해질 것이다.

( )

물가와 인플레이션

KEY WORD

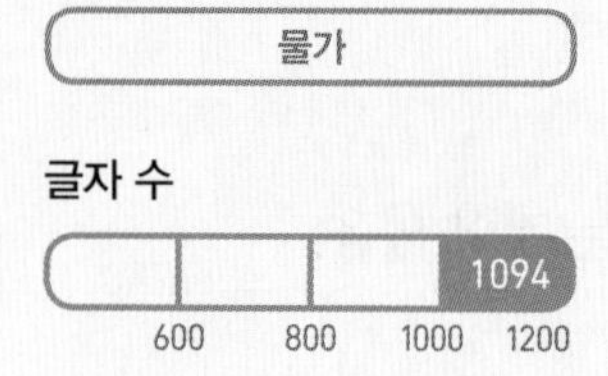

1 텔레비전 뉴스를 보면 물가가 올랐다거나 내렸다는 말을 종종 들을 수 있다. 특히 물가가 많이 올랐다는 소식이 들리면 대부분의 어른들은 "살기 힘들다."라며 한숨을 내쉰다. 물가가 무엇이길래 뉴스에서 중요하게 다루는 것일까? 물가란 시장에서 팔리는 물건들의 가격을 종합하여 평균을 낸 값이다. 하지만 모든 물건의 가격을 하나하나 조사할 수는 없으므로 **표본**이 될 만한 물건을 뽑아 물가를 계산한다.

2 물가는 돈의 가치를 알려 주는 **척도**이다. 즉 물가가 올랐다는 것은 돈의 가치가 이전보다 떨어졌음을 의미하고, 물가가 떨어졌다는 것은 돈의 가치가 이전보다 올랐음을 의미한다. 예를 들어 1000원에 팔던 아이스크림이 1500원으로 올랐다면 똑같은 물건을 500원이나 더 주고 사야 하므로 돈의 가치가 떨어진 것이다. 물가는 대개 1년 단위로 계산하는데, 낮은 비율의 변동 폭을 유지하는 것이 좋다.

3 그런데 물가가 **지속해서** 꾸준히 오르거나 짧은 기간에 **급등**하여 돈의 가치가 떨어지는 경우가 있다. 이런 현상을 인플레이션이라고 한다. 인플레이션이 발생하면 일정한 수입으로 살아가야 하는 서민들은 큰 피해를 본다. 월급은 그대로인데 물가가 급등하면 실질적으로 쓸 수 있는 돈이 줄어드는 꼴이 되기 때문이다. 같은 금액의 돈으로 살 수 있는 것들이 줄어들면서 생활이 전보다 어려워진다. 이렇게 가정의 소비가 줄어들면 기업은 물건의 생산량을 줄일 수밖에 없고, 물건의 생산량이 줄어들면 직원을 줄이므로 **실업자**가 늘어난다. 이처럼 인플레이션은 경제에 부정적 영향을 준다.

4 인플레이션은 생활에 필요한 물건의 **공급**이 갑자기 줄어들거나 **시중**에 돈이 많아졌을 때 생긴다. 실제로 제1차 세계 대전에서 패한 독일은 전쟁으로 인한 피해를 **배상**하기 위해 돈을 마구 찍어 냈다. 그 결과 1마르크이던 빵값이 몇 달 만에 5천 마르크로 치솟을 정도로 물가가 올라 빵 하나를 사려면 수레에 가득 돈을 싣고 가야 할 정도가 되었다. 그러다 보니 독일인들은 가치가 뚝뚝 떨어지는 돈을 서둘러 물건으로 바꾸려고 했고, 이 과정에서 물가가 더 오르는 **악순환**에 빠져 국가 경제가 무너질 위기까지 몰렸다. 이런 점 때문에 세계 각 나라의 정부는 ㉠ 인플레이션을 막기 위한 여러 가지 정책을 시행한다.

- **표본**(標 표 표, 本 근본 본) 본보기나 표준이 될 만한 것.
- **척도**(尺 자 척, 度 법도 도) 무엇의 가치를 매기거나 판단할 때의 기준.
- **지속**(持 가질 지, 續 이을 속)**해서** (기본형: 지속하다) 어떤 상태를 오래 계속해서.
- **급등**(急 급할 급, 騰 오를 등) 물가·성적 등이 갑자기 오르는 것.
- **실업자**(失 잃을 실, 業 업 업, 者 놈 자) 직업을 잃거나 얻지 못한 사람.
- **공급**(供 이바지할 공, 給 줄 급) 필요한 것을 마련하여 주는 것.
- **시중**(市 시장 시, 中 가운데 중) 상품들이 거래되는 시장. 상품이나 생각들이 교환되는 사회.
- **배상**(賠 물어줄 배, 償 갚을 상) 남의 권리를 침해한 사람이 그 손해를 물어 주는 일.
- **악순환**(惡 악할 악, 循 좇을 순, 環 고리 환) 원인과 결과가 되풀이되어 상황이 나빠지는 일.

지문 독해

글의 특징

1 이 글에 대한 설명으로 알맞은 것은 무엇인가요? (　　　　)

① 물가의 개념을 제시하고 인플레이션에 대하여 설명하고 있다.
② 물가의 중요성을 설명하고 물가를 낮추는 방법을 제시하고 있다.
③ 물가와 관련된 기존의 이론을 소개하고 그 한계를 지적하고 있다.
④ 인플레이션의 발생 원인과 인플레이션의 장단점을 분석하고 있다.
⑤ 인플레이션의 문제점을 설명하고 이를 막아야 함을 주장하고 있다.

전개 방식

2 이 글의 각 문단에 나타난 글쓰기 전략으로 알맞지 않은 것은 무엇인가요? (　　　　)

① 1문단: 질문의 방식을 활용하여 내용에 대한 관심을 유도하고 있다.
② 2문단: 권위 있는 전문가의 견해를 인용하여 내용을 뒷받침하고 있다.
③ 3문단: 문제 현상이 가져올 수 있는 부정적 결과를 제시하고 있다.
④ 3문단: 핵심적 용어의 뜻을 풀이하여 내용에 대한 이해를 돕고 있다.
⑤ 4문단: 실제 사례를 활용하여 내용에 대한 이해를 돕고 있다.

내용 이해

3 다음에서 설명하는 것을 글에서 찾아 다섯 글자로 쓰세요.

물가가 계속 올라 돈의 가치가 떨어지는 현상을 의미하는 말로, 실질적인 소비 수준을 떨어뜨린다. 일상생활에 필요한 물건을 많이 가지고 있는 사람은 이런 상황이 되면 상대적으로 이득을 볼 수 있다. 물가가 오른 만큼 물건의 가치가 오르기 때문이다. 하지만 나라 전체로는 경제적으로 큰 피해를 초래한다.

(　　　　　　　　)

추론하기

4 4문단과 보기를 참고할 때, ㉠의 방법으로 가장 알맞은 것은 무엇일까요? (　　　　)

보기

어떤 문제 상황을 해결하려면 원인을 찾아서 제거해야 한다.

① 기업에서 직원들의 월급을 물가가 오른 만큼 올려 준다.
② 전쟁을 일으켜 기존에 사용하던 돈을 모두 쓸모없게 만든다.
③ 시중에 있는 돈의 양을 줄이거나 필요한 물건을 많이 만든다.
④ 국가에서 돈을 많이 찍어 내서 사람들에게 골고루 나누어 준다.
⑤ 각 가정에서 가지고 있는 돈을 모두 물건으로 바꾸어 보관한다.

지문 분석

정답과 해설 18쪽

1 정보 확인 다음은 이 글의 내용을 정리한 것입니다. 알맞은 말을 골라 ○표 하세요.

주요 상품들의 가격을 종합하여 평균을 낸 값을 (물가, 척도)라고 한다. 그리고 이것이 계속 (상승, 하락)하여 돈의 가치가 (상승, 하락)하는 현상을 인플레이션이라고 한다.

2 글의 구조 다음 표의 빈칸을 채워 이 글의 내용을 정리해 보세요.

(　　　　)의 개념	(　　　　)의 개념과 문제점
• 시장에서 팔리는 상품들 중 표본이 될 만한 물건의 값을 종합하여 평균을 낸 것	• 물가가 계속 올라 돈의 (　　　　)가 떨어지는 현상 ⇨ 국가 경제에 안 좋은 영향을 미침.
물가의 의의	**인플레이션의 원인**
• 돈의 가치를 알려 주는 척도 ㉠ 물가 (　　　　) ⇨ 돈의 가치 하락 물가 하락 ⇨ 돈의 가치 상승	• 생활에 필요한 물건의 공급이 줄거나 시중에 (　　　　)이 많아졌을 때 발생함. ⇨ 국가 차원의 여러 정책을 시행함.

배경지식 인플레이션의 반대, 디플레이션

돈의 양이 줄어듦에 따라 물가가 하락하고 경제 활동이 침체되는 현상을 디플레이션이라고 한다.

인플레이션이 계속되면 사람들은 돈을 더 빌리려고 하고, 이자율은 오르게 된다.

→

이자율이 너무 높아지면 사람들은 돈을 더 빌리지도 않고 쓰지도 않게 된다.

→

사람들이 돈을 쓰지 않아 물건값의 거품이 빠지고 물가가 계속 하락한다.

오늘의 어휘

다음 낱말의 알맞은 뜻을 찾아 선으로 이으세요.

표본 •	• 본보기나 표준이 될 만한 것.
척도 •	• 필요한 것을 마련하여 주는 것.
급등 •	• 물가·성적 등이 갑자기 오르는 것.
공급 •	• 무엇의 가치를 매기거나 판단할 때의 기준.
악순환 •	• 원인과 결과가 되풀이되어 상황이 나빠지는 일.

1 다음 빈칸에 들어갈 알맞은 말을 오늘의 어휘에서 찾아 쓰세요.

- 계속되는 가뭄 때문에 과일 가격이 [　　　　]하고 있다.
- 농부가 영양분을 충분히 [　　　　]해야 농작물이 잘 자란다.
- 행복의 [　　　　]를 물질적 풍요로움에 두는 것은 옳지 않다.
- 이번 여론 조사는 전국에서 [　　　　]을 뽑아서 실시한 것이다.
- 서로 폭력에 폭력으로 대응하는 [　　　　]을 그만 끝내야 한다.

2 다음 글에서 밑줄 친 말과 반대의 뜻을 가진 말을 찾아 두 글자로 쓰세요.

시장에서 사고파는 물건의 가격은 사는 사람의 수와 물건의 양이 일치하는 선에서 결정된다. 즉, 어떤 물건의 수요가 늘어나면 가격이 올라가고, 공급이 늘어나면 가격이 떨어진다. 예를 들어 어떤 장난감이 인기를 끌면 수요가 늘어나 가격이 오르는데, 가격이 오르면 공급이 평소보다 늘어나면서 오르기 전의 가격으로 되돌아간다.

(　　　　　　　)

자유 무역주의

KEY WORD

자유 무역주의

글자 수

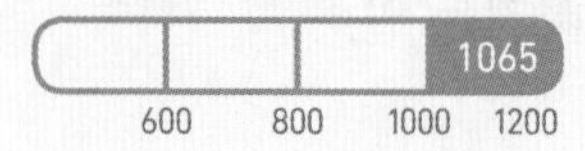

1 국가와 국가 간에 상품을 사고파는 무역은 자연스럽게 이루어진다. 한 나라에서 자기 나라에 필요한 모든 **물자**를 생산할 수 없고, 자국에서 생산하기에 유리한 물품을 수출하여 자국에 필요한 물품을 수입하는 것이 더 효율적이기 때문이다. 예를 들어 우리나라가 자동차나 반도체를 수출해서 벌어들인 돈으로 우리나라에서 나지 않는 석유를 수입하는 식이다.

2 그런데 일부 국가는 수입을 **억제**하는 정책을 펴기도 한다. 가격이 싸고 품질이 좋은 외국 상품 때문에 그것과 같거나 비슷한 분야의 국내 산업이 **쇠퇴**하는 것을 막기 위해서이다. 수입을 억제하는 정책은 대개 관세를 **부과**하는 방식으로 이루어진다. 관세는 수입해 오는 물품에 부과하는 세금을 말한다. 가령 외국 상품의 수입 가격이 10000원이고 관세가 20%라면, 그 상품은 적어도 12000원 이상에 판매된다. 관세가 붙으면 상품의 가격이 비싸져서 그 상품을 사려는 사람이 줄어든다. 그러면 그것과 같은 상품을 생산하는 국내 기업을 보호할 수 있다. 단, 수입을 **과도하게** 억제하면 자국의 상품을 수출할 때에도 그만큼 불리해진다.

3 관세 같은 무역 **장벽**을 없애 무역이 자유롭게 이루어지도록 하는 것을 자유 무역주의라고 한다. 자유 무역이 이루어지면 소비자들은 값싸고 질 좋은 상품을 쉽게 살 수 있게 된다. 이 때문에 자유로운 무역을 원하는 나라끼리는 '자유 무역 **협정**(FTA)'을 맺기도 한다. 자유 무역 협정이란 관세 부과 같은 국가의 **간섭** 없이 무역을 자유롭게 하자는 나라 간의 약속이다. 이 협정을 맺으면 수출과 수입이 더 활발해진다. 우리나라 소비자가 미국 캘리포니아의 오렌지나 뉴질랜드의 키위, 칠레의 포도주, 프랑스의 치즈 같은 식품을 옛날보다 싼 가격으로 살 수 있는 것도 자유 무역 협정 덕분이다.

4 [㉠] 자유 무역이 무조건 좋은 것은 아니다. 국가 간 무역 경쟁이 심해지면서 가난하거나 기술력이 떨어지는 국가는 점점 더 가난해지고, 반대로 부유하거나 기술력이 높은 국가는 더 부유해질 수 있다. 즉 국가 간의 빈부 격차가 심화되는 것이다. [㉡] 자유 무역주의 상황에서 기업이 살아남기 위해서는 다른 나라 제품과의 경쟁에서 이길 수 있는 제품을 만들어야 한다.

- **물자**(物 만물 물, 資 재물 자) 경제 활동에 필요한 여러 가지 물건이나 재료.
- **억제**(抑 누를 억, 制 억제할 제) (무엇이) 더 이상 커지거나 한도를 넘지 못하게 억누름.
- **쇠퇴**(衰 쇠할 쇠, 退 물러날 퇴) 세력이나 기운이 점점 약해지는 것.
- **부과**(賦 구실 부, 課 시험할 과) 세금·벌금 등의 액수를 부담하게 하는 것.
- **과도**(過 지날 과, 度 법도 도)**하게** (기본형: 과도하다) (어떤 일이) 정도가 지나치게.
- **장벽**(障 가로막을 장, 壁 벽 벽) 장애가 되거나 극복하기 어려운 것.
- **협정**(協 도울 협, 定 정할 정) 중요한 문제에 대하여 여럿이 의논하여 어떻게 하기로 결정하는 것.
- **간섭**(干 막을 간, 涉 건널 섭) 자기와 직접 관계가 없는 일에 끼어들어 성가시게 구는 것.

정답과 해설 19쪽

설명 대상

1 이 글에서 주로 설명하는 것은 무엇인가요? (   )

① 우리나라의 주요 수출 품목
② 자유 무역 협정의 주요 내용
③ 여러 나라가 무역을 하는 이유
④ 자유 무역주의의 장점과 문제점
⑤ 수입 상품에 관세를 부과하는 까닭

내용 이해

2 이 글의 내용과 일치하지 않는 것은 무엇인가요? (   )

① 자유 무역주의에서 기업이 살아남으려면 경쟁력을 키워야 한다.
② 관세 없이 외국 물품을 수입하면 국내 기업이 어려워질 수 있다.
③ 자유 무역 협정을 맺으면 무역하는 상품에 관세를 붙이지 않는다.
④ 자유 무역주의는 수출을 증가하게 하지만 수입은 감소하게 만든다.
⑤ 국가의 간섭 없이 자유롭게 무역하는 것을 자유 무역주의라고 한다.

어휘·어법

3 이 글의 ㉠과 ㉡에 들어갈 이어 주는 말을 보기 에서 각각 찾아 쓰세요.

보기
그리고, 그러나, 왜냐하면, 그러므로, 예를 들어

㉠: (   ), ㉡: (   )

적용하기

4 다음 중 자유 무역과 관련 있는 예가 아닌 것은 무엇인가요? (   )

① 외국에서 우리나라 스마트폰이 인기를 끄는 것
② 우리나라에서 캘리포니아 오렌지를 싸게 사 먹는 것
③ 한우보다 저렴한 미국산 소고기를 찾는 사람이 늘고 있는 것
④ 외국에서 물건을 살 때 200달러 이하는 관세를 내지 않는 것
⑤ 우리나라 컴퓨터 산업을 보호하려고 외국산 컴퓨터에 엄청난 관세를 매기는 것

지문 분석

1 문단 요약 다음은 이 글에 나타난 각 문단의 중심 내용입니다. 알맞은 것에 ○표, 틀린 것에 ×표를 하세요.

1 문단	우리나라는 자동차나 반도체를 수출해서 번 돈으로 석유를 수입해 온다.	(　　)
2 문단	일부 국가는 수입 상품에 관세를 물리는 방법으로 수입을 억제하기도 한다.	(　　)
3 문단	자유 무역주의는 무역 장벽을 없애 무역이 자유롭게 이루어지도록 하는 것이다.	(　　)
4 문단	자유 무역주의는 국가 간의 무역 경쟁을 더욱 심화시키는 결과를 초래한다.	(　　)

2 중심 내용 다음 빈칸에 알맞은 말을 넣어 이 글의 중심 내용을 요약하세요.

국가와 국가 간에 물건을 사고파는 것을 (　　　　)이라고 한다. 수입국에서 수입 물품에 (　　　　)를 부과하는 경우도 있는데, 이런 수입 억제 정책을 없애 무역이 자유롭게 이루어지도록 하는 것을 (　　　　) 무역주의라고 한다. 이는 수출과 수입을 늘리는 효과가 있지만 국가 간 (　　　　) 격차를 심화시키기도 한다.

배경지식 우리나라의 주요 자유 무역 협정(FTA) 체결 현황

우리나라는 칠레와의 첫 FTA를 시작으로 2021년 기준 57개국 17건의 FTA를 체결하였고, 다른 나라와의 FTA도 지속적으로 추진하고 있다.

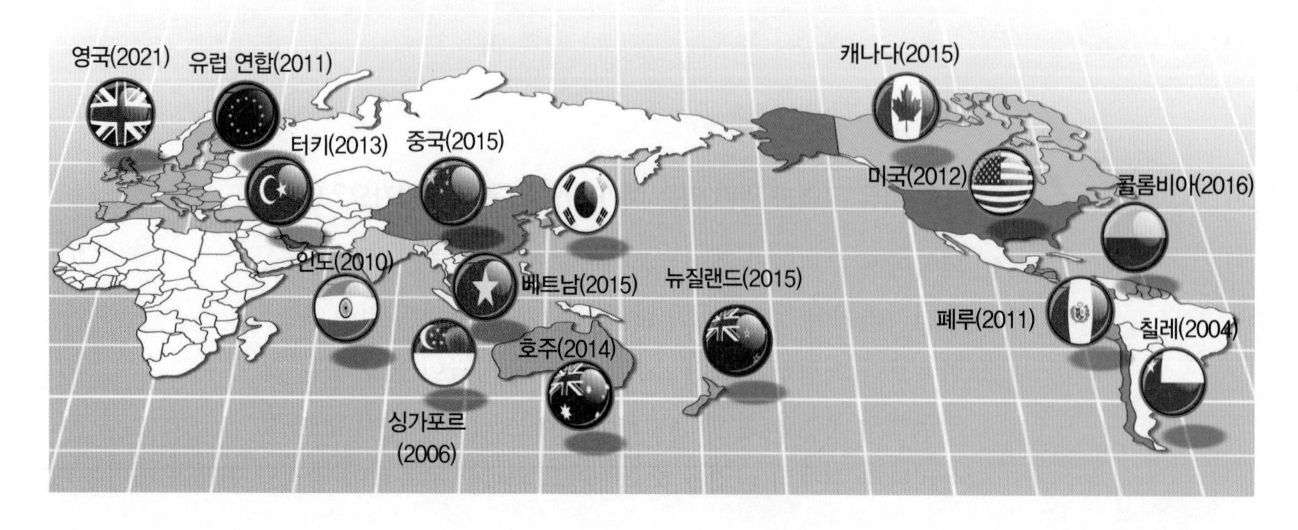

오늘의 어휘

다음 낱말의 알맞은 뜻을 찾아 선으로 이으세요.

억제 •	• (어떤 일이) 정도가 지나치게.
부과 •	• 장애가 되거나 극복하기 어려운 것.
과도하게 •	• 세금·벌금 등의 액수를 부담하게 하는 것.
장벽 •	• (무엇이) 더 이상 커지거나 한도를 넘지 못하게 억누름.
간섭 •	• 자기와 직접 관계가 없는 일에 끼어들어 성가시게 구는 것.

1 다음 빈칸에 들어갈 알맞은 말을 오늘의 어휘 에서 찾아 쓰세요.

- 나는 요즘 식욕이 [ ] 늘어서 살이 찌고 있다.
- 다른 사람의 사생활에 [ ]하는 것은 좋지 못한 행동이다.
- 빌린 책을 반납일보다 늦게 반납하면 연체료가 [ ]된다.
- 성춘향과 이몽룡은 신분의 [ ]을 넘어서 사랑을 이루었다.
- 환경을 보호하기 위해 환경 오염 물질의 사용을 [ ]해야 한다.

2 다음 글에서 밑줄 친 말과 비슷한 뜻을 가진 말을 찾아 두 글자로 쓰세요.

지구 온난화가 심각해짐에 따라 여러 나라에서 탄소 배출을 <u>규제</u>하는 정책을 시행하고 있다. 이에 따라 많은 자동차 회사들이 기존 자동차 생산을 억제하고 전기차 생산량을 늘리고자 노력하고 있다.

( )

세상과 환경을 살리는 윤리적 소비

KEY WORD

윤리적 소비

글자 수

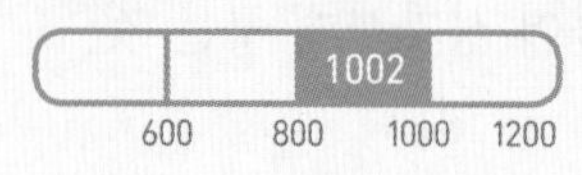

1 소비자는 보통 물건을 살 때 가격과 품질을 먼저 고려한다. 즉 싸면서도 품질이 좋은 물건을 사려고 노력한다. 우리가 떡볶이를 사 먹을 때 같은 값이면 양을 더 많이 주거나 더 맛있는 떡볶이를 파는 가게를 찾아가는 것도 이 때문이다. 그런데 일부 소비자는 가격이나 품질보다 우리가 사는 세상을 더 좋게 만들 수 있는지를 따져서 소비한다. 이런 소비를 윤리적 소비라고 한다.

2 윤리적 소비는 크게 '녹색 소비'와 '착한 소비'로 나눌 수 있다. 녹색 소비는 환경에 도움이 되는 소비를 하는 것이다. 구체적으로는 자신이 사는 곳 **인근**에서 생산된 식품을 소비하는 것, 에너지 **절감** 제품 같은 친환경 제품을 소비하는 것, 동물 복지 제품이나 유기농 제품을 소비하는 것, 재활용 제품을 사용하는 것, 과대 포장 제품을 사지 않는 것 등이다.

3 착한 소비는 정의로운 사회를 만드는 데 도움이 되는 소비이다. 구체적으로는 **공정** 무역 제품을 이용하거나 공정 여행을 하는 것, 사회적 약자를 배려하는 제품을 소비하는 것, 비윤리적인 기업의 제품을 사지 않는 것 등이 해당된다. 공정 무역은 생산자나 노동자에게 정당한 **대가**를 **지불**하는 무역을 말하며, 공정 여행은 **현지인**과 교류하고 그 사회에 도움을 주면서 하는 여행을 말한다.

4 자신에게 필요한 것을 사는 소비라도 일부 가난한 국가의 사람들이나 지구의 환경에 영향을 미친다. 예를 들어 초콜릿의 원료인 카카오는 코트디부아르, 가나, 인도네시아, 나이지리아 같은 **저개발** 국가에서 주로 생산된다. 이곳에서 카카오 열매를 생산하는 농민들은 하루 종일 일하고도 적은 돈밖에 벌지 못해 더 나은 삶을 살기 어렵다. 그러나 공정 무역 초콜릿을 사는 사람들이 늘면서 일부 농민들의 수익이 이전보다 훨씬 늘어 안정적인 생활이 가능해졌다. 친환경 제품도 이와 비슷하다. 조금 불편하더라도 친환경 제품을 소비하면 환경 파괴를 **최소화**할 수 있다. 윤리적 소비의 실천은 그리 어렵지 않다. 우리가 사는 세상을 보다 낫게 만들려는 마음만 있으면 된다. 우리 모두 윤리적 소비에 동참하자.

- **인근**(隣 이웃 인, 近 가까울 근) 가까운 곳.
- **절감**(節 마디 절, 減 덜 감) 비용을 아껴서 줄이는 것.
- **공정**(公 공변될 공, 正 바를 정) 어느 한쪽에 이익이나 손해가 치우치지 않고 공평한 것.
- **대가**(代 대신할 대, 價 값 가) 어떤 일에 들인 노력이나 수고에 대한 보수나 보람.
- **지불**(支 지탱할 지, 拂 떨칠 불) 물건의 값이나 일의 대가를 치르는 것.
- **현지인**(現 나타날 현, 地 땅 지, 人 사람 인) 그 지역에 터전을 두고 사는 사람.
- **저개발**(低 낮을 저, 開 열 개, 發 필 발) 발달된 정도가 낮음.
- **최소화**(最 가장 최, 少 적을 소, 化 될 화) 가장 적게 만드는 것.

글의 특징

1 **이 글의 특징으로 알맞은 것은 무엇인가요? (　　　　)**

① 윤리적 소비가 발전되어 온 과정을 살펴보고 있다.
② 윤리적 소비에 대한 일반적 생각을 비판하고 있다.
③ 윤리적 소비를 설명한 뒤 실천하기를 주장하고 있다.
④ 윤리적 소비에 대해 상반되는 주장을 제시하고 있다.
⑤ 윤리적 소비가 사회에 미치는 좋은 점과 나쁜 점을 설명하고 있다.

전개 방식

2 **이 글의 각 문단에 나타난 글쓰기 전략으로 알맞은 것을 보기에서 모두 골라 기호를 쓰세요.**

보기
㉮ 1문단: 중요한 용어의 개념을 제시하여 독자의 이해를 돕고 있다.
㉯ 2, 3문단: 전문가의 견해를 인용하여 내용의 신뢰성을 높였다.
㉰ 2, 3문단: 대상을 일정한 기준에 따라 나누어 각각 설명하였다.
㉱ 4문단: 예시의 설명 방법을 활용하여 내용을 쉽게 전달하였다.

(　　　,　　　,　　　)

내용 이해

3 **'윤리적 소비'에 대한 설명으로 알맞지 않은 것은 무엇인가요? (　　　　)**

① 유기농 제품이나 친환경 제품을 먼저 고려한다.
② 재활용 제품을 쓰는 것도 실천 방법의 하나이다.
③ 개인의 소비 행위가 사회에 미치는 영향을 따진다.
④ 소비를 통해 세상을 더 좋게 만들려는 의도가 있다.
⑤ 제품의 가격과 품질을 꼼꼼하게 따져 보고 구입한다.

추론하기

4 **공정 무역에 대하여 바르게 말한 친구의 이름을 쓰세요.**

인선: 정당한 대가가 중요하기 때문에 제품이 미치는 사회적·환경적 영향은 고려하지 않아.
지원: 공정 무역은 생산자나 노동자가 생산 원가와 생계비를 보장받을 수 있도록 공정한 가격을 지불하는 무역이야.

(　　　　　　　　)

지문 분석

1 문단 요약

이 글에 나타난 각 문단의 중심 내용으로 알맞은 것을 찾아 선으로 이으세요.

1문단 •		• 환경에 도움이 되는 '녹색 소비'
2문단 •		• 윤리적 소비의 사례 및 실천 요구
3문단 •		• 정의로운 사회를 만드는 '착한 소비'
4문단 •		• 일반적인 소비 양상과 다른 윤리적 소비

2 글의 구조

다음 표의 빈칸을 채워 이 글의 내용을 정리해 보세요.

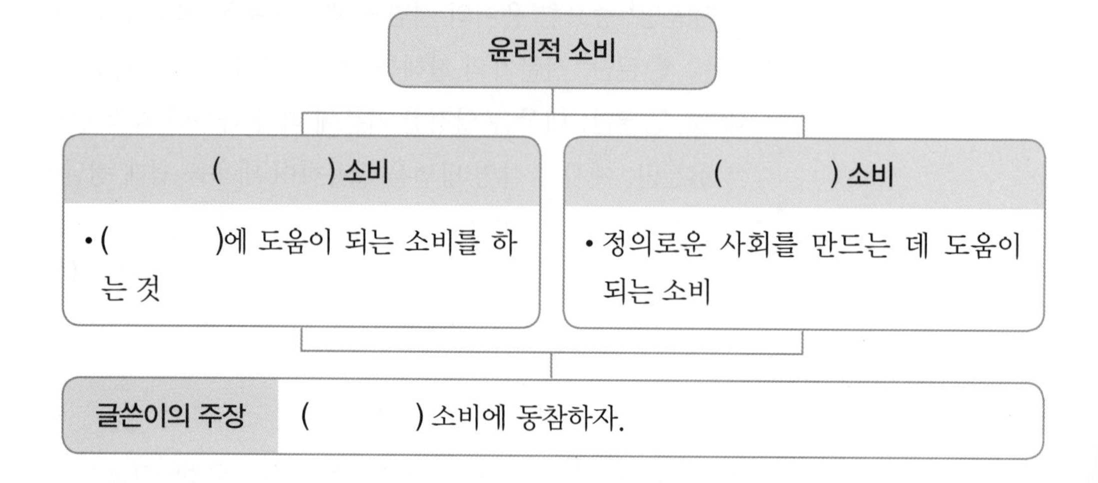

배경지식 공정 무역 제품 인증 마크

공정 무역 제품은 선진국의 상품 판매자가 저개발 국가의 원료 생산자와 직거래를 하며 공정 무역의 기본 원칙을 지키는 공정 무역 단체에서 만드는 제품과, 개별 제품별로 공정 무역 인증 기관의 인증을 받은 제품이 있다.

'국제 공정 무역 기구'의 공정 무역 마크

다음 낱말의 알맞은 뜻을 찾아 선으로 이으세요.

낱말	뜻
인근 •	• 가까운 곳.
대가 •	• 가장 적게 만드는 것.
지불 •	• 그 지역에 터전을 두고 사는 사람.
현지인 •	• 물건의 값이나 일의 대가를 치르는 것.
최소화 •	• 어떤 일에 들인 노력이나 수고에 대한 보수나 보람.

1 다음 빈칸에 들어갈 알맞은 말을 오늘의 어휘 에서 찾아 쓰세요.

- 어떤 일이든지 일한 만큼의 [ ]를 받아야 한다.
- 교통사고가 나서 부상자들을 [ ] 병원으로 옮겼다.
- 우리는 부작용을 [ ]할 방법을 찾기 위해 노력했다.
- 우리는 서비스를 이용할 때 정당한 비용을 [ ]한다.
- 영어 선생님은 미국에서 살다 오셔서 영어 실력이 [ ] 못지않다.

2 다음 글에서 밑줄 친 말과 반대의 뜻을 가진 말을 찾아 세 글자로 쓰세요.

얼마 전 낯선 여행지에서 있었던 일이다. 하룻밤 지낼 곳을 찾으려고 이리저리 헤매다가 길을 잃었는데, 어느덧 날이 저문 데다 비까지 내려 이러지도 저러지도 못하고 있었다. 그런데 마침 길을 지나던 현지인 한 사람이 나를 보더니, 이곳은 외지인이 길을 잃기 좋은 곳이니 자신을 따라오라며 따뜻한 도움의 손길을 내밀었다.

( )

생명 진화 이야기

KEY WORD

진화론

글자 수

1085

600 800 1000 1200

1 사람들은 수천 년 동안 생명 종이 변하지 않는다고 믿었다. 생명체들이 과거로부터 가졌던 모습을 현재에도 가지고 있고 미래에도 가질 것이라고 생각한 것이다. 그런데 화석이 발견되고 화석에 남아 있는 생명체들의 모습이 시대에 따라 조금씩 다르다는 것이 밝혀지면서 오랜 믿음에 의문을 **제기**하는 사람들이 생겼다.

2 라마르크는 이러한 문제를 처음으로 제기한 사람이다. 그는 용불용설을 주장했다. 생물은 환경이 변하면 그 환경에 적응하기 위해 **습성**이 변하고, 새로운 습성에 따라 사용하는 기관이 점점 더 발달하면서 사용하지 않는 기관은 점점 **퇴화**한다. 그 결과 발달하거나 퇴화된 **형질**이 자손에게 전해져서 **진화**가 일어난다는 것이 용불용설이다. 이 이론에 따르면, 기린은 원래 목이 짧았지만 높은 곳에 있는 잎을 먹기 위해 목을 길게 늘여서 목이 긴 모습으로 진화한 것이다. 그러나 **후천적**으로 얻어진 형질은 **유전**되지 않는다는 사실이 밝혀져 용불용설은 오늘날 진화를 설명하는 이론으로 인정받지 못한다.

3 이후 찰스 다윈이 해군 측량선인 비글호를 타고 5년간 세계 일주를 하면서 각 지역마다 독특한 생물이 살고 있으며, 같은 종에 속하는 생물이라도 **개체** 사이에는 형질의 차이가 많이 나타난다는 사실을 발견하였다. 다윈은 개체마다 환경에 대한 적응력이 다르고 환경에 잘 적응한 개체만이 자손을 남기게 된다고 생각했다. 이런 과정이 다음 자손에게도 반복되고 생물은 기존의 종과는 다른 종으로 서서히 변화하면서 진화가 이루어진다. 이를 자연 선택설이라고 한다. 그의 이론에 따르면 기린은 많은 수의 자손을 낳았는데, 그중에는 목이 짧은 것과 긴 것이 있었다. 목이 긴 기린이 먹이를 더 쉽게 구하고 그로 인해 더 많은 자손을 남기게 되면서 결국 목이 긴 기린만 남게 되었다는 것이다.

4 다윈의 진화론도 완벽하지는 않다. 생물의 진화에 대해 일부만 설명할 수 있기 때문이다. 이후 염색체나 유전자의 변화로 조상에 없던 형질이 갑자기 출현해 진화가 일어난다는 돌연변이설, 지리적으로 떨어져 있게 돼 서로 다른 생물로 진화한다는 **격리**설 등이 등장하기도 했다. 오늘날에는 여러 가지 이론을 종합해 진화를 설명하기도 하며, 지금까지도 진화에 대한 연구는 활발히 진행 중이다.

- **제기**(提 끌 제, 起 일어날 기) 의견이나 문제를 내어놓음.
- **습성**(習 익힐 습, 性 성품 성) 오랜 습관 때문에 버릇이 되어 버린 성질.
- **퇴화**(退 물러날 퇴, 化 될 화) 발전하기 전의 상태로 돌아가는 것.
- **형질**(形 형상 형, 質 바탕 질) 동식물의 모양, 크기, 성질 등의 고유한 특징.
- **진화**(進 나아갈 진, 化 될 화) 생물이 오랜 시간에 걸쳐 조금씩 변하면서 점점 복잡한 것으로 발전되어 가는 것.
- **후천적**(後 뒤 후, 天 하늘 천, 的 과녁 적) 성질, 체질 등이 태어난 뒤에 얻어진 것.
- **유전**(遺 남길 유, 傳 전할 전) 신체적·정신적 특징이 다음 세대에 전해지는 것.
- **개체**(個 낱 개, 體 몸 체) 하나의 독립된 생물체.
- **격리**(隔 막을 격, 離 떠날 리) 함께 있지 못하게 따로 떼어 놓는 것.

설명 대상

1 이 글에서 설명한 내용이 아닌 것은 무엇인가요? (　　　　)

① 진화론의 등장 배경
② 자연 선택설의 한계
③ 진화론 이전 사람들의 생각
④ 돌연변이설과 격리설의 한계
⑤ 용불용설이 인정받지 못한 이유

내용 이해

2 이 글의 내용과 일치하지 않는 것은 무엇인가요? (　　　　)

① 다윈 이후에도 진화에 대한 다양한 이론이 등장했다.
② 화석이 발견되기 전에는 종이 변하지 않는다고 믿었다.
③ 다윈의 이론으로 라마르크의 진화론이 더욱 확실해졌다.
④ 진화에 대한 연구는 아직까지도 확실하게 결론이 나지 않았다.
⑤ 비글호를 타고 세계 일주를 한 경험은 다윈의 이론에 영향을 주었다.

내용 이해

3 기린의 진화 과정을 설명한 내용을 보고 ㉠~㉣의 빈칸에 알맞은 학자와 이론을 쓰세요.

학자	진화 이론	진화의 과정 ㉮				
㉠ (　　　)	㉡ (　　　)	기린은 원래 목이 짧았다.	→	높은 곳에 있는 잎을 먹기 위하여 목을 늘였다.	→	목이 긴 기린으로 진화하였다.
㉢ (　　　)	㉣ (　　　)	기린 중에 목이 짧은 기린과 긴 기린이 있었다.	→	목이 긴 기린이 먹이를 더 쉽게 구하고 자손을 많이 남겼다.	→	목이 긴 기린만 남았다.

추론하기

4 다음 상황을 설명할 수 있는 진화 이론으로 알맞은 것을 골라 ○표 하세요.

> 갈라파고스의 여러 섬에 사는 핀치새들은 자신의 섬에서 어떤 먹이를 얻을 수 있는가에 따라 크기와 모양이 다른 부리를 갖고 있었다. 또한 그 새들은 남아메리카 대륙에 서식하는 어떤 핀치새와도 달랐다. 화산 폭발로 갈라파고스 제도가 생긴 뒤 대륙에서 한 종류의 핀치새가 날아와 여러 섬에 흩어져 살면서 그곳의 환경에 맞게 새로운 종으로 진화한 것이다.

(용불용설, 돌연변이설, 자연 선택설)

지문 분석

정답과 해설 21쪽

1 문단 요약

이 글에 나타난 각 문단의 중심 내용으로 알맞은 것을 찾아 선으로 이으세요.

1 문단 •		• 화석의 발견과 진화론의 등장
2 문단 •		• 다양한 진화론과 계속되는 연구
3 문단 •		• 다윈의 진화 이론 '자연 선택설'
4 문단 •		• 라마르크의 진화 이론 '용불용설'

2 글의 구조

다음 표의 빈칸을 채워 이 글의 내용을 정리해 보세요.

진화론

- 라마르크의 (　　　): 환경 적응에 필요한 기관이 발달하여 진화가 이루어짐.

- 다윈의 자연 (　　　): 다양한 (　　　)의 개체 중 환경 적응에 성공한 개체만 살아남아 자신의 형질을 유전함.

- 돌연변이설, (　　　) 등 다양한 이론이 등장함.
- 오늘날까지 진화에 대한 연구가 활발히 진행 중임.

배경지식 화석의 보존과 발굴 과정

일반적인 생물의 사체는 자연의 순환 속에서 사라지지만 사체가 훼손되기 전에 재빨리 퇴적물에 묻히면 화석으로 남을 가능성이 높아진다. 우리는 화석을 통해 생물의 진화 과정을 추측할 수 있다.

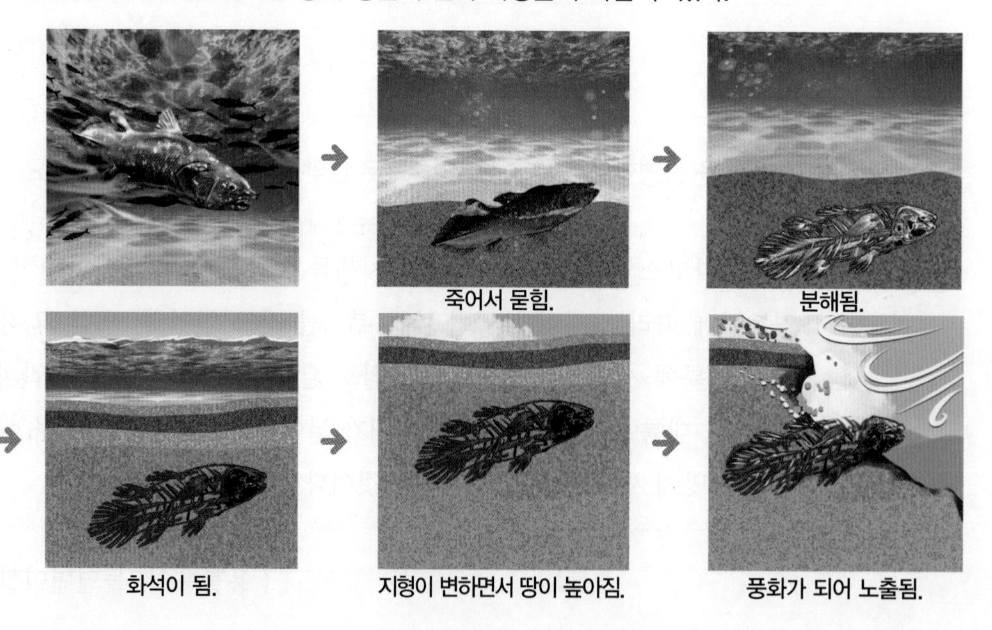

오늘의 어휘

다음 낱말의 알맞은 뜻을 찾아 선으로 이으세요.

낱말	뜻
습성	• 함께 있지 못하게 따로 떼어 놓는 것.
형질	• 오랜 습관 때문에 버릇이 되어 버린 성질.
진화	• 성질, 체질 등이 태어난 뒤에 얻어진 것.
후천적	• 동식물의 모양, 크기, 성질 등의 고유한 특징.
격리	• 생물이 오랜 시간에 걸쳐 조금씩 변하면서 점점 복잡한 것으로 발전되어 가는 것.

1 다음 빈칸에 들어갈 알맞은 말을 오늘의 어휘 에서 찾아 쓰세요.

- 이 옥수수 품종은 알이 크고 [ ]이 우수하다.
- 우리가 가진 습관은 대개 [ ]으로 형성된 것이다.
- 전염성이 높은 병에 걸린 환자는 [ ]가 필요하다.
- 이 화석들은 인류가 [ ]되어 온 과정을 보여 준다.
- 고양이는 발소리를 내지 않고 조용히 움직이는 [ ]이 있다.

2 다음 글에서 밑줄 친 말과 반대의 뜻을 가진 낱말을 찾아 세 글자로 쓰세요.

올림픽에서 메달을 따거나 좋은 점수를 거둔 운동선수들에게 성공의 비결에 대해 물었습니다. 대부분의 선수들이 선천적 재능만으로는 성공할 수 없다고 말했으며, 포기하지 않고 꾸준히 연습하는 후천적 노력을 가장 큰 성공의 비결로 들었습니다.

( )

KEY WORD

뇌 과학

글자 수

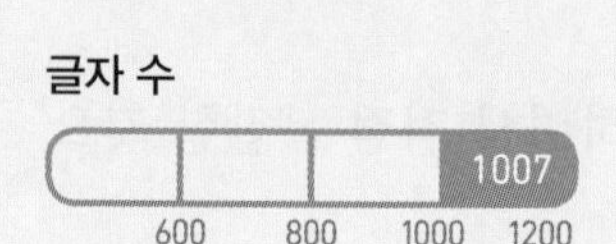

뇌 과학의 활용

1 뇌를 통해 인간의 모든 것을 이해하려고 하는 뇌 과학자들은 마음도 뇌의 **영역**이라고 생각한다. 뇌 과학에 의하면 뇌의 변화 없이는 사람의 생각과 행동이 존재할 수 없다. 그러므로 뇌의 다양한 반응과 작용을 관찰해 인간의 행동과 심리를 파악할 수 있고, 이를 통해 마음의 병까지도 치료할 수 있다.

2 이런 일이 예전부터 가능했던 것은 아니다. 뇌 안에서 어떤 일이 일어나고 있는지 알 수 없던 때에 마음의 문제는 주로 심리학의 영역에서 다루어졌다. 뇌 연구자들이 마음 연구까지 가능하게 된 것은 인간의 뇌에서 일어나는 신경세포들의 변화를 볼 수 있는 뇌 영상 기술의 발달 덕이다. 다양한 뇌 영상 촬영장치들은 **해부** 없이 뇌의 변화를 **측정**할 수 있게 해 주었다. 1990년대부터 사용된 기능성 자기 공명 영상[fMRI] 같은 경우 혈액 안에 있는 산소 공급량의 변화를 촬영해서 뇌 활동의 변화를 보여 준다. 뇌 활동이 많은 부위일수록 많은 산소가 필요하기 때문이다. 환자가 어떤 행동을 할 때의 뇌 **활성** 영상과 그렇지 않을 때의 뇌 활성 영상을 비교하면 특정한 행위나 의식과 관련된 뇌 부위를 찾을 수 있다.

3 뇌 과학에서는 이런 연구를 통해 마음의 병으로 여겨졌던 우울증이나 주의력 **결핍증** 등을 치료한다. 우선 질병을 앓고 있는 사람들의 뇌를 촬영해 정상적인 기능을 하는 뇌의 영상과 비교하고 이상 부위를 **진단**한다. 그리고 뇌에 자극을 주거나 뇌가 정상적으로 **활성화**되는 상황을 파악해 그 상황을 반복 훈련함으로써 정상적인 상태로 만드는 것이다.

4 이 외에도 뇌 과학은 여러 분야에서 활용되고 있다. ㉠뇌의 반응을 분석한 물건 판매 전략은 이미 기업에서 활발하게 사용되고 있다. ㉡법학 분야에서도 뇌 영상 자료가 **법정**에서 증거로 사용되어야 한다는 주장이 나오고 있다. 거짓말을 할 때 뇌의 반응을 촬영한 영상이 거짓말 탐지기 자료보다 훨씬 정확한 증거가 될 수 있다는 것이다. 또한 ㉢인간의 뇌 정보 처리 기능을 기계에 적용해 현재의 컴퓨터보다 더 **능동적**인 업무를 수행할 수 있는 장치 또한 연구되고 있다.

- **영역**(領 거느릴 영, 域 지경 역) 힘, 생각, 활동 등이 미치는 분야나 범위.
- **해부**(解 풀 해, 剖 쪼갤 부) 생물의 한 부분 또는 전체를 갈라서 내부를 살피는 것.
- **측정**(測 잴 측, 定 정할 정) 수량, 크기, 성질 등을 기계나 장치로 재는 것.
- **활성**(活 살 활, 性 성품 성) 기능이 활발해지는 것.
- **결핍증**(缺 이지러질 결, 乏 가난할 핍, 症 증세 증) 무엇이 모자라 나타나는 증세.
- **진단**(診 볼 진, 斷 끊을 단) 의사가 환자를 자세히 조사하여 몸이나 정신의 건강 상태를 판단하는 것.
- **활성화**(活 살 활, 性 성품 성, 化 될 화) 기능을 활발하게 하는 것.
- **법정**(法 법도 법, 廷 조정 정) 사람들 사이의 소송이나 범죄의 의심이 있는 사람을 공식적으로 재판하는 장소.
- **능동적**(能 능할 능, 動 움직일 동, 的 과녁 적) 자기의 힘과 의사로 활동하는 태도나 성질인 것.

지문 독해

설명 대상

1 **이 글에서 설명한 내용이 아닌 것은 무엇인가요? (　　　　)**

① 뇌 과학의 활용 분야
② 기능성 자기 공명 영상의 원리
③ 뇌 과학의 발달 역사와 발달 과정
④ 뇌 과학이 마음의 병을 치료할 수 있게 된 까닭
⑤ 뇌 영상 장치를 통해 환자의 뇌를 연구하는 원리

내용 이해

2 **다음 중 이 글의 내용과 일치하지 않는 것은 무엇인가요? (　　　　)**

① 뇌의 반응을 관찰해 거짓말을 하는지 알 수 있다.
② 뇌의 반응을 통해 질병을 앓고 있는지 알 수 있다.
③ 뇌에 자극을 주는 방법으로 마음의 병을 치료할 수도 있다.
④ 뇌 과학자들은 인간의 행동을 통해 심리를 파악할 수 있다고 한다.
⑤ 뇌 영상 기술의 발달로 뇌와 마음의 관련성을 파악할 수 있게 되었다.

추론하기

3 **이 글의 내용으로 미루어 보아, 다음 빈칸에 공통으로 들어갈 말은 무엇인지 두 글자로 쓰세요.**

> 독서를 하면 뇌에서 정신 기능을 담당하는 전두엽 부분의 활동이 많아진다. 뇌 영상 촬영 결과 전두엽 부분의 (　　　　) 공급량이 증가했기 때문이다. 뇌는 활동을 많이 할수록 많은 (　　　　)를 필요로 한다.

(　　　　　　　　)

적용하기

4 **다음 사례는 ㉠~㉢ 중 무엇과 관련 있는지 기호를 쓰세요.**

> 미국의 뇌 과학자들이 기능성 자기 공명 영상을 이용해 콜라를 구매하는 소비자들의 뇌 반응을 연구했다. 어떤 브랜드인지 모르는 상태에서 두 가지 콜라를 마시게 하자, 양쪽 제품 모두 동일한 뇌 영역이 활성화되었다. 그러나 브랜드를 알려 주면서 콜라를 주자 그 즉시 뇌 영상이 달라졌다. A 콜라를 마실 때는 정서 및 기억을 담당하는 부분이 활성화되었지만, B 콜라의 경우 그렇지 않았다. 이 연구를 통해 맛보다 브랜드가 소비자들에게 큰 영향을 준다는 사실이 알려졌고, 기업은 광고 등 브랜드 홍보에 힘을 쓰게 되었다.

(　　　　　　　　)

지문 분석

정답과 해설 22쪽

1 문단 요약

다음은 이 글에 나타난 각 문단의 중심 내용입니다. 알맞은 것에 ○표, 틀린 것에 ×표를 하세요.

1문단	뇌 과학에서의 마음의 의미	(　　)
2문단	뇌 과학 발전에 기여한 다양한 학문	(　　)
3문단	몸의 질병을 치료하는 뇌 과학	(　　)
4문단	뇌 과학의 다양한 활용 분야	(　　)

2 글의 구조

다음 표의 빈칸을 채워 이 글의 내용을 정리해 보세요.

- 뇌 (　　　　) 기술의 발달로 해부 없이 뇌 활동의 변화 관찰이 가능해짐.

↓

- (　　　　)의 반응과 작용을 관찰하여 인간의 행동과 심리 파악이 가능해짐.

↓

- 우울증 등의 마음의 병도 뇌 영상을 관찰해 (　　　　)가 가능해짐.
- (　　　　)은 경제, 법학, 기술 등 여러 분야에서 활용되고 있음.

배경지식

기능성 자기 공명 영상[fMRI] 장비

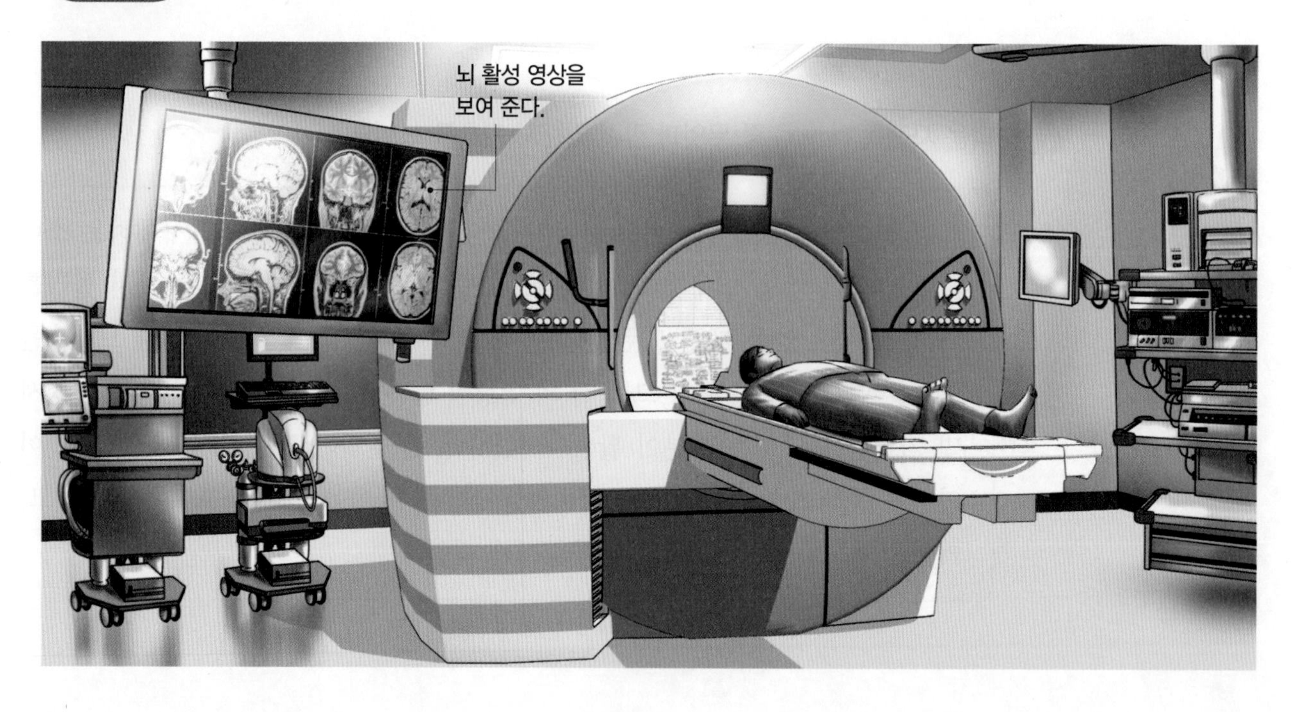

오늘의 어휘

다음 낱말의 알맞은 뜻을 찾아 선으로 이으세요.

영역 •	• 기능을 활발하게 하는 것.
측정 •	• 힘, 생각, 활동 등이 미치는 분야나 범위.
진단 •	• 수량, 크기, 성질 등을 기계나 장치로 재는 것.
활성화 •	• 자기의 힘과 의사로 활동하는 태도나 성질인 것.
능동적 •	• 의사가 환자를 자세히 조사하여 몸이나 정신의 건강 상태를 판단하는 것.

1 다음 빈칸에 들어갈 알맞은 말을 오늘의 어휘에서 찾아 쓰세요.

- 의사의 [　　　　]을 받고 병원에 입원했다.
- 병실에 들어가기 전에 체온을 [　　　　]했다.
- 철수는 모든 활동에 [　　　　]인 자세로 참여한다.
- 정부는 경제를 [　　　　]하기 위해 기업들에 보조금을 지급했다.
- 사자는 자신의 [　　　　]을 침범한 무리를 향해 이빨을 드러냈다.

2 다음 글에서 밑줄 친 말과 반대의 뜻을 가진 말을 찾아 세 글자로 쓰세요.

현주는 수업을 <u>수동적</u>으로 듣기만 하고 더 알아보거나 따로 공부하지 않는다. 엄마께서는 현주에게 수업을 들으면서 스스로 생각해 보고, 궁금증이 생기면 책이나 컴퓨터를 통해 능동적으로 찾아보는 공부 태도를 기르라고 말씀하셨다.

(　　　　　　　　)

미생물은 해로울까?

KEY WORD

미생물

글자 수

1044

600 800 1000 1200

1 미생물이란 바이러스, 박테리아, 효모 등 너무 작아서 인간의 눈에 보이지 않는 생물을 말한다. 일반적으로 미생물이라 하면 사람이나 동물의 몸에 **침투**하여 질병을 일으키는 병원균을 떠올리기 쉽다. 감기 바이러스를 비롯하여 **식중독**을 일으키는 노로바이러스, 장티푸스나 이질 등을 일으키는 박테리아 등이 그렇다. (㉠) 사람들은 미생물을 없애야 하는 해로운 것으로 생각하는 경우가 많다. 그러나 이 생각은 잘못된 것이다.

2 미생물 중에는 해로운 미생물보다 사람에게 이로운 미생물이 더 많다. 우리 몸에 필요한 영양분을 제공해 주거나 소화를 돕는 미생물, 흙에 영양분을 제공하고 물을 깨끗하게 해 우리 삶에 도움을 주는 미생물이 그렇다. 미생물은 우리가 먹는 음식을 맛있게 만들어 주기도 한다. 김치와 간장, 된장, 고추장 그리고 젓갈류는 모두 미생물이 만들어 준다. 요구르트와 치즈도 마찬가지이다. 빵을 부풀리는 효모도 미생물의 일종이므로 빵도 미생물이 만들어 주는 셈이다.

3 미생물은 동식물의 사체, 배설물 등을 **분해**하는 기능이 있어 환경을 보호하기도 한다. 미생물에 이러한 기능이 없었다면 생태계는 동식물의 사체와 배설물로 가득했을 것이다. 최근에는 환경 보호를 위해 미생물을 적극 활용하기도 한다. 채소 등의 농작물이 질병에 걸리는 것을 막기 위해 화학 **비료** 대신 친환경 미생물 비료를 사용하거나 미생물을 이용한 음식물 처리기를 만들어 사용하고, 산업 **폐수**나 해변에 **유출**된 기름 처리에 미생물을 이용하기도 한다.

4 또한 생명 공학의 발전으로 미생물을 대량으로 **배양**하거나 조직하는 기술이 발전됨에 따라 다양하고 넓은 분야에서 활발하게 미생물을 활용하고 있다. 염색 등 섬유 가공 공정에 쓰이는 효소를 생산하는 미생물이나 건축의 콘크리트 구조 **강화**에 쓰이는 미생물 등도 개발된 바 있다.

5 그러나 미생물은 위험성도 가지고 있다. 신종 바이러스의 출현으로 인류에게 크나큰 피해를 주는 것도 사실이다. 그러나 인류가 미생물을 **박멸하는** 것은 불가능할 뿐 아니라 미생물 없이는 인간 또한 살아갈 수 없다. 그러므로 ㉡ 미생물을 좋은 방향으로 이용하고 효과적으로 다룰 수 있도록 노력해야 한다.

- **침투**(浸 적실 침, 透 통할 투) 세균이나 병균 등이 몸에 들어오는 것.
- **식중독**(食 먹을 식, 中 가운데 중, 毒 독 독) 음식물에 든 유독 물질로 인해 생기는 소화 기관의 병.
- **분해**(分 나눌 분, 解 풀 해) 결합되어 있는 것을 여러 조각으로 나누는 것.
- **비료**(肥 살찔 비, 料 되질할 료) 식물이 잘 자라고 꽃이나 열매를 잘 맺도록 하기 위해 밭이나 작물에 뿌리는 영양 물질.
- **폐수**(廢 폐할 폐, 水 물 수) 이미 써서 더러워져 버린 물.
- **유출**(流 흐를 유, 出 날 출) 한곳에 모여 있던 것이 밖으로 조금씩 나가는 것.
- **배양**(培 북돋울 배, 養 기를 양) 세포나 균을 인공적으로 길러 수를 늘리는 것.
- **강화**(强 강할 강, 化 될 화) 더 강하고 튼튼하게 하는 것.
- **박멸하는**(撲 칠 박, 滅 멸망할 멸) (기본형: 박멸하다) 모조리 잡아 없애는.

목적

1 글쓴이가 이 글을 쓴 목적은 무엇인가요? (　　　　)

① 미생물 활용 기술과 발전 가능성을 설명하려고
② 미생물의 발견 과정을 시간의 순서에 따라 설명하려고
③ 미생물을 종류별로 나누고 각각의 차이점을 설명하려고
④ 미생물의 해로움을 알리고 피해를 예방할 것을 경고하려고
⑤ 미생물의 이로움을 알리고 이를 잘 활용할 것을 강조하려고

내용 이해

2 다음 중 이 글의 내용과 일치하지 않는 것은 무엇인가요? (　　　　)

① 우리 몸에 필요한 미생물도 있다.
② 미생물을 활용해 여러 가지 음식을 만들 수 있다.
③ 미생물이 없으면 생태계가 원활하게 순환할 수 없다.
④ 미생물에는 해로운 미생물도 있고 이로운 미생물도 있다.
⑤ 미생물을 좋은 방향으로 사용할 수 없다면 완전히 없애도록 노력해야 한다.

어휘·어법

3 ㉠에 들어갈 알맞은 이어 주는 말은 무엇인가요? (　　　　)

① 그래서　　② 그런데　　③ 하지만
④ 그렇지만　　⑤ 왜냐하면

적용하기

4 ㉡에 해당하는 경우로 알맞은 것을 모두 골라 기호를 쓰세요.

㉮ 독감 바이러스를 예방하기 위하여 손을 잘 씻었다.
㉯ 여름철 상한 음식으로 식중독에 걸려 치료를 받았다.
㉰ 미생물 음식물 처리기를 사용하여 환경 보호에 앞장섰다.
㉱ 텃밭에 미생물 비료를 사용해 농작물을 더 안전하게 키웠다.
㉲ 미생물을 활용해 섬유 가공 공정에 쓰이는 효소를 만들어 냈다.

(　　　,　　　,　　　)

지문 분석

정답과 해설 23쪽

1 중심 내용 **다음 빈칸에 알맞은 말을 넣어 이 글의 중심 내용을 요약하세요.**

미생물은 해로운 미생물도 있지만 (　　　　) 미생물이 더 많다. 이로운 미생물은 우리 몸의 건강을 돕거나 (　　　　)을 보호하는 등 다양한 역할을 한다. (　　　　)은 완전히 없앨 수 없고, 없어서도 안 되므로 미생물을 좋은 방향으로 이용할 수 있도록 노력해야 한다.

2 글의 구조 **다음 표의 빈칸을 채워 이 글의 내용을 정리해 보세요.**

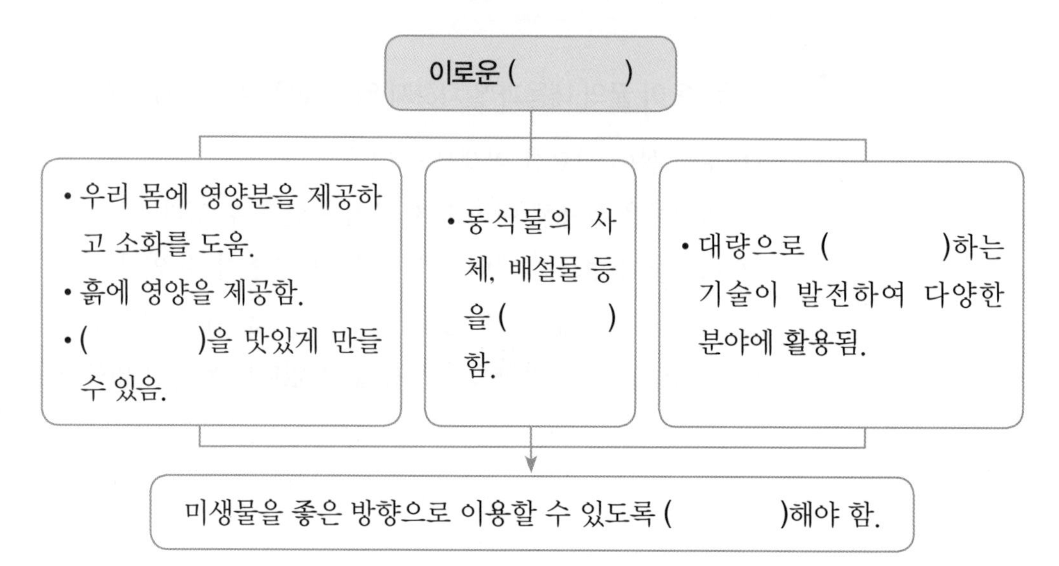

배경지식 **미생물이 만든 발효 음식**

다음 낱말의 알맞은 뜻을 찾아 선으로 이으세요.

침투 •	• 더 강하고 튼튼하게 하는 것.
분해 •	• 세균이나 병균 등이 몸에 들어오는 것.
유출 •	• 결합되어 있는 것을 여러 조각으로 나누는 것.
배양 •	• 세포나 균을 인공적으로 길러 수를 늘리는 것.
강화 •	• 한곳에 모여 있던 것이 밖으로 조금씩 나가는 것.

1 다음 빈칸에 들어갈 알맞은 말을 오늘의 어휘 에서 찾아 쓰세요.

- 고장이 난 기계를 뜯어서 [　　　　]했다.
- 연구에 활용할 세포를 [　　　　]하여 많이 만들었다.
- 체력을 [　　　　]하기 위해서 매일 운동을 하기로 했다.
- 일제 강점기에 우리 문화재가 해외로 많이 [　　　　]되었다.
- 세균의 [　　　　]를 막으려면 손과 발을 깨끗이 씻어야 한다.

2 다음 글에서 밑줄 친 말과 반대의 뜻을 가진 말을 찾아 두 글자로 쓰세요.

대부분의 질병은 우리 몸의 면역력이 약화되었을 때 생긴다. 면역력이란 각종 병원균을 막을 수 있는 신체의 능력을 말한다. 인간의 몸은 체온이 내려가면 혈액 순환 및 몸속의 각종 활동 능력이 약해지기 때문에 면역력 강화를 위해서는 몸의 체온을 적절히 유지하는 게 좋다.

(　　　　　　　　)

태양계의 끝은 어디일까?

KEY WORD

태양계의 끝

글자 수

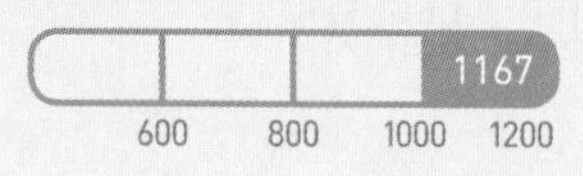

1 우리가 살고 있는 지구는 태양을 중심으로 한 **천체** 집단인 태양계의 여러 행성 중 하나이다. 태양계에서 행성은 태양 주위를 도는 수성, 금성, 지구, 화성, 목성, 토성, 천왕성, 해왕성의 8개 천체를 말하며, 행성 주위를 도는 천체는 위성이라고 한다. 태양계 행성들은 지구의 **공전 궤도**를 기준으로 구분할 수 있는데, 지구보다 안쪽에서 태양 주위를 돌고 있는 행성을 내행성이라고 하고, 지구보다 바깥쪽에서 공전하는 행성을 외행성이라고 한다.

2 태양계의 가장 바깥에 있는 행성은 해왕성이지만 그 바깥 궤도에서도 많은 천체들이 발견되었다. 카이퍼 벨트는 해왕성 바깥쪽에서 태양의 주위를 돌고 있는 작은 천체들의 모임이다. 도넛 모양으로 거대한 띠를 이루고 있는데 주로 얼음과 운석으로 이루어진다. 태양에서 카이퍼 벨트까지의 거리는 태양에서 지구까지의 거리의 약 30~50배 정도이다. 그러나 이렇게 태양으로부터 멀리 떨어진 카이퍼 벨트도 [㉮]은 아니다.

3 그렇다면 태양계의 끝은 어디일까? ㉠ 태양권 계면을 태양계의 끝으로 볼 수 있다. 태양권 계면은 태양풍이 마지막으로 닿는 경계면으로, 태양풍은 태양의 대기층에서 나온 **전하** 입자의 흐름을 말한다. 우주 탐사선 보이저 2호가 태양권 계면을 넘어서면서 전송한 자료들로 그 위치와 모습이 더 자세히 알려졌다. 보이저 2호가 **관측**한 태양계의 끝은 좁은 타원형의 모습을 띠고 있으며, **뭉툭한** 총알과 비슷한 모양이다. 태양으로부터의 거리는 태양에서 지구까지 거리의 약 121배이다.

4 한편 ㉡ 태양계의 끝을 오르트 구름으로 보기도 한다. 오르트 구름은 1950년 네덜란드의 천문학자 얀 오르트가 혜성의 **근원**이 되는 곳이라고 판단한 **가상**의 천체 집단이다. 태양계를 껍질처럼 둘러싸고 있는 오르트 구름 속의 먼지, 얼음 조각들은 아주 천천히 태양의 바깥을 도는데, 때때로 서로 부딪치거나 끌어당기는 힘으로 인해 운동 방향이 바뀐다. 이때 속도가 빨라지면 태양계 밖으로 빠져나가고, 속도가 느려지면 태양계의 안쪽까지 들어와 태양의 빛과 열에 의해 기체와 먼지로 둘러싸인 혜성이 된다고 보았다. 태양을 기준으로 태양에서 지구까지 거리의 약 3만~10만 배에 이르는 거리에 있다고 **추정**되기 때문에 오르트 구름의 실체를 확인하기까지는 많은 시간이 걸릴 듯하다. 그러나 많은 사람들이 오르트 구름을 태양계의 끝으로 생각하며 그 실체를 확인하기 위해 탐사를 계속하고 있다.

- **천체**(天 하늘 천, 體 몸 체) 우주에 존재하는 모든 물체.
- **공전**(公 공변될 공, 轉 구를 전) 지구가 태양의 둘레를 돌거나 달이 지구의 둘레를 도는 것처럼, 한 천체가 다른 천체의 둘레를 일정하게 도는 것.
- **궤도**(軌 바큇자국 궤, 道 길 도) 행성, 혜성, 인공위성 등이 다른 천체의 둘레를 돌면서 그리는 길.
- **전하**(電 번개 전, 荷 연 하) 전기 현상을 일으키는 물질의 성질. 물체가 띠고 있는 정전기의 양.
- **관측**(觀 볼 관, 測 잴 측) 자연 현상을 관찰하여 어떤 사실을 조사하거나 알아내는 것.
- **뭉툭한** (기본형: 뭉툭하다) 굵은 사물의 끝이 아주 짧고 무딘.
- **근원**(根 뿌리 근, 源 근원 원) 어떤 일이 처음 생기게 하는 바탕.
- **가상**(假 거짓 가, 想 생각 상) 진짜가 아니고 생각으로 지어낸 것.
- **추정**(推 옮길 추, 定 정할 정) 짐작으로 판단하는 것.

설명 대상

1 **이 글에서 설명한 내용이 아닌 것은 무엇인가요? (　　　　)**

① 카이퍼 벨트의 모양과 위치
② 내행성과 외행성의 구분 기준
③ 태양권 계면의 모습을 알게 된 계기
④ 태양계의 끝으로 더 알맞은 대상과 그 이유
⑤ 오르트 구름을 혜성의 근원이라고 판단한 까닭

전개 방식

2 **이 글에 사용된 설명 방식이 아닌 것은 무엇인가요? (　　　　)**

① 1문단: 대상의 개념을 정의하였다.
② 1문단: 대상을 기준에 따라 분류하였다.
③ 2문단: 익숙한 대상에 빗대어 설명하였다.
④ 3문단: 묻고 답하는 방식으로 대상을 제시하였다.
⑤ 4문단: 대상의 공통점을 중심으로 설명하였다.

내용 이해

3 **태양계의 끝에 대한 두 입장 ㉠과 ㉡에 대한 설명으로 알맞은 것은 무엇인가요? (　　　　)**

① ㉠에 의하면 태양계의 끝은 아직 실체가 발견되지 않았다.
② ㉠에 의하면 태양계의 끝을 확인하려면 많은 시간이 걸릴 것이다.
③ ㉡에 의하면 혜성은 태양계의 끝에서부터 나온다.
④ ㉡에 의하면 보이저 2호가 태양계의 끝을 통과했다.
⑤ ㉡에 의하면 태양계의 끝은 뭉툭한 총알같이 생겼다.

추론하기

4 **이 글의 ㉮에 들어갈 말을 두 어절로 쓰세요.**

(　　　　　　　　　　　　　　　　)

지문 분석

정답과 해설 24쪽

1 문단 요약 다음은 이 글에 나타난 각 문단의 중심 내용입니다. 알맞은 것에 ○표, 틀린 것에 ×표를 하세요.

1문단	태양계의 행성과 위성의 종류	(　　　)
2문단	태양계의 끝을 정의하는 개념 중 하나인 카이퍼 벨트	(　　　)
3문단	태양계의 끝을 정의하는 개념 중 하나인 태양권 계면	(　　　)
4문단	태양계의 끝을 정의하는 개념 중 하나인 오르트 구름	(　　　)

2 글의 구조 다음 표의 빈칸을 채워 이 글의 내용을 정리해 보세요.

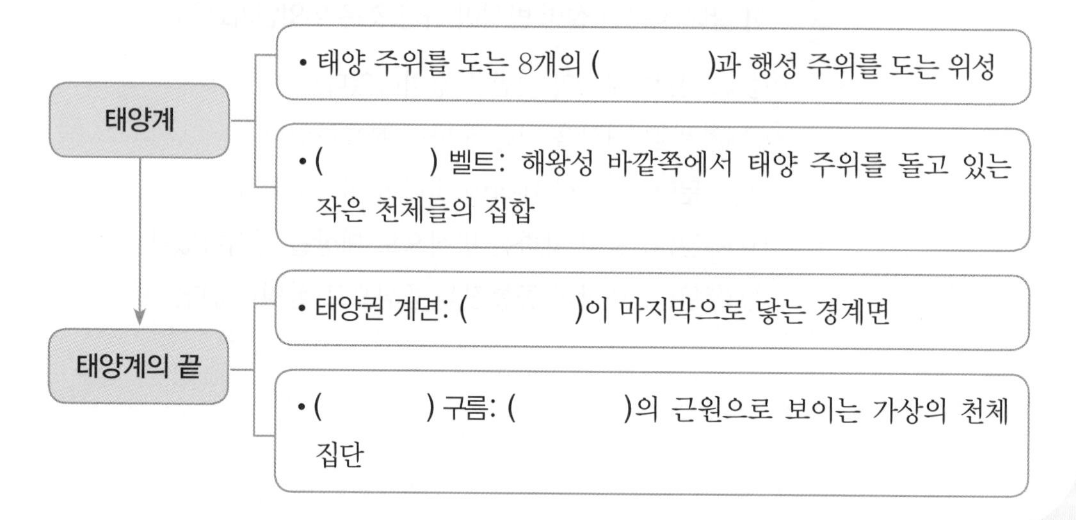

배경지식 태양계와 카이퍼 벨트

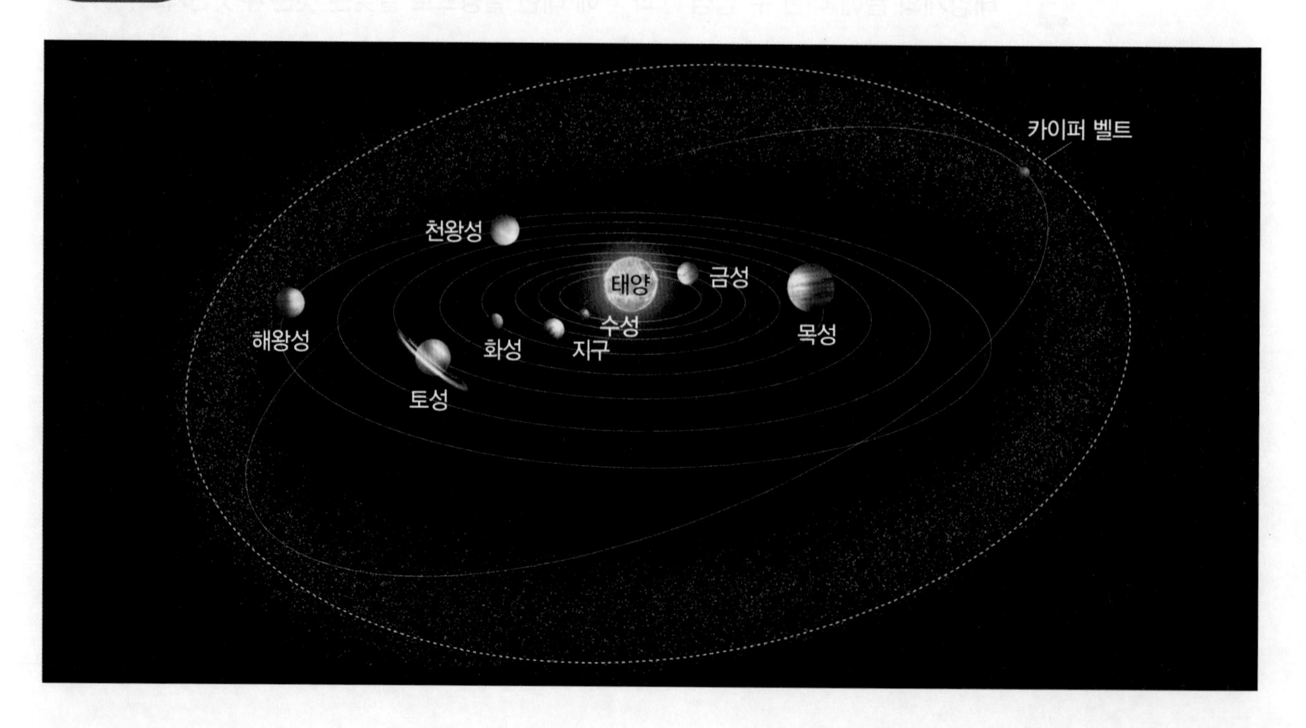

오늘의 어휘

다음 낱말의 알맞은 뜻을 찾아 선으로 이으세요.

궤도 •	• 짐작으로 판단하는 것.
관측 •	• 어떤 일이 처음 생기게 하는 바탕.
근원 •	• 진짜가 아니고 생각으로 지어낸 것.
가상 •	• 자연 현상을 관찰하여 어떤 사실을 조사하거나 알아내는 것.
추정 •	• 행성, 혜성, 인공위성 등이 다른 천체의 둘레를 돌면서 그리는 길.

1 다음 빈칸에 들어갈 알맞은 말을 오늘의 어휘 에서 찾아 쓰세요.

- 게임 속 [　　　] 세계가 매우 화려하다.
- 망원경으로 별의 움직임을 [　　　]한 자료를 찾았다.
- 오늘 모인 사람들은 대략 이만 명으로 [　　　]된다.
- 생명의 [　　　]에 대한 연구는 지금도 계속되고 있다.
- 인공위성을 지구의 [　　　] 위로 쏘아 올리는 데 성공했다.

2 다음 글에서 밑줄 친 말과 비슷한 뜻을 가진 말을 찾아 두 글자로 쓰세요.

우리 지역에서 공룡 발자국에 이어 뼈 화석이 추가로 발견되었다. 4.5센티미터 크기의 이 화석은 1억 2천만 년 전에 존재한 코리아케라톱스의 발가락뼈로 짐작된다. 이는 새롭게 발견된 종류의 공룡으로, 우리나라에도 다양한 공룡이 살았었음을 추정할 수 있는 증거가 될 수 있나.

(　　　　　　　)

OTT 서비스는 무엇일까?

KEY WORD

OTT 서비스

글자 수

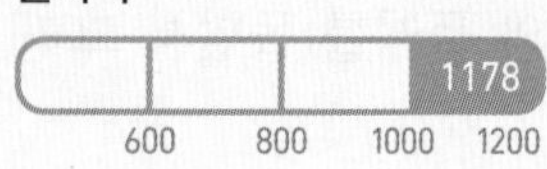

1 '본방 사수'라는 말이 머지않아 사라질지도 모르겠다. 방송 **편성** 순서나 정해진 시간에 맞추어 텔레비전 채널의 본방송을 보기보다는 원하는 시간에 원하는 방송만 보는 사람들이 증가하고 있기 때문이다. 스마트폰을 통해 언제 어디서나 원하는 방송, 영화 등을 시청하는 모습은 이제 어디서든 볼 수 있는 친숙한 광경이다. 이를 가능하게 해 주는 것이 OTT 서비스이다. OTT 서비스란 인터넷을 통해 다양한 방송 영상이나 영화 등의 콘텐츠를 제공하는 온라인 동영상 서비스를 말한다.

2 OTT는 'Over the Top'의 **약자**로 여기서 'Top'은 셋톱박스(Set-Top Box)를 뜻한다. '셋톱박스를 넘어서' 제공되는 서비스란 뜻이다. 이전까지 우리가 방송 영상을 시청한 방법은 주로 셋톱박스를 이용하여 텔레비전으로 방송을 보는 것이었다. 셋톱박스는 '텔레비전 위에 설치한 상자'라는 뜻으로 디지털 방송용 **수신** 장비이다. 기본적으로 있는 텔레비전 선만으로는 지상파 채널(KBS, MBC, SBS 등)의 방송만 시청할 수 있다. 하지만 셋톱박스를 설치하고 이것을 텔레비전과 연결해 주면 지상파, 유료 케이블 채널, 인터넷 영상 등을 텔레비전으로 볼 수 있다. 셋톱박스가 전화 회사나 위성 방송국 등에 설치되어 있는 비디오 서버 등과 통신하는 역할을 해 주기 때문이다.

3 OTT 서비스는 셋톱박스의 역할을 인터넷망으로 대신한다. 가장 큰 장점은 반드시 텔레비전을 통해 영상을 볼 필요가 없다는 것이다. 인터넷에 접속만 가능하다면 텔레비전, 스마트폰, 컴퓨터, 태블릿 등 다양한 기기를 통해 동일한 영상을 시청할 수 있다. 따라서 시청자는 원하는 장소에서 원하는 시간에 영상을 볼 수 있다. 기존의 방식에서는 다양한 채널에서 시간에 따라 방송을 편성하면 시청자는 그때에 맞추어 방송 영상을 **소비**하는 **수동적** 입장에 가까웠다. 이와 달리, OTT 서비스는 시청자가 원하는 서비스 업체에 접속하여 개별 영상을 선택해 소비할 수 있는 방식이라 시청자가 [㉠] 입장이 된다.

4 OTT 서비스는 '㉮ 내가 선택한 시간에, ㉯ 내가 선택한 장소에서, ㉰ 내가 선택한 영상을, ㉱ 내가 선택한 **기기**로' 소비할 수 있다는 점에서 바쁜 일상을 사는 현대인에게 편리한 서비스이다. 실제로 서비스 이용자 수가 해마다 **급격히** 증가 중이며 많은 OTT 서비스 업체들이 **양질**의 콘텐츠를 가지고 경쟁하고 있어 이용자는 더욱 증가할 **전망**이다.

- **편성**(編 엮을 편, 成 이룰 성) 엮어 모아서 책·신문·영화 등을 만듦.
- **약자**(略 간략할 약, 字 글자 자) 여러 글자로 된 말의 일부를 생략하여 만든 글자.
- **수신**(受 받을 수, 信 믿을 신) 우편물, 통신 등을 받는 것.
- **소비**(消 꺼질 소, 費 쓸 비) 돈, 물품, 시간, 힘 등을 써서 없애는 것.
- **수동적**(受 받을 수, 動 움직일 동, 的 과녁 적) 자기 힘이 아니라 남의 힘을 받아 움직이는 것.
- **기기**(機 틀 기, 器 그릇 기) 기구나 기계.
- **급격**(急 급할 급, 激 과격할 격)**히** 갑자기 빠른 속도로.
- **양질**(良 어질 양, 質 바탕 질) 좋은 품질.
- **전망**(展 펼 전, 望 바랄 망) 미리 내다보는 앞날.

지문 독해

설명 대상

1 이 글에서 주로 설명하는 것은 무엇인가요? (   )

① OTT 서비스의 개념과 장점
② 텔레비전 방송의 역사와 전망
③ 영상 콘텐츠 시청의 다양한 방식
④ 다양한 OTT 서비스의 종류와 인기
⑤ 셋톱박스 서비스와 OTT 서비스의 공통점

내용 이해

2 이 글의 내용과 일치하지 않는 것은 무엇인가요? (   )

① OTT 서비스를 제공하는 업체도 소비자가 선택할 수 있다.
② OTT 서비스와 달리 셋톱박스로는 인터넷 동영상은 시청할 수 없다.
③ 셋톱박스는 기본적인 텔레비전 선만 연결할 때보다 다양한 서비스를 제공한다.
④ OTT 서비스가 장소에서 자유로운 이유는 꼭 텔레비전으로 보지 않아도 되기 때문이다.
⑤ 본방송을 보는 사람이 적어지는 이유는 OTT 서비스를 이용하면 원하는 시간에 원하는 영상을 볼 수 있기 때문이다.

어휘·어법

3 ㉠에 들어갈 알맞은 낱말은 무엇인가요? (   )

① 능동적 ② 낙관적 ③ 경쟁적
④ 소극적 ⑤ 협력적

적용하기

4 이 글의 ㉮~㉱에 해당하는 것을 다음 밑줄 친 내용 중에서 골라 쓰세요.

올림이는 방학 내내 할머니 댁에 있었다. 할머니 댁의 텔레비전은 고장 났지만 특별히 볼 사람이 없어서 고치지 않은 지 오래되었다. 다행히 할머니 댁에서는 인터넷이 잘 연결되었다. 그래서 올림이는 스마트폰으로 그동안 못 보았던 만화 영화 시리즈를 1편부터 완결까지 다 보았다. 밤 늦게까지 몰래 만화 영화를 보다가 엄마께 혼이 나기도 했다.

㉮: (   ), ㉯: (   )
㉰: (   ), ㉱: (   )

지문 분석

정답과 해설 25쪽

1 문단 요약 다음은 이 글에 나타난 각 문단의 중심 내용입니다. 알맞은 것에 ○표, 틀린 것에 ×표를 하세요.

1문단	OTT 서비스의 개념과 기존 방송 시청 방식의 한계	(　　)
2문단	OTT의 개념과 셋톱박스를 통한 영상 시청 방식	(　　)
3문단	OTT 서비스의 장점과 단점	(　　)
4문단	OTT 서비스의 현재 상황과 전망	(　　)

2 글의 구조 다음 표의 빈칸을 채워 이 글의 내용을 정리해 보세요.

(　　　) 서비스

(　　　)을 통해 영상 콘텐츠를 제공하는 온라인 동영상 서비스

- 기존 방식: 지상파, 유료 케이블, 인터넷 등을 (　　　)으로 볼 수 있게 해 주는 디지털 방송용 수신 장비인 (　　　)를 사용함.

- OTT 서비스: 셋톱박스 대신 인터넷망을 사용함.
- 원하는 장소, 원하는 (　　　), 원하는 기기, 원하는 영상 선택이 가능함.

- 다양한 OTT 서비스 업체들이 (　　　)함.
- OTT 서비스 이용자 수는 해마다 늘고 있음.

배경지식 OTT 서비스의 장점

다양한 OTT 서비스 업체들이 있다.

다양한 콘텐츠를 볼 수 있다.

텔레비전, 스마트폰 등 원하는 기기에서 감상할 수 있다.

오늘의 어휘

다음 낱말의 알맞은 뜻을 찾아 선으로 이으세요.

수신 •	• 좋은 품질.
소비 •	• 기구나 기계.
수동적 •	• 우편물, 통신 등을 받는 것.
기기 •	• 돈, 물품, 시간, 힘 등을 써서 없애는 것.
양질 •	• 자기 힘이 아니라 남의 힘을 받아 움직이는 것.

1 다음 빈칸에 들어갈 알맞은 말을 오늘의 어휘 에서 찾아 쓰세요.

- 전화기의 [ ] 상태가 고르지 않다.
- 경제가 발전함에 따라 [ ]도 증가하고 있다.
- 남이 이끄는 대로 따라가는 [ ] 태도를 버려야 한다.
- 이 가게는 [ ]의 식품을 합리적인 가격으로 판매한다.
- OTT 서비스의 발전으로 원하는 [ ]에서 다양한 콘텐츠를 볼 수 있다.

2 다음 글에서 밑줄 친 말과 반대의 뜻을 가진 말을 두 글자로 쓰세요.

인공위성은 용도에 따라 군사 위성, 기상 위성, 과학 위성, 통신 위성 등으로 나눌 수 있다. 그중 통신 위성은 통신 신호를 주고받을 목적으로 지구를 돌고 있는 인공위성을 말한다. 위성 통신이란 통신 위성을 이용하여 제공되는 통신 서비스로 단 한 번의 <u>송신</u>으로 전국 어느 곳이나 동시에 정보를 보낼 수 있다. 우리가 수신하는 정보는 이러한 통신 위성을 통해 온 것이다.

(   )

스마트 빌딩

KEY WORD

스마트 빌딩

글자 수

1021

600 800 1000 1200

1 스마트 빌딩은 모든 시스템을 하나의 연결망으로 통합해 건물을 효율적으로 관리하고 사용자들에게 편안한 업무 환경을 만들어 주는 첨단 건물이다. 기존의 건물은 **보안**, 조명, 엘리베이터, 화재 경보 장치, 주차 등이 각각의 시스템으로 **운영**되었다. 건물에서 근무하는 사람들의 사무 처리를 위한 인터넷 통신망과 전화 등도 **별도**로 관리되었다. 그래서 관리와 운영이 복잡하고 사람의 노력이 많이 필요했다.

2 (㉠) 스마트 빌딩은 건물 내에서 각각 설치 운영되던 것들을 종합적으로 처리할 수 있는 통합 정보 시스템을 갖추었다. 건물의 건축과 기계 설치, 전기 **설비**에 정보 통신 기술을 **접목**해 이들을 하나로 연결한다. 건물 전체에는 각 시설과 연결된 수많은 **센서**를 설치해 정보를 모으고 이를 이용해 건물을 통합 관리하는 것이다.

3 예를 들어 사람들이 건물에 출입하거나 차량이 주차장에 출입하는 것을 센서가 감지해 정보로 수집한다. 엘리베이터가 얼마나 움직였는지, 어느 조명이 에너지를 얼마나 사용했는지, 건물 안의 사람들이 어떤 공간을 자주 사용했는지, 사무기기는 얼마나 사용했는지 전부 알 수 있다. 건물 전체가 어떻게 사용되고 있는지 한눈에 알 수 있어 관리가 잘되고 문제가 발생했을 때 알아채기 쉬우며 중앙에서 **원격** 제어도 가능하다.

4 스마트 빌딩의 장점은 통합 관리뿐만이 아니다. 빌딩 스스로 상태를 판단해 **최적**으로 운영하는 것이 가능하다. ㉮ 건물 전체에서 수집된 정보를 ㉯ 건물 내 자체 시스템으로 처리해 분석한다. ㉰ 잘못된 부분을 스스로 수정하고 효율적이지 못한 곳은 **개선**해 건물을 최적의 상태로 유지하는 것이다. 예를 들어 비어 있는 공간은 자동으로 조명을 끄고, 햇빛이 충분한 공간은 자동으로 밝기를 낮춘다. 하루 종일 가장 많은 에너지를 소비하는 공간을 확인하고 낭비되는 곳이 있다면 에너지를 절약하도록 기능을 조절해 에너지를 **절감**한다. 건물 내 모든 사람의 움직임을 파악하여 사람이 없는 방은 일정 시간 이후 자동으로 문이 잠기도록 설정함으로써 건물의 안전성을 높이기도 한다. 이런 점 때문에 스마트 빌딩을 지능형 빌딩이라고도 한다.

- **보안**(保 보전할 보, 安 편안할 안) 안전을 유지함.
- **운영**(運 운전할 운, 營 경영할 영) 목적에 맞게 다스리고 이끌어 나가는 것.
- **별도**(別 다를 별, 途 길 도) 따로 마련된 것.
- **설비**(設 베풀 설, 備 갖출 비) 시설을 갖추는 것.
- **접목**(接 접할 접, 木 나무 목) 서로 다른 것들을 합쳐 새로운 것을 만드는 것.
- **센서**(sensor) 외부 환경의 변화와 그 정도를 알아내어 그것을 수치나 신호로 나타내는 기계 장치.
- **원격**(遠 멀 원, 隔 막을 격) 시간적으로 또는 공간적으로 멀리 떨어져 있는 것.
- **최적**(最 가장 최, 適 알맞을 적) 가장 알맞은 것.
- **개선**(改 고칠 개, 善 착할 선) 부족하거나 잘못된 것을 고쳐서 더 좋게 만드는 것.
- **절감**(節 마디 절, 減 덜 감) 비용을 아껴서 줄이는 것.

지문 독해

설명 대상

1 이 글에서 설명한 내용이 아닌 것은 무엇인가요? (　　　　)

① 스마트 빌딩의 개념
② 스마트 빌딩의 원리
③ 스마트 빌딩의 장점
④ 스마트 빌딩의 전망
⑤ 스마트 빌딩과 기존 빌딩의 차이점

내용 이해

2 이 글의 내용과 일치하지 않는 것은 무엇인가요? (　　　　)

① 스마트 빌딩은 스스로 에너지를 절감할 수 있다.
② 스마트 빌딩은 건물 관리에 사람의 노력이 덜 든다.
③ 스마트 빌딩은 정보 통신 기술로 시스템을 통합한다.
④ 스마트 빌딩은 건물 스스로 정보를 처리하는 능력이 있다.
⑤ 스마트 빌딩은 건물 내 설비가 각각 운영되어서 관리가 편하다.

어휘·어법

3 ㉠에 들어갈 알맞은 이어 주는 말은 무엇인가요? (　　　　)

① 반면에　　② 그래서　　③ 더구나
④ 왜냐하면　　⑤ 그러므로

적용하기

4 스마트 빌딩의 정보 처리 능력인 ㉮, ㉯, ㉰에 해당하는 것을 보기 에서 골라 번호를 쓰세요.

보기

①S스마트 빌딩에서 일하는 사람들이 ②이용하는 휴게실은 A, B 두 곳이다. ③휴게실 조명과 기계의 사용 횟수를 통해 휴게실 A와 B의 이용량을 분석해 보니 ④대부분의 사람들이 사무실에서 가까운 휴게실 A를 이용한다는 결과가 나왔다. 그래서 ⑤휴게실 B를 업무 공간이 부족한 팀의 사무 공간으로 사용하기로 했다.

㉮: (　　　　), ㉯: (　　　　), ㉰: (　　　　)

지문 분석

정답과 해설 26쪽

1 중심 내용 다음 빈칸에 알맞은 말을 넣어 이 글의 중심 내용을 요약하세요.

(   ) 빌딩은 모든 시스템을 하나의 연결망으로 통합해 건물을 효율적으로 관리하고 사용자들에게 편안한 업무 환경을 만들어 주는 첨단 건물이다. (   ) 정보 시스템을 갖추어 건물 스스로 상태를 판단해 최적으로 운영하는 것이 가능하므로 (   ) 빌딩이라고도 한다.

2 글의 구조 다음 표의 빈칸을 채워 이 글의 내용을 정리해 보세요.

(   ) 빌딩

개념	기능	장점
• 건물의 각 시설을 정보 ( ) 기술로 연결해 통합 정보 시스템을 갖춤.	• ( )를 수집하고 분석함. → 잘못된 부분을 수정하고 효율적으로 개선함. → 건물을 ( )의 상태로 유지함.	• 건물이 어떻게 사용되고 있는지 한눈에 알 수 있음. • 문제 발생 시 알기 쉬움. • ( ) 제어가 가능함.

배경지식 스마트 홈

'스마트 홈'은 가전제품을 비롯한 집 안의 모든 전자 장치를 스마트폰 등을 이용하여 원격으로 제어하는 기술이다.

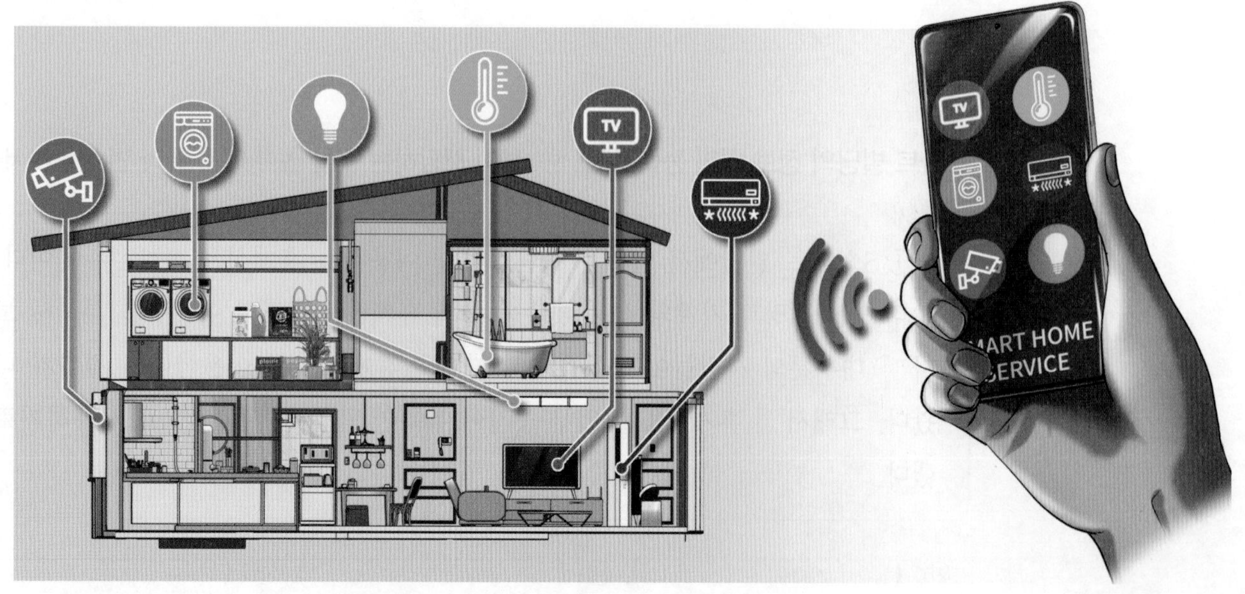

오늘의 어휘

다음 낱말의 알맞은 뜻을 찾아 선으로 이으세요.

운영 •	• 가장 알맞은 것.
접목 •	• 비용을 아껴서 줄이는 것.
원격 •	• 목적에 맞게 다스리고 이끌어 나가는 것.
최적 •	• 서로 다른 것들을 합쳐 새로운 것을 만드는 것.
절감 •	• 시간적으로 또는 공간적으로 멀리 떨어져 있는 것.

1 다음 빈칸에 들어갈 알맞은 말을 오늘의 어휘 에서 찾아 쓰세요.

- 우리 삼촌은 큰 식당을 [ ]하신다.
- 쌀농사를 짓기에는 온대 기후가 [ ]이다.
- 비용 [ ]을 위해 불필요한 물건을 사지 않기로 했다.
- 대중음악과 국악을 [ ]해 신선하다는 평가를 받았다.
- [ ] 시스템으로 집 밖에서도 집의 전등을 끌 수 있다.

2 다음 글에서 밑줄 친 말과 비슷한 뜻을 가진 말을 찾아 두 글자로 쓰세요.

자원을 <u>절약</u>하고 환경을 보호하는 일은 거창한 것이 아니다. 쓰지 않는 전등을 바로 끄고 쓰지 않는 수도를 바로 잠근다. 물건을 되도록 아껴 쓰고, 쓰지 않는 물건을 버릴 때는 재활용 여부를 살펴 분리배출한다. 우리의 생활 속 작은 습관들이 에너지를 절감하고 지구를 구할 수 있다.

(　　　　　　　　)

우주 기술이 만든 물건들

KEY WORD

우주 기술

글자 수

1200

600 800 1000 1200

1 인류는 오랜 시간 우주 탐사를 위한 연구를 계속해 왔다. 이 과정에서 천문학, 물리학, 공학 등의 학문이 발전하였고, 인공위성이나 우주 탐사선, 로켓 등을 제작하기 위한 다양한 기술이 발달하였다. 그리고 이 기술들은 우리의 삶에 도움이 되는 다양한 물건들을 만드는 데 활용되기도 하였다.

2 형상 기억 **합금**은 일정한 조건이 되면 원래의 모양으로 되돌아오는 금속이다. 형상 기억 합금은 1969년 아폴로 11호의 안테나로 사용하기 위해 개발되었다. 아폴로 11호는 인간이 처음으로 달에 착륙하였을 때 탔던 우주선이다. 안테나는 평소에는 접혀 있다가 주변의 온도가 달 표면과 같아지면 원래의 모양으로 돌아가 안테나의 기능을 수행할 수 있게 만들어졌다. 형상 기억 합금은 **탄성력**이 좋고, 쉽게 모양이 변하지 않아 치아 교정기, 안경테 등에 이용되고 있다.

3 정수기도 달 착륙 계획을 진행하면서 우주인의 식수 문제를 해결하기 위해 개발되었다. 중금속과 악취를 걸러 주어 지금은 사무실이나 집에서 마시는 물을 얻기 위해 이용된다. 또한 아폴로 11호 착륙 당시 달 표면의 암석을 **채취**하기 위해 무선 전동 드릴이 필요했는데, 이때 발명한 기술로 현재의 무선 전동 드릴과 진공 청소기가 만들어졌다.

4 우주 정거장을 발사하고 우주 정거장에 우주인을 보내기 시작하면서도 많은 신기술이 개발되었다. 1973년 미국은 우주 정거장 스카이랩을 발사했는데, 이때 스카이랩에는 화재를 예방하기 위한 연기 **감지** 화재 경보 장치가 설치되었다. 이 기술은 오늘날 대부분의 건물이나 주택에 설치된 화재경보기에 그대로 적용되어 재빠른 피해 **진압**과 **인명** 구조를 가능하게 했다.

5 우주 정거장에서 근무하는 우주인은 **무중력** 상태에서 장기간 움직이다 보니 관절이 상하기 쉬웠다. 미국 항공 우주국은 이를 우려해 1979년 우주인용 에어쿠션 신발을 제작했다. 우주인이 받는 각종 충격을 공기로 **완충**해 주면 관절을 보호할 수 있다는 생각에서였다. 미국의 신발 제조 업체는 점프를 많이 하는 농구 선수들의 운동화에 이 기술을 적용하여 굉장한 성공을 거두었다.

6 이 외에도 항성과 행성의 온도를 측정하기 위해 개발된 적외선 센서 기술을 사용한 귀 체온계, 우주에서 식물을 재배하기 위해 개발된 기술을 활용한 공기 정화기, 우주인들이 우주선에서 음식을 바로 조리해서 먹을 수 있게 개발된 냉동 건조 기술을 활용한 가공식품 등 우리가 사용하는 편리한 물건들 중에는 우주 탐사 기술로부터 **비롯된** 것들이 많다.

- **합금**(合 합할 합, 金 쇠 금) 하나의 금속에 다른 하나 이상의 금속이나 비금속을 녹여 새로운 금속을 만든 것.
- **탄성력**(彈 탄알 탄, 性 성품 성, 力 힘 력) 물체를 구부리거나 늘였을 때 생기는 힘.
- **채취**(採 캘 채, 取 취할 취) 연구나 조사 등에 필요한 것을 찾아내는 것.
- **감지**(感 느낄 감, 知 알 지) 느낌으로 알아내는 것. 예민하게 알아차리는 것.
- **진압**(鎭 누를 진, 壓 누를 압) 난동이나 반란을 강제로 억눌러 끝내는 것.
- **인명**(人 사람 인, 命 목숨 명) 사람의 목숨.
- **무중력**(無 없을 무, 重 무거울 중, 力 힘 력) 중력이 없는 것처럼 느끼는 현상.
- **완충**(緩 느릴 완, 衝 찌를 충) 급하고 거센 충격을 약하게 하는 것.
- **비롯된** (기본형: 비롯되다) 처음 시작된.

설명 대상

1 이 글에서 설명하고 있는 내용은 무엇인가요? (　　　　)

① 우주 탐사의 역사
② 우주 탐사의 필요성
③ 우주 탐사 기술의 원리
④ 우주 탐사 기술의 활용
⑤ 우주 탐사 기술의 전망

내용 이해

2 다음 중 우주 정거장 '스카이랩'을 발사할 때 개발된 것은 무엇인가요 ? (　　　　)

① 정수기
② 무선 전동 드릴
③ 화재 경보 장치
④ 무선 진공 청소기
⑤ 형상 기억 합금

내용 이해

3 다음 중 이 글의 내용과 일치하지 않는 것은 무엇인가요? (　　　　)

① 우주에서도 화재의 위험성이 있다.
② 우주에서 음식을 보관·조리하기 쉽게 냉동 건조 기술이 개발됐다.
③ 우주인이 물을 안전하게 마실 수 있도록 물을 정수하는 기술이 필요했다.
④ 우주선의 공기는 식물이 자라기에는 적당치 않아 공기를 정화하는 기술이 필요했다.
⑤ 아폴로 11호가 달에 도착할 때까지 모양이 변하지 않는 튼튼한 안테나가 필요해 형상 기억 합금을 개발했다.

적용하기

4 이 글과 보기 를 읽고 빈칸에 들어갈 말을 두 글자로 쓰세요.

보기

미국 항공 우주국의 엔지니어 프랭크 루디는 공기를 불어 넣어 형태를 만든 에어쿠션을 운동화 밑창에 사용한다면 완충재 역할을 해 관절에 무리가 가지 않을 것이라고 생각했다. 미국 신발 제조 업체는 프로 농구 선수들의 운동화에 이 기술을 활용하면 좋겠다고 생각했다. 농구 선수들이 점프를 할 때 받는 충격을 [　　　　]로 완충해 주면 관절을 보호할 수 있기 때문이다.

(　　　　　　　　)

지문 분석

정답과 해설 27쪽

1 문단 요약 이 글에 나타난 각 문단의 중심 내용으로 알맞은 것을 찾아 선으로 이으세요.

1문단 •	• 형상 기억 합금의 개발
2문단 •	• 에어쿠션 신발의 개발
3문단 •	• 연기 감지 화재 경보 장치의 개발
4문단 •	• 우주 탐사를 위한 연구의 다양한 성과
5문단 •	• 공기 정화기, 냉동 건조 기술 등의 개발
6문단 •	• 정수기, 무선 진동 드릴, 진공 청소기 개발

2 중심 내용 다음 빈칸에 알맞은 말을 넣어 이 글의 중심 내용을 요약하세요.

(   ) 탐사를 위한 지속적인 연구는 다양한 학문의 발전과 다양한 (   ) 의 발달을 가져왔다. 사람들은 이 기술들을 활용해 (   ) 합금, 정수기, 화재 경보기, 에어쿠션 신발 등 우리의 삶에 도움이 되는 많은 물건들을 만들었다. 이처럼 우주 탐사 기술은 우리의 삶을 편리하고 풍요롭게 해 주었다.

배경지식 생활 속 우주 기술

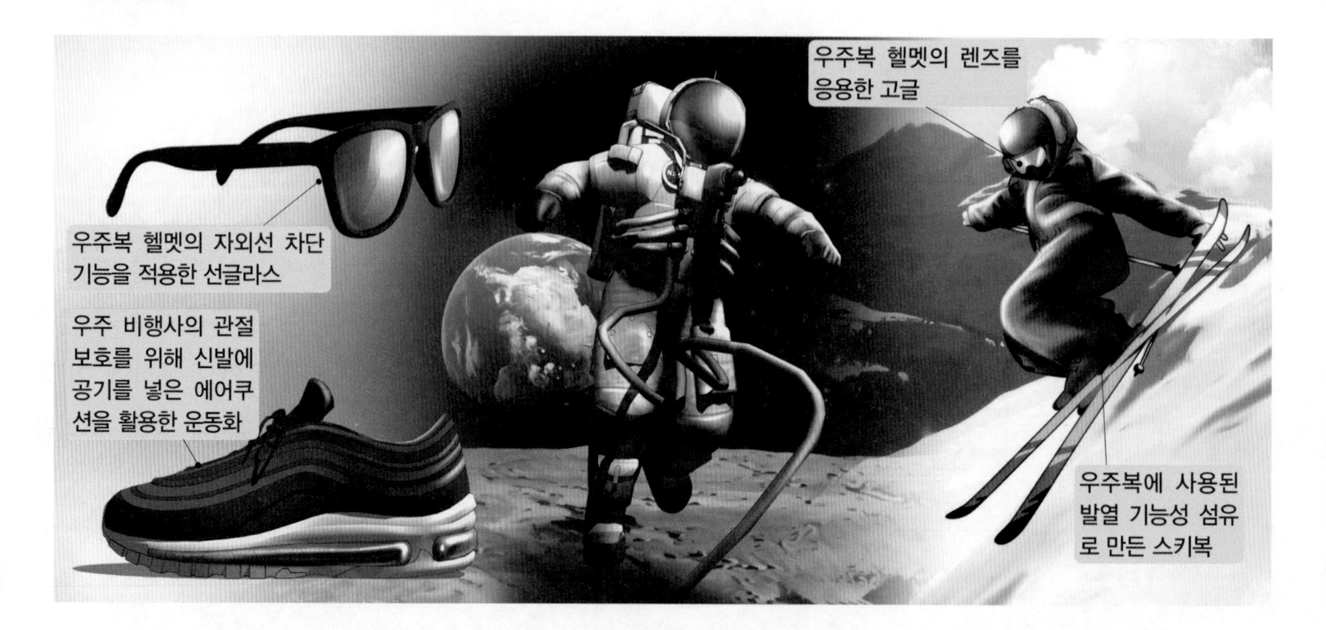

오늘의 어휘

다음 낱말의 알맞은 뜻을 찾아 선으로 이으세요.

채취 •	• 처음 시작된.
감지 •	• 급하고 거센 충격을 약하게 하는 것.
진압 •	• 난동이나 반란을 강제로 억눌러 끝내는 것.
완충 •	• 연구나 조사 등에 필요한 것을 찾아내는 것.
비롯된 •	• 느낌으로 알아내는 것. 예민하게 알아차리는 것.

1 다음 빈칸에 들어갈 알맞은 말을 오늘의 어휘 에서 찾아 쓰세요.

- 컴퓨터에서 바이러스가 [ ] 되었다.
- 큰 산불을 [ ] 하는 데 오랜 시간이 걸렸다.
- 지문 [ ] 가 불가능해 범인을 잡기가 어려웠다.
- 올바른 행동은 올바른 마음가짐에서 [ ] 것이다.
- 에어백은 교통사고 시 [ ] 역할을 하여 부상을 막는다.

2 다음 글에서 밑줄 친 말과 비슷한 뜻을 가진 말을 찾아 두 글자로 쓰세요.

인공 지능(AI) 음성 <u>인식</u> 기술이 발달함에 따라 이를 여러 기관에서 활용하는 사례가 증가할 전망이다. 이 기술은 인공 지능이 사람의 음성을 감지하여 기록하는 방식으로, 실시간으로 빠른 기록이 가능해 큰 도움이 되고 있다.

( )

투명 망토가 존재한다면?

KEY WORD

글자 수

981 (600 800 1000 1200)

1 영화에서 주인공이 투명 망토를 둘러 위기를 넘기는 장면을 한 번쯤 본 적이 있을 것이다. 투명 망토는 타임머신이나 순간 이동처럼 인간이 만든 상상 속에서만 존재한다고 생각되었다. 그런데 만약 투명 망토가 진짜 존재한다면 어떨까?

2 사람이 물체를 볼 수 있는 것은 물체에 부딪힌 빛이 반사되어 눈으로 들어오기 때문이다. 반대로 물체를 보이지 않게 하려면 빛이 물체에 반사되지 않게 하면 된다. 이를 가능하게 해 주는 것이 메타 물질이다. '메타'는 범위나 한계를 '넘어서다', '초월하다'란 뜻으로, 메타 물질은 **자연계**에 존재하지 않는 성질을 갖도록 만든 **인공** 물질이다. 메타 물질의 특징은 물체에 부딪히는 빛을 반사하지 않는다는 것이다. 시냇물이 돌을 만났을 때 **휘돌아** 흘러가는 것처럼 물체에 닿은 빛은 물체의 표면을 따라 흐르게 되는데, 반사되는 빛이 없으므로 우리 눈에는 물체가 보이지 않게 된다.

3 예를 들어 내 앞에 나무가 있는 경우, 나는 나무에 부딪힌 빛의 반사에 의해 나무를 본다. 이제 나무와 나 사이에 친구가 있다고 해 보자. 내 눈에는 친구에게 부딪힌 빛의 반사에 의해 친구가 보이고, 나무는 친구에 가려져 잘 보이지 않게 된다. 그런데 친구가 (㉠)로 만든 망토를 쓴다. 그러면 어떻게 될까? 빛이 친구가 쓴 망토에 부딪혀 반사되지 않고 망토의 표면을 따라 뒤쪽으로 넘어간다. 뒤쪽으로 넘어간 빛이 나무에 부딪혀 반사되고 내 눈에는 친구 대신 나무가 보인다. 물론 친구가 사라진 것은 아니고 마치 그곳에 친구가 없는 것처럼 보이는 것이다.

4 그렇다면 왜 우리는 투명 망토를 살 수 없을까? 메타 물질을 만들 수 있는 소재가 매우 비싸고 만들기 어려우며, 대량 생산 기술이 아직 부족하기 때문이다. 그럼에도 메타 물질에 대한 연구는 매우 활발히 진행되고 있다. 항공기나 잠수함을 적이 **탐지**하지 못하게 하는 스텔스 기술이나 소리의 **굴절**을 **제어**하는 메타 물질로 층간 소음을 줄이는 방법 등 다양한 분야에서 **무궁무진**한 가능성을 열어 주기 때문이다.

- **자연계**(自 스스로 자, 然 그럴 연, 界 지경 계) 자연의 세계.
- **인공**(人 사람 인, 工 장인 공) 사람의 힘으로 만들어 낸 것.
- **휘돌아** 어떤 방향을 돌려.
- **탐지**(探 찾을 탐, 知 알 지) 비밀스러운 것이나 알려지지 않은 사실을 몰래 조사하여 밝혀내는 것.
- **굴절**(屈 굽을 굴, 折 꺾을 절) 빛이나 소리의 방향이 바뀌는 것.
- **제어**(制 억제할 제, 御 거느릴 어) 기계나 설비 등이 알맞게 움직이도록 조절하는 것.
- **무궁무진**(無 없을 무, 窮 다할 궁, 無 없을 무, 盡 다할 진) 끝이 없음.

설명 대상

1 이 글에서 설명한 내용이 아닌 것은 무엇인가요? (   )

① 메타 물질의 구조
② 메타 물질의 특징
③ 메타 물질의 활용 가능 분야
④ 메타 물질이 널리 쓰이지 못하는 이유
⑤ 메타 물질로 만든 투명 망토가 눈에 보이지 않는 원리

전개 방식

2 2~4문단에 대한 설명으로 알맞지 않은 것은 무엇인가요? (   )

① 2문단: 메타의 뜻과 메타 물질의 개념을 설명했다.
② 2문단: 시냇물을 메타 물질에, 돌을 빛에 빗대어 설명했다.
③ 2문단: 물체가 보이는 원리와 보이지 않는 원리를 설명하고 메타 물질의 특징을 제시했다.
④ 3문단: 나와 친구와 나무를 예로 들어 투명 망토의 원리를 설명했다.
⑤ 4문단: 투명 망토를 쉽게 살 수 없는 이유를 묻고 답했다.

내용 이해

3 3문단의 흐름을 파악하여 ㉠에 들어갈 말을 두 어절로 쓰세요.

(   )

추론하기

4 이 글을 읽고 짐작한 것으로 옳지 않은 것은 무엇인가요? (   )

① 메타 물질로 테이블을 만들면 테이블 위의 물건이 둥둥 떠 있는 것처럼 보일 것이다.
② 빛이 아닌 소리를 굴절시켜 우리의 귀에 소리가 닿지 않게 하면 층간 소음을 해결할 수 있을 것이다.
③ 항공기의 조종실 바닥을 메타 물질로 만들면 착륙 시 조종사들이 활주로를 한눈에 내려다볼 수 있을 것이다.
④ 의자에 앉아 있던 친구가 투명 망토를 쓰면 사람은 다른 곳으로 사라지고 그 자리에는 빈 의자만 남을 것이다.
⑤ 메타 물질로 만든 망토를 덮은 부위에 닿는 빛은 망토를 쓰지 않은 부위에 닿는 빛과 흘러가는 방향이 다를 것이다.

지문 분석

정답과 해설 28쪽

1 문단 요약 다음은 이 글에 나타난 각 문단의 중심 내용입니다. 알맞은 것에 ○표, 틀린 것에 ×표를 하세요.

1 문단	영화 속 상상들이 현실에서 실현된 사례 제시	(　　　)
2 문단	메타 물질의 개념과 원리	(　　　)
3 문단	메타 물질로 만든 투명 망토의 원리	(　　　)
4 문단	메타 물질이 널리 쓰이는 이유와 전망	(　　　)

2 글의 구조 다음 표의 빈칸을 채워 이 글의 내용을 정리해 보세요.

메타 물질	자연계에 존재하지 않는 성질을 가진 (　　　　) 물질

특징	전망
• 빛을 (　　　　)하지 않고 표면을 따라 흐르게 만들어 우리 눈에 보이지 않음. 예 (　　　　) 망토	• 메타 물질은 비싸고 만들기 어려워 아직 널리 쓰이지 않음. • 무궁무진한 (　　　　)이 있어 활발한 연구가 진행 중임.

배경지식 영화 속 상상이 현실이 된 기술

'텔레프레전스(Telepresence)'는 먼 곳에 있는 사람들이 한곳에 있는 것처럼 보이게 하는 기술이다.

'웨어러블 로봇(Wearable Robot)'은 입을 수 있는 로봇으로 사람의 척추나 하체를 지탱해 주고 무거운 것을 나를 수 있게 도와준다.

정답과 해설 28쪽

다음 낱말의 알맞은 뜻을 찾아 선으로 이으세요.

낱말	뜻
인공 •	• 끝이 없음.
탐지 •	• 사람의 힘으로 만들어 낸 것.
굴절 •	• 빛이나 소리의 방향이 바뀌는 것.
제어 •	• 기계나 설비 등이 알맞게 움직이도록 조절하는 것.
무궁무진 •	• 비밀스러운 것이나 알려지지 않은 사실을 몰래 조사하여 밝혀내는 것.

1 다음 빈칸에 들어갈 알맞은 말을 오늘의 어휘 에서 찾아 쓰세요.

- 우주는 광대하고 [　　　　]하다.
- [　　　　]위성이 궤도에 진입했다.
- 공장 [　　　　] 기술의 자동화로 생산량이 증가하였다.
- 새로 개발된 미사일은 적의 레이더에 [　　　　]되지 않는다.
- 물이 든 컵에 담긴 레몬 조각이 실제보다 커 보이는 것은 빛의 [　　　　] 때문이다.

2 다음 글에서 밑줄 친 말과 반대의 뜻을 가진 말을 찾아 두 글자로 쓰세요.

인공 화학 비료는 토양을 산성화하고 환경을 오염시킨다. 퇴비와 거름 등의 천연 물질로 된 비료를 주는 것이 땅에는 훨씬 좋다. 최근에는 미생물을 활용해 비료를 만들어 사용하는 등 환경을 생각하는 사람들이 늘고 있다.

(　　　　　　)

예술

01 | 펜싱에 대하여
02 | 빌라 사보아와 건축의 5원칙
03 | 발레의 변화
04 | 세상을 바꾸는 이타적 디자인

인물

01 | 욕심 없는 자연스러운 삶, 장자
02 | 천재 발명가 니콜라 테슬라
03 | 개혁을 꿈꾸고 실천한 박지원
04 | 흑인 해방 운동가 해리엇 터브먼

환경

01 | 온난화와 지구 위기
02 | 체르노빌 원전 사고
03 | 유전자 조작 농산물
04 | 국제 환경 협약

펜싱에 대하여

KEY WORD

펜싱

글자 수

1102

600 800 1000 1200

1 펜싱은 두 경기자가 검을 가지고 상대에게 '찌르기', '베기' 등의 공격을 하여 승패를 겨루는 스포츠이다. 고대 로마의 **검투**에서 시작한 **고전적** 스포츠이지만 현대의 펜싱에는 **첨단** 과학 기술이 **반영**되어 있다. 검을 사용하는 위험을 막기 위해서이다. 선수들이 입는 펜싱복은 방탄 조끼나 헬멧을 만드는 데 쓰는 합성 섬유로 만들어져서 가볍고 튼튼하다. 사용하는 검은 제트 전투기에 사용되는 합금 강철로 만들어져 강하고 잘 부러지지 않는다. 펜싱복에는 금속 선이 고르게 **분포**되어 있고 칼끝에는 센서가 달려 있어 공격에 성공하면 센서가 작동해 **득점**을 알린다.

2 펜싱은 사용하는 검에 따라 플뢰레 · 에페 · 사브르의 세 종목으로 나뉜다. 각각 다른 규칙에 따라 시합을 하는데, 공식 용어는 모두 프랑스어이다. 플뢰레는 프랑스어로 '꽃'이라는 뜻으로 칼끝이 꽃처럼 생겨 붙여진 명칭이다. 검 끝으로 상대를 찔렀을 때에만 득점이 인정되고 얼굴과 팔다리를 제외한 몸통 부분만 공격할 수 있다. 에페는 프랑스어로 '실전용 검'을 뜻한다. 피를 먼저 흘리면 지는 **기사**들의 결투에서 **유래**되었다. 플뢰레와 마찬가지로 찌르기만 가능하지만 몸 전체가 **표적**이 된다. 사브르는 말을 타고 싸우는 기마병들의 싸움에서 유래되었다. 찌르기뿐 아니라 검을 휘둘러 공격하는 '베기'도 가능해 다양한 기술을 펼칠 수 있다. 머리와 양팔이 포함된 상체 전부를 공격할 수 있다.

3 펜싱은 공격이 성공했을 때 1점을 얻고, 경기장의 경계선을 넘으면 1점을 잃는다. 동시에 공격이 성공했을 때, 에페는 양쪽의 득점을 인정하지만 플뢰레와 사브르는 먼저 공격 자세를 취한 사람이 득점한다. 펜싱의 공식 경기에는 남녀 개인전과 단체전이 있다. 개인전은 3분씩 3라운드를 진행하는데 경기가 빠르게 진행되는 사브르는 한 선수가 8점을 먼저 얻으면 3분을 채우지 않아도 다음 라운드로 넘어갈 수 있다. 최종 라운드가 끝나고 점수가 높은 사람 또는 경기 중 먼저 15점을 얻는 사람이 이긴다. 단체전은 3명의 선수가 각각 3분씩 돌아가며 3라운드의 경기를 치른다. 총 9라운드의 시합에서 45점을 먼저 얻는 팀이 이긴다. 라운드당 5점을 먼저 얻으면 다음 라운드로 넘어가게 되는데 3분 안에 5점을 못 얻으면 다음 라운드에서 채우면 된다.

- **검투**(劍 칼 검, 鬪 싸움 투) 칼을 가지고 맞붙어 싸움.
- **고전적**(古 옛 고, 典 법 전, 的 과녁 적) 오래 묵고 전통적이며 형식적인.
- **첨단**(尖 뾰족할 첨, 端 끝 단) 가장 앞서 나가는 것.
- **반영**(反 돌이킬 반, 映 비출 영) 무엇의 내용이나 특성을 다른 데에 그대로 나타내는 것.
- **분포**(分 나눌 분, 布 베 포) 무엇이 여러 곳에 흩어져 퍼져 있는 것. 또는 퍼뜨리는 것.
- **득점**(得 얻을 득, 點 점 점) 경기나 시험에서 점수를 얻은 것. 또는 얻은 점수.
- **기사**(騎 말 탈 기, 士 선비 사) 중세 유럽에서, 봉건 영주에 속한 무사.
- **유래**(由 말미암을 유, 來 올 래) 전부터 전해 내려오는 것. 또는 그 전해져 온 역사.
- **표적**(標 표 표, 的 과녁 적) 어떤 행동의 목적이 되는 대상.

설명 대상

1 이 글에서 설명한 내용이 아닌 것은 무엇인가요? (   )

① 펜싱의 종목을 나누는 기준
② 펜싱 경기장의 구체적인 모양
③ 펜싱복과 펜싱 검을 만드는 재료
④ 펜싱 시합 시간과 승자를 가리는 방식
⑤ 펜싱 공격 성공 시 득점을 알리는 방식

내용 이해

2 다음 중 이 글의 내용과 일치하지 않는 것은 무엇인가요? (   )

① 펜싱은 역사가 오래된 스포츠이다.
② 사브르가 에페보다 다양한 기술을 쓸 수 있다.
③ 개인전과 단체전의 총 시합 수는 3라운드로 같다.
④ 점수를 얻을 수 있는 공격 범위가 가장 좁은 것은 플뢰레이다.
⑤ 사브르의 개인 경기는 9분을 채우지 않고 시합이 끝날 수도 있다.

내용 이해

3 플뢰레, 에페, 사브르에 대해 정리한 내용으로 알맞지 않은 것의 기호를 모두 쓰세요.

	사용 가능한 기술	공격 가능한 부위	동시에 공격 성공 시
플뢰레	㉠ 찌르기, 베기	㉡ 몸통	㉢ 먼저 공격 자세를 취한 사람이 득점
에페	㉣ 찌르기	㉤ 몸 전체	㉥ 둘 다 득점
사브르	㉦ 찌르기, 베기	㉧ 머리를 제외한 상체	㉨ 둘 다 득점

(,   ,   )

적용하기

4 다음 내용을 읽고, A와 B가 경기한 펜싱 종목은 무엇인지 쓰세요.

> 검을 든 A와 B, 두 선수가 마주 보고 있다. 공격이 시작되고 A선수가 B선수의 다리를 빠르게 찔렀다. 득점 램프에 불이 들어오고 A선수가 1점을 얻었다.

(   )

지문 분석

정답과 해설 29쪽

1 문단 요약 다음은 이 글에 나타난 각 문단의 중심 내용입니다. 알맞은 것에 ○표, 틀린 것에 ×표를 하세요.

1 문단	펜싱은 검을 가지고 득점하여 승패를 가르는 스포츠이다.	( )
2 문단	펜싱은 경기 운영 방식에 따라 플뢰레, 에페, 사브르 세 종목으로 나뉜다.	( )
3 문단	펜싱은 개인전과 단체전이 있으며 경기에 따라 정해진 시합의 시간과 승자 선정 방식이 있다.	( )

2 글의 구조 다음 표의 빈칸을 채워 이 글의 내용을 정리해 보세요.

펜싱

개념	종목	경기 방식
• 검을 가지고 ( ), 베기 등의 공격을 하여 승패를 가르는 스포츠	• 사용하는 ( )에 따라 ( ), 에페, 사브르로 나뉨.	• 개인전: ( )분씩 3라운드 • 단체전: 3명이 각각 3분씩 3라운드

배경지식 그림으로 보는 펜싱

정답과 해설 29쪽

오늘의 어휘

다음 낱말의 알맞은 뜻을 찾아 선으로 이으세요.

낱말	뜻
고전적 •	• 가장 앞서 나가는 것.
첨단 •	• 오래 묵고 전통적이며 형식적인.
반영 •	• 전부터 전해 내려오는 것. 또는 그 전해져 온 역사.
분포 •	• 무엇의 내용이나 특성을 다른 데에 그대로 나타내는 것.
유래 •	• 무엇이 여러 곳에 흩어져 퍼져 있는 것. 또는 퍼뜨리는 것.

1 다음 빈칸에 들어갈 알맞은 말을 오늘의 어휘 에서 찾아 쓰세요.

- 인구가 전 지역에 고르게 [ ]하고 있다.
- 많은 과학자들이 [ ] 기술 개발에 노력하고 있다.
- 그의 작품은 이전 시대의 [ ] 형식을 따르고 있다.
- 유행어에는 당시 사람들의 생활 모습이 [ ]되어 있다.
- 샌드위치는 영국의 샌드위치 백작으로부터 [ ]되었다.

2 다음 글에서 밑줄 친 말과 비슷한 뜻을 가진 말을 찾아 세 글자로 쓰세요.

온돌과 마루는 오직 우리나라의 집에서만 볼 수 있다. 온돌과 마루가 한 집에 다 있기 때문에, 우리 조상들은 겨울에는 따뜻한 온돌방에서 지내고 여름에는 시원한 마루에서 낮잠을 즐길 수 있었다. 이런 전통적 건축 방식으로 지은 우리나라의 집을 '한옥'이라고 한다. 한옥은 사계절이 있는 우리나라의 기후에 딱 맞는 고전적인 집이라고 할 수 있다.

( )

빌라 사보아와 건축의 5원칙

KEY WORD

글자 수

1124

600 800 1000 1200

1 '빌라 사보아'는 1931년 프랑스 푸아시에 지어진 건물로 현대 건축의 아버지라 불리는 르코르뷔지에의 대표 작품이다. 르코르뷔지에는 **기존**의 건축 개념을 깬 **혁신**적인 설계와 시대를 앞서가는 이론으로 현대 건축의 기초를 다지고 수많은 건축가들에게 영향을 준 건축가이다. 그는 '인간을 위한 건축'을 **추구**하며 '건축의 5원칙'으로 '필로티, 자유로운 **입면**, 긴 수평 창, 자유로운 평면, 옥상 정원'을 제시했다. 빌라 사보아는 이 다섯 가지 원칙이 모두 실현된 현대 건축의 상징이다.

2 빌라 사보아는 건물이 공중에 떠 있는 것 같은 느낌을 준다. 건물을 기둥만으로 떠받치고 1층을 비워 두는 '필로티' 방식을 사용했기 때문이다. 오늘날 흔히 볼 수 있는 필로티 구조는 비어 있는 1층으로 빛과 공기가 흘러 지면과 맞닿은 주택 **저층**의 추위와 습기를 **보완**할 수 있다. 빈 공간은 보행 통로나 주차장 등 다양한 용도로 활용할 수도 있다.

3 빌라 사보아의 하얀 건물을 띠처럼 두르고 있는 가로로 긴 창도 인상적이다. 이런 '긴 수평 창'은 수직 창보다 **자연광**을 많이 받아들이고 풍경을 감상하기에도 좋다. 르코르뷔지에 이전까지만 해도 유럽 대부분의 집은 벽이 건물의 무게를 **지탱**했다. 벽이 두꺼우면 집은 튼튼하게 지을 수 있었지만, 집 안은 좁아지고 창문을 크게 낼 수 없어 빛이 많이 들지 않았다. 르코르뷔지에는 철근 콘크리트를 사용해 기둥을 세워 완전히 새로운 방식의 집을 **선보였다**. 철근 콘트리트 기둥이 건물의 무게를 **감당**하자 벽은 건물을 지탱할 필요 없이 자유로워졌다. 이로 인해 빌라 사보아는 외벽을 만드는 재료나 창문의 수를 원하는 대로 선택할 수 있는 '자유로운 입면'과 벽에 가로막히지 않고 창문을 길게 내는 '긴 수평 창'이 가능해졌다. 내부를 가로막는 벽이 없어 **거주자**가 원하는 대로 공간을 활용할 수 있는 '자유로운 평면'도 마찬가지이다.

4 빌라 사보아에는 건물 한쪽에 1층에서 옥상까지 이어 주는 경사로가 있는데 올라가면서 자연스럽게 바깥 풍경을 감상할 수 있어 마치 산책로와 같다. 이어지는 옥상에는 뾰족한 지붕이 아닌 평면으로 만들어 놓은 '옥상 정원'이 있다. 이 옥상 정원은 필로티로 생긴 공간 손실을 보완하는 장치이자 자연을 느끼며 휴식할 수 있고 거주자가 원하는 대로 활용할 수 있는 공간이다.

- **기존**(既 이미 기, 存 있을 존) 이미 존재하는 것. 이미 자리 잡고 있는 것.
- **혁신**(革 가죽 혁, 新 새로울 신) 오래 묵은 제도와 방법, 관습 등을 버리고 새롭게 만드는 것.
- **추구**(追 쫓을 추, 求 구할 구) 원하는 것을 이루거나 얻으려고 계속하여 애쓰는 것.
- **입면**(立 설 입, 面 낯 면) 정면, 측면 따위에서 수평으로 본 모양.
- **저층**(低 낮을 저, 層 층 층) 여러 층으로 된 것의 낮은 층.
- **보완**(補 기울 보, 完 완전할 완) 모자라거나 부족한 것을 보충하여 완전하게 함.
- **자연광**(自 스스로 자, 然 그럴 연, 光 빛 광) 태양 등의 천연의 빛.
- **지탱**(支 지탱할 지, 撐 버틸 탱) 오래 버티거나 배겨 냄.
- **선보였다** (기본형: 선보이다) (사람이나 물건의 좋은 점을) 처음 여러 사람에게 보여 주었다.
- **감당**(堪 견딜 감, 當 마땅할 당) 능히 견디어 내는 것.
- **거주자**(居 살 거, 住 살 주, 者 놈 자) 일정한 지역에 살고 있는 사람.

지문 독해

설명 대상

1 이 글에서 가장 중요하게 설명하고 있는 것은 무엇인가요? (　　　　)

① 빌라 사보아의 아름다움
② 유럽 건축의 발전 과정
③ 르코르뷔지에의 삶과 업적
④ 건축에 철근 콘크리트가 사용된 까닭
⑤ 빌라 사보아에 나타난 현대 건축의 특징

내용 이해

2 이 글의 내용과 일치하지 않는 것은 무엇인가요? (　　　　)

① 필로티 구조는 오늘날 건축물에서 쉽게 볼 수 있다.
② 벽을 두껍게 지으면 창문을 크게 낼 수 있어 빛이 많이 들어온다.
③ 철근 콘크리트 기둥이 집의 구조를 혁신적으로 바꿀 수 있게 했다.
④ 긴 수평 창과 경사로, 옥상 정원 등은 자연을 느끼기 좋은 환경을 만든다.
⑤ 자유로운 평면이나 옥상 정원은 공간 활용이 좋아 거주자를 위하는 건축 방식이다.

내용 이해

3 서로 대조되는 것들끼리 선으로 이으세요.

(1) 수직 창 •		• ㉠ 필로티
(2) 두꺼운 벽 •		• ㉡ 수평 창
(3) 뾰족 지붕 •		• ㉢ 옥상 정원
(4) 지면과 맞닿은 저층 •		• ㉣ 자유로운 입면

적용하기

4 밑줄 친 부분이 가리키는 것을 1문단에서 찾아 세 어절로 쓰세요.

> 프랑스 마르세유 시내에 1952년 완공된 마르세유 집합 주거는 르코르뷔지에가 지은 아파트 건물이다. 이 건물 곳곳에는 르코르뷔지에의 건축 철학이 담겨 있다. 그는 인간이 살아가면서 가장 편안함을 느끼는 건물의 높이가 있을 것으로 보고 이를 연구하여 결론을 얻어 냈다. 이를테면 사람의 이상적인 키를 183cm로 잡고, 사람이 서 있을 때 배꼽의 높이는 113cm로 정하여 이에 따라 적합한 건물 천장 높이를 226cm로 설계한 것이다.

(　　　　　　　　　　)

지문 분석

정답과 해설 30쪽

1 문단 요약 다음은 이 글에 나타난 각 문단의 중심 내용입니다. 알맞은 것에 ○표, 틀린 것에 ×표를 하세요.

1 문단	르코르뷔지에가 설계한 현대 건축의 상징 빌라 사보아	(　　)
2 문단	빌라 사보아의 필로티 구조	(　　)
3 문단	기존 주택의 단점과 철근 콘크리트 기둥의 장점	(　　)
4 문단	빌라 사보아의 아름다운 정원	(　　)

2 글의 구조 다음 빈칸을 채워 이 글의 내용을 정리해 보세요.

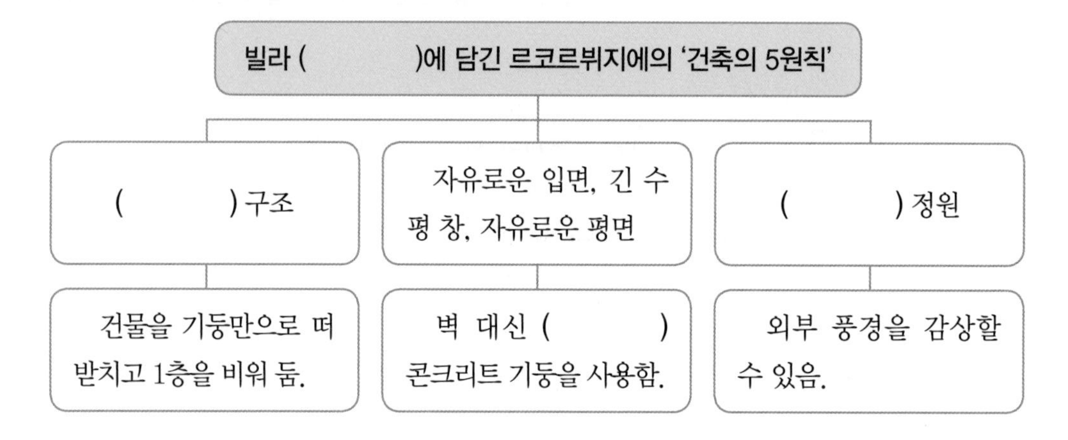

배경지식 그림으로 보는 빌라 사보아

위에서 본 모습

내부 모습

정답과 해설 30쪽

다음 낱말의 알맞은 뜻을 찾아 선으로 이으세요.

낱말	뜻
기존 •	• 능히 견디어 내는 것.
혁신 •	• 이미 존재하는 것. 이미 자리 잡고 있는 것.
보완 •	• 모자라거나 부족한 것을 보충하여 완전하게 함.
선보였다 •	• 오래 묵은 제도와 방법, 관습 등을 버리고 새롭게 만드는 것.
감당 •	• (사람이나 물건의 좋은 점을) 처음 여러 사람에게 보여 주었다.

1 다음 빈칸에 들어갈 알맞은 말을 오늘의 어휘 에서 찾아 쓰세요.

- 전시회에서 새로운 발명품을 [　　　　].
- 예상보다 일이 커져서 [　　　　]이 안 된다.
- 기존 제품의 단점을 [　　　　]하여 신제품을 만들었다.
- 21세기는 우리에게 변화와 [　　　　]을 요구하고 있다.
- [　　　　]에 있던 컴퓨터를 새로 산 컴퓨터로 교체했다.

2 다음 글에서 밑줄 친 말과 비슷한 뜻을 가진 말을 찾아 두 글자로 쓰세요.

산업 혁명은 새로운 기술이 등장하여 산업의 형태를 변화시키고 그에 따라 사회의 모습이 혁신적으로 변화하는 현상이다. 지금까지 인류는 총 세 번의 산업 혁명을 겪었다. 1차 산업 혁명은 증기 기관의 발명으로 시작되어 기계로 물건을 생산하는 계기가 되었다. 2차 산업 혁명은 전기를 다루는 기술의 발달로 대량 생산과 대량 소비를 가능하게 했으며, 3차 산업 혁명은 컴퓨터와 인터넷의 발달로 산업의 정보화와 자동화를 불러왔다.

(　　　　　　　　)

발레의 변화

KEY WORD

발레

글자 수

1171

600 800 1000 1200

1 발레라는 용어는 '춤을 추다'라는 뜻의 이탈리아어 '발라레(ballare)'에서 비롯되었다. 발레는 14~15세기 이탈리아 궁중 **연회**에서 무용수들이 추었던 다양한 춤의 **혼합**에서 시작되었다. 그리고 16세기에 이탈리아 출신 왕비가 프랑스 궁정에 이를 소개하면서 독립적인 공연 예술로 발전하였다. 특히 프랑스 국왕 루이 14세는 1661년 왕립 무용 학교를 **설립**했는데 이로 인해 17~18세기 무용 교육을 받은 직업 무용가가 등장하고, 무용 기술도 급속히 **진보**하게 되었다.

2 19세기 초에 유럽에서는 ㉠낭만 발레가 **성행**했다. 낭만 발레는 예술에서 현실적인 것들을 **배제**하고 오로지 환상과 신비로움을 추구했다. 낭만 발레에서는 평화로운 분위기의 무대를 배경으로 요정을 사랑한 인간, 시골 처녀의 비극적인 사랑 등 낭만적인 줄거리가 전개된다. 이 시기 발레의 주역은 여성 무용수들이었고, 남성 무용수들은 대개 여성 무용수를 들어 올렸다 내리거나 회전의 지지대 역할을 하는 보조자였다. 요정들이 하늘을 둥둥 떠다니는 느낌을 표현하기 위해 발끝을 수직으로 세우고 춤을 추는 '포인트 동작'이 등장했고, 여성 무용수들은 '로맨틱 튀튀'라고 부르는 하늘하늘하고 여러 겹으로 된 발목까지 오는 긴 의상을 입어서 움직일 때마다 우아한 느낌을 주었다.

3 19세기 후반 유럽에서 낭만 발레의 인기가 시들해지면서 러시아에서 ㉡고전 발레가 등장했다. 고전 발레는 전설이나 동화를 바탕으로 한 낭만적인 줄거리를 지니고 있다는 점에서는 낭만 발레와 비슷하다. 하지만 무용수의 화려한 **기교**를 보여 주기 위해 발레에 일정한 형식을 도입하였고, **정교하고** 정확한 동작을 바탕으로 **안무**가 정해졌다. 무용수들이 다채로운 춤을 많이 보여주는 '디베르티스망'과 남녀 주역 무용수들의 화려한 기술을 보여 주는 '그랑 파드되'가 빠짐없이 나타났다. 남성 무용수들도 무대의 주인공이 될 수 있었고, 여성 무용수들은 화려한 발동작이나 **도약**, 회전 등이 잘 보이도록 다리를 드러내는 짧고 뻣뻣한 '클래식 튀튀'를 주로 입었다.

4 20세기에는 ㉢현대 발레가 등장했다. 현대 발레는 특별한 줄거리 없이 특정 장면의 이미지나 주제를 무용수의 움직임 자체로 표현하는 것이 특징이다. 정해진 줄거리가 없기 때문에 무용수의 성별에 따른 역할 구분이 약화되고, 다양한 형태의 동작이나 몸의 선 자체의 아름다움을 강조하다 보니 무대 장치나 의상도 점차 **간결**해졌다.

- **연회**(宴 잔치 연, 會 모일 회) 축하, 환영을 위하여 여러 사람이 모이는 잔치.
- **혼합**(混 섞을 혼, 合 합할 합) 여러 가지를 뒤섞어 한데 합치는 것.
- **설립**(設 베풀 설, 立 설 립) 단체나 기관 등을 새로 세우는 것.
- **진보**(進 나아갈 진, 步 걸음 보) 정도나 수준이 계속하여 나아지는 것.
- **성행**(盛 성할 성, 行 다닐 행) 매우 빈번히 행하여지는 것.
- **배제**(排 물리칠 배, 除 덜 제) 무엇을 어디에서 밀어내거나 빼놓는 것.
- **기교**(技 재주 기, 巧 교묘할 교) 아주 뛰어난 솜씨나 기술.
- **정교(精 찧을 정, 巧 교묘할 교)하고** (기본형: 정교하다) 꾸미거나 만든 모양이 아주 작은 부분에 이르기까지 정성과 기술을 들여 놀랄 만하고.
- **안무**(按 누를 안, 舞 춤출 무) 음악에 맞게 만든 춤 동작.
- **도약**(跳 뛸 도, 躍 뛸 약) 몸을 위로 솟구치는 일.
- **간결**(簡 대쪽 간, 潔 깨끗한 결) 간단하고 깔끔함.

지문 독해

설명 대상

1 이 글에서 주로 설명하는 내용은 무엇인가요? (　　　　)

① 발레의 역할　② 발레의 기술　③ 발레의 변화
④ 발레의 아름다움　⑤ 발레의 구성 요소

전개 방식

2 이 글에 쓰인 글쓰기 전략은 무엇인가요? (　　　　)

① 구체적인 사례를 들어 대상을 설명하고 있다.
② 원인에 따른 결과로 대상의 변화를 제시하고 있다.
③ 시간의 흐름에 따라 대상의 변화를 설명하고 있다.
④ 묻고 답하는 방식을 통해 대상의 특징을 설명하고 있다.
⑤ 유사한 특징을 가진 익숙한 대상에 빗대어 대상을 설명하고 있다.

내용 이해

3 이 글의 내용과 일치하지 않는 것은 무엇인가요? (　　　　)

① 발레는 이탈리아에서 발생해 프랑스로 전파되었다.
② 낭만 발레와 고전 발레는 여성 무용수들의 의상이 다르다.
③ 고전 발레는 낭만 발레에 비해 기술과 형식이 중시되었다.
④ 남성 무용수의 역할은 현대에 가까워질수록 점점 중요해진다.
⑤ 현대 발레는 낭만 발레와 고전 발레와 달리 정해진 줄거리가 없다.

적용하기

4 다음에서 설명하는 발레 작품은 ㉠~㉢ 중 무엇에 해당하는지 기호를 쓰세요.

> ‘호두까기 인형’은 크리스마스이브에 호두까기 인형을 선물받은 주인공 클라라가 꿈속에서 왕자로 변한 인형과 함께 생쥐 군대 등을 물리치고 과자 나라를 여행한다는 내용이다. 1막은 크리스마스 파티 및 쥐들과의 전투 장면을, 2막은 과자 나라의 여행을 담고 있다. 2막의 클라라와 왕자의 행복한 결혼식 장면에 나오는 ‘그랑 파드되’는 명장면으로 손꼽힌다. 또한 2막에 나오는 아라비아 춤, 중국 춤, 스페인 춤 등 이국적인 춤들의 ‘디베르티스망’도 유명하다.

(　　　　　　　　)

지문 분석

정답과 해설 31쪽

1 문단 요약 다음은 이 글에 나타난 각 문단의 중심 내용입니다. 알맞은 것에 ○표, 틀린 것에 ×표를 하세요.

1문단	발레의 유래와 초기 발레의 발전	(　　)
2문단	19세기 초 유럽 낭만 발레의 장점과 단점	(　　)
3문단	19세기 후반 러시아 고전 발레의 특징	(　　)
4문단	20세기 현대 발레와 발레의 미래에 대한 전망	(　　)

2 글의 구조 다음 표의 빈칸을 채워 이 글의 내용을 정리해 보세요.

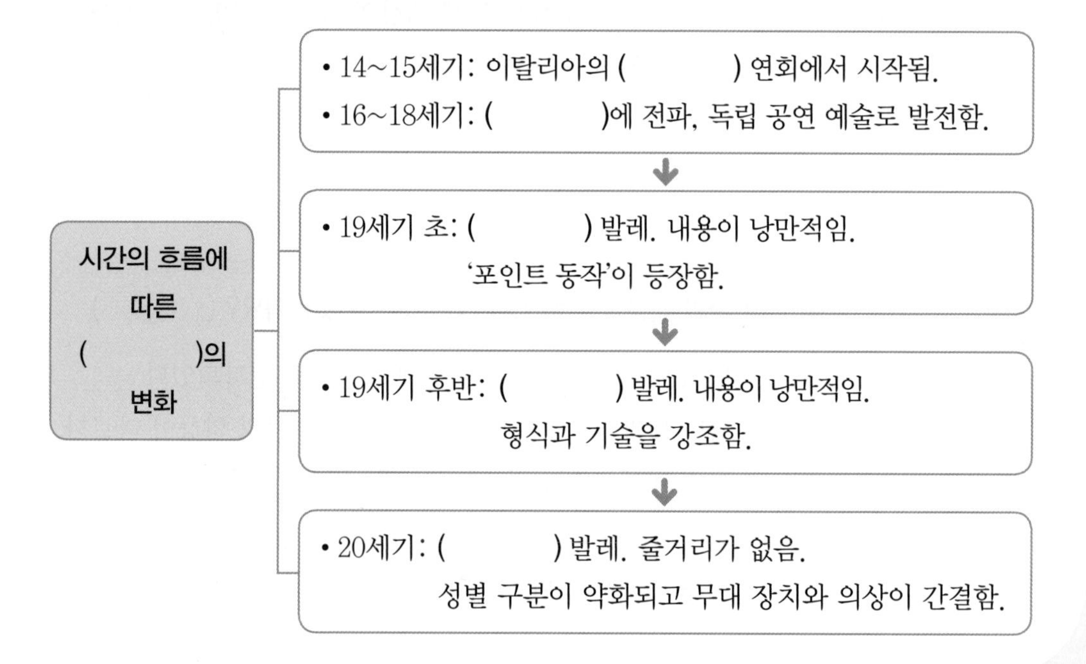

시간의 흐름에 따른 (　　　)의 변화

- 14~15세기: 이탈리아의 (　　　) 연회에서 시작됨.
- 16~18세기: (　　　)에 전파, 독립 공연 예술로 발전함.

↓

- 19세기 초: (　　　) 발레. 내용이 낭만적임. '포인트 동작'이 등장함.

↓

- 19세기 후반: (　　　) 발레. 내용이 낭만적임. 형식과 기술을 강조함.

↓

- 20세기: (　　　) 발레. 줄거리가 없음. 성별 구분이 약화되고 무대 장치와 의상이 간결함.

배경지식 유명한 발레 작품들

정답과 해설 31쪽

오늘의 어휘

다음 낱말의 알맞은 뜻을 찾아 선으로 이으세요.

낱말	뜻
진보 •	• 간단하고 깔끔함.
성행 •	• 아주 뛰어난 솜씨나 기술.
기교 •	• 매우 빈번히 행하여지는 것.
정교하고 •	• 정도나 수준이 계속하여 나아지는 것.
간결 •	• 꾸미거나 만든 모양이 아주 작은 부분에 이르기까지 정성과 기술을 들여 놀랄 만하고.

1 다음 빈칸에 들어갈 알맞은 말을 오늘의 어휘 에서 찾아 쓰세요.

- 그 조각상은 살아 숨쉬는 것처럼 [ ] 생동감 있다.
- 과학 기술의 [ ]로 사람들은 편리한 생활을 하게 되었다.
- 그의 피아노 연주는 화려한 [ ]로 사람들을 놀라게 했다.
- 아이들 사이에서 [ ]하는 유행어는 지속 기간이 무척 짧다.
- 글을 [ ]하고 명확하게 쓰기 위해서는 육하원칙에 따라야 한다.

2 다음 글에서 밑줄 친 말과 반대의 뜻을 가진 말을 찾아 두 글자로 쓰세요.

인류의 역사에 대해서 사람들은 서로 다른 주장을 합니다. 역사가 진보한다고 주장하는 사람들은 역사는 인간 사회가 더 나아지는 과정이라고 합니다. 반면에 아주 먼 옛날이 오히려 더 나았다고 생각하며 역사가 퇴보하고 있다고 주장하는 사람도 있습니다. 한편, 역사는 진보와 퇴보가 끊임없이 반복되면서 앞으로 나아가는 것이라고 하는 이들도 있습니다.

( )

KEY WORD

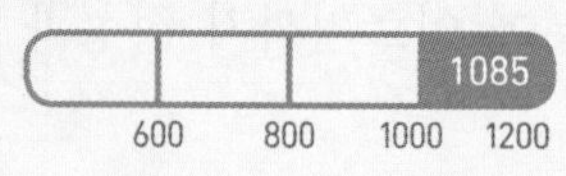

글자 수

1085

600 800 1000 1200

세상을 바꾸는 이타적 디자인

1 1960년대 인도네시아 발리섬에서는 화산 폭발이 자주 일어나 많은 원주민들이 **희생**되었다. 원주민들이 대피할 수 있도록 재난 **경보**라도 울렸다면 희생을 줄일 수 있었을 것이다. 하지만 그들은 경보를 알려 줄 만한 간단한 장비조차 살 수 없을 만큼 가난했다. 이를 안타깝게 여긴 한 디자이너가 발리의 관광객들이 버린 깡통과 동물의 배설물 등을 이용해 9센트(약 100원)짜리 라디오를 만들어 냈다. 그리고 수많은 원주민의 목숨을 살릴 수 있었다.

2 이렇게 등장한 깡통 라디오는 전선, 안테나 등이 그대로 드러나 겉모습이 보기 흉했다. 겉모습을 보기 좋게 하려면 **제작** 비용이 많이 들기 때문이다. 겉모습이 아름다운 것이 좋은 **디자인**이라고 생각하는 사람들이 많다. (㉠) 쓸모가 있는 디자인도 좋은 디자인이다. 타인에게 도움을 주고 세상에 **긍정적** 변화를 가져오는 쓸모 있는 디자인을 '**이타적** 디자인'이라고 한다.

3 이타적 디자인의 또 다른 사례로 '라이프스트로'를 들 수 있다. 지구상에는 깨끗한 물을 구하지 못해 고통받는 사람들이 많다. 해마다 수백만 명이 오염된 물을 마시고 목숨을 잃기도 한다. 라이프스트로는 오염된 물을 깨끗하게 해 주는 휴대용 **정수** 빨대이다. 이 빨대를 사용하면 **필터**가 오염된 물에 사는 미생물과 기생충을 거의 모두 걸러 내어 안전하게 물을 마실 수 있다. 또한 간편하고 **저렴**해서 누구나 쉽게 만들어 사용할 수 있다.

4 '큐드럼' 역시 이타적 디자인의 좋은 사례이다. 큐드럼은 원통 가운데로 난 구멍에 끈이 연결된 형태의 물통으로, 알파벳 큐(Q)와 그 모양이 비슷하여 붙여진 이름이다. 에티오피아, 케냐 등 아프리카의 물 부족 국가에서는 여성과 어린이들이 커다란 물통을 머리에 이고 하루에도 수차례, 먼 거리를 이동하며 **식수**를 구해야 한다. 이 과정에서 목, 허리 등을 다치거나 물통을 나르느라 학교에 가지 못하는 아이들이 생겼다. 큐드럼을 사용하면 물통을 끌고 다니므로 힘이 적게 들고 다치지 않을 수 있다. 최대 75리터의 물이 들어가기 때문에 한 가정에서 하루 동안 사용할 수 있는 충분한 양을 한 번에 담아 옮길 수 있다. 힘도 시간도 덜 들어 사람들의 삶의 질이 좋아지고 아이들의 학교 출석률 및 **진학률**도 증가하였다.

- **희생(犧 희생 희, 牲 희생 생)** 사고나 자연재해로 목숨을 잃음.
- **경보(警 경계할 경, 報 갚을 보)** 주의하고 조심하라고 알리는 일.
- **제작(製 지을 제, 作 지을 작)** 물건이나 작품을 만드는 일.
- **디자인(design)** 상품이나 옷 등을 멋있고 기능이 좋게 만드는 도안이나 고안.
- **긍정적(肯 옳게 여길 긍, 定 정할 정, 的 과녁 적)** 옳다고 할 만한. 이롭다고 볼 만한.
- **이타적(利 이로울 이, 他 다를 타, 的 과녁 적)** 자기의 이익보다 다른 이의 이익을 더 생각하는.
- **정수(淨 깨끗할 정, 水 물 수)** 물을 깨끗하게 거름.
- **필터(filter)** 불순물을 걸러 내기 위한 장치.
- **저렴(低 낮을 저, 廉 청렴할 렴)** 값이 쌈.
- **식수(食 먹을 식, 水 물 수)** 먹을 용도의 물.
- **진학률(進 나아갈 진, 學 배울 학, 率 비율 률)** 졸업생 가운데서 상급 학교에 들어가는 비율.

목적

1 글쓴이가 이 글을 쓴 목적은 무엇인가요? (   )

① 어려운 사람들을 돕자고 주장하기 위해
② 이타적 디자인의 역사를 알려 주기 위해
③ 이타적 디자인의 개념과 사례를 설명하기 위해
④ 세상에 도움이 필요한 사람이 많음을 알려 주기 위해
⑤ 좋은 디자인에 대한 여러 가지 의견을 소개하기 위해

내용 이해

2 이타적 디자인에 대한 설명으로 알맞지 않은 것은 무엇인가요? (   )

① 사람들의 삶에 실질적 도움을 준다.
② 쓸모를 위해 간편하게 만드는 것이 좋다.
③ 쓸모를 위해 만드는 비용도 생각해야 한다.
④ 어려운 상황을 돕고자 하는 마음에서 만들어진다.
⑤ 겉모습도 아름답고 쓸모도 있어서 사람들에게 도움이 된다.

내용 이해

3 ㉠에 들어갈 알맞은 이어 주는 말은 무엇인가요? (   )

① 그러나　　② 따라서　　③ 더구나
④ 왜냐하면　　⑤ 예를 들어

적용하기

4 이 글을 바탕으로 보기 를 읽고 빈칸에 알맞은 말을 쓰세요.

보기

소켓 볼은 공놀이를 하면서 전기를 만들어 낼 수 있는 축구공이다. 아프리카는 아이들이 밤에 책을 읽거나 공부를 할 수 없을 정도로 전기 부족 문제가 심각하다. 미국 하버드 대학의 학생들은 아프리카 아이들이 축구를 좋아한다는 점에서 아이디어를 얻어, 공을 발로 차면 공에서 발생되는 충격이 발전 장치를 통해 전기로 바뀌는 공을 만들었다. 단순히 발로 차고 즐기기만 하면 전기가 발생하기 때문에 연료비가 들지 않으며 친환경적이다. 소켓 볼을 가지고 1시간 동안 축구를 하면 매일 밤 한 가정이 쓸 수 있을 정도의 전력이 생산된다고 한다.

→ 소켓 볼은 아프리카의 (   ) 부족 문제를 돕는 (   ) 디자인의 사례이다.

지문 분석

정답과 해설 32쪽

1 중심 내용 다음 빈칸에 알맞은 말을 넣어 이 글의 중심 내용을 요약하세요.

이타적 디자인은 (　　　　)에게 도움을 주고 세상에 (　　　　) 변화를 가져온다. 깡통 라디오, 라이프스트로, 큐드럼은 어려운 사람들을 돕는 (　　　　) 있는 디자인의 좋은 사례이다.

2 글의 구조 다음 표의 빈칸을 채워 이 글의 내용을 정리해 보세요.

이타적 디자인	타인에게 (　　　　)을 주는 쓸모 있는 디자인

깡통 라디오	라이프스트로	큐드럼
• 버려진 (　　　　)과 배설물로 만든 라디오 • 화산 폭발 경보를 알려 주어 사람들의 (　　　　)을 살림.	• 휴대용 (　　　　) 빨대 • 오염된 물로 어려움을 겪는 사람들에게 깨끗한 물을 제공함.	• 원통 가운데 난 구멍에 끈을 걸어 굴려 이동할 수 있는 (　　　　) • 물을 나르는 데 드는 힘과 시간을 줄여 사람들의 삶의 질을 높임.

배경지식 더 나은 세상을 만드는 이타적 디자인

깡통 라디오

라이프스트로

큐드럼

오늘의 어휘

다음 낱말의 알맞은 뜻을 찾아 선으로 이으세요.

낱말	뜻
희생 •	• 값이 쌈.
경보 •	• 물건이나 작품을 만드는 일.
제작 •	• 사고나 자연재해로 목숨을 잃음.
긍정적 •	• 주의하고 조심하라고 알리는 일.
저렴 •	• 옳다고 할 만한. 이롭다고 볼 만한.

1 다음 빈칸에 들어갈 알맞은 말을 오늘의 어휘 에서 찾아 쓰세요.

- 지진으로 많은 사람들이 [ ] 되었다.
- 운동은 청소년에게 [ ] 인 영향을 준다.
- 그 기계는 [ ] 하는 데만 1년이 걸렸다.
- 불이 나자 화재 [ ] 가 요란하게 울렸다.
- 학교 앞 서점은 다른 곳보다 책을 [ ] 하게 판다.

2 다음 글에서 밑줄 친 말과 반대의 뜻을 가진 말을 찾아 세 글자로 쓰세요.

사람의 생각은 태도를 결정합니다. 어떤 문제에 부딪쳤을 때 누군가는 잘될 거라는 긍정적인 생각을 하고 다른 누군가는 어려울 것 같다는 부정적인 생각을 합니다. 긍정적인 생각을 하는 사람은 적극적인 태도로 상황을 해결하려 하지만, 부정적인 생각을 하는 사람은 소극적인 태도로 문제에 맞서기를 포기하거나 주저앉아 버립니다.

( )

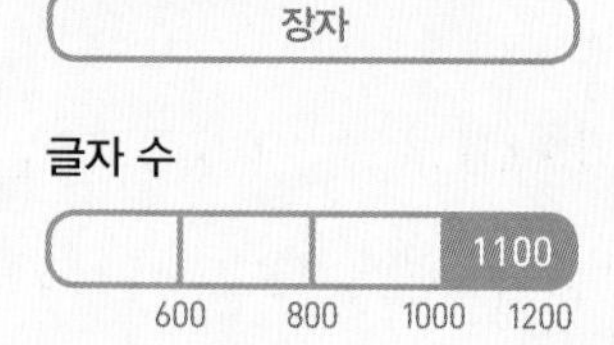

욕심 없는 자연스러운 삶, 장자

KEY WORD

장자

글자 수

1100

600 800 1000 1200

1 장자는 **기원전** 4세기에 태어난 춘추 전국 시대 **사상가**이다. 춘추 전국 시대는 중국 각 지역의 **제후**들이 정복 전쟁을 하며 세력을 다투던 **분열** 시기이다. 정치적으로 혼란스러운 상황에서 나라를 구하는 방안을 제시하는 많은 사상가와 다양한 학문이 등장했는데 이를 '제자백가'라고 한다. 대표적인 것으로 도덕적인 정치를 강조한 공자와 맹자의 유가 사상, 엄격한 법을 만들어 행할 것을 강조한 한비자의 법가 사상, 도덕과 법률보다는 자연을 본받는 생활을 강조한 노자와 장자의 도가 사상 등이 있다.

2 장자는 욕심을 버리고 억지로 무엇을 하려 하지 않는 '무위자연'의 삶을 주장했다. 규칙을 만들어 지키게 하고 기준을 세워 고치려 하는 것을 인위적이라 비판하며 사람은 태어난 **본성**에 맞게 그대로 살아가는 것이 자연스럽고 바르다고 여겼다. 그래서 장자는 벼슬에도 관심이 없었다. **권세**를 탐하고 무언가를 이루려 욕심을 부리는 것은 자연스럽지 못하다고 여겼기 때문이다. 또한 장자는 이 세상 모든 것을 똑같이 대해야 한다고 주장했다. 예쁜 것과 미운 것, 좋은 것과 나쁜 것, 너와 나의 구별을 마음속에서 없애 이 세상 모든 것을 구별하지 말고 있는 그대로 보라는 것이다. 이렇게 모든 것을 구별 없이 보다 보면 삶과 죽음, 옳고 그름, 높고 낮음도 의미가 없어진다. 자연스레 어느 것에도 **연연하지** 않고 있는 그대로 받아들일 수 있게 되는 것이다. 그래서 **후대** 사람들은 그를 세상의 욕망을 **초월**한 **달관**적 인물이라고 평가한다.

3 장자는 자신의 생각을 이야기 형식으로 전달하기를 좋아했다. 그가 남긴 엉뚱하고 재미있는 이야기를 듣다 보면 어느새 깨달음을 얻게 된다. 대표적인 것이 '호접지몽' 이야기이다. 장자는 어느 날 나비가 되어 아름다운 꽃들 사이를 즐겁게 날아다니는 꿈을 꾸었다. 그러다가 문득 잠에서 깨니, 자신은 장자의 모습을 하고 있었다. 그는 '장자인 자신이 나비가 된 꿈을 꾼 것인지, 원래 자신은 나비인데 지금 장자가 된 꿈을 꾸고 있는 것인지' 알 수 없었다. 장자는 이 이야기를 통해, 내가 너일 수도 있고 네가 나일 수도 있으니 이 세상 모든 것을 똑같이 대해야 하며, 사람의 인생도 한 편의 꿈과 다름없으니 욕심을 버리고 자연스럽게 살아야 한다는 깨달음을 전했다.

- **기원전**(紀 벼리 기, 元 으뜸 원, 前 앞 전) 예수가 태어난 해 이전.
- **사상가**(思 생각 사, 想 생각 상, 家 집 가) 어떤 사상을 잘 알고 이를 적극적으로 주장하는 사람.
- **제후**(諸 모든 제, 侯 제후 후) 봉건 시대에 왕으로부터 받은 영토와 그 안에 사는 백성을 다스리던 사람.
- **분열**(分 나눌 분, 裂 찢을 열) 여러 갈래로 나뉘는 것.
- **본성**(本 근본 본, 性 성품 성) 사람이 날 때부터 가진 성질.
- **권세**(權 권세 권, 勢 기세 세) 권력과 세력을 아울러 이르는 말.
- **연연**(戀 사모할 연, 戀 사모할 연) **하지** (기본형: 연연하다) 어떤 일을 잊거나 포기하지 않고 계속하여 마음을 쓰지.
- **후대**(後 뒤 후, 代 대신할 대) 뒤에 오는 세대나 시대.
- **초월**(超 넘을 초, 越 넘을 월) 어떤 한계를 뛰어넘는 것.
- **달관**(達 통할 달, 觀 볼 관) 인생의 진리를 꿰뚫어 보아 사소한 일에 집착하지 않고 넓고 멀리 바라봄.

설명 대상

1 이 글에서 설명한 내용이 아닌 것은 무엇인가요? (　　　　)

① 장자의 사상　　② 장자에 대한 평가
③ 장자가 쓴 책의 내용　　④ 장자가 활동한 시대 상황
⑤ 장자가 자신의 생각을 전달한 방식

내용 이해

2 다음 중 이 글의 내용과 일치하지 않는 것은 무엇인가요? (　　　　)

① 장자는 구별하지 않는 자세로 모든 것을 똑같이 대하려 했다.
② 춘추 전국 시대에 활동하던 사상가들과 학문을 제자백가라 한다.
③ 무위자연은 욕심을 버리고 억지로 무엇을 하려 하지 않는 자세이다.
④ 장자는 엉뚱한 이야기를 해서 힘든 사람들을 재미있게 해 주려고 했다.
⑤ 공자와 한비자 모두 혼란스러운 시대에 나라를 구하고자 하는 목표는 같았다.

적용하기

3 다음 중 장자의 주장에 해당하는 것을 모두 골라 기호를 쓰세요.

㉮ 예의를 엄격하게 가르쳐 어른을 공경하게 해야 한다.
㉯ 잘못한 사람에게는 강력한 벌을 주어 반성하게 해야 한다.
㉰ 오리는 다리가 짧은 대로, 학은 다리가 긴 대로 살아야 한다.
㉱ 부모에게는 효를 다하고 나라에는 충성하는 사람이 되어야 한다.
㉲ 무엇이 되고자 애쓰지 말고 태어난 그대로 자연스럽게 살면 된다.
㉳ 부자로 사나 가난하게 사나 똑같으므로 돈에 연연할 필요가 없다.

(　　　,　　　,　　　)

어휘·어법

4 장자가 다음 사상에 대해 어떤 말로 비판하였는지 2문단에서 찾아 세 글자로 쓰세요.

유가는 사람들이 도덕적 성품을 갖추면 사회의 혼란을 막을 수 있다고 생각해서 사람들에게 인정이나 의로움, 효와 충성 같은 덕목들을 기르기를 강조했다. 법가는 인간 사회의 혼란을 막기 위해 법을 정하고 사람들이 그것을 지키도록 엄격하게 다스려야 한다고 주장했다.

(　　　　　　　)

지문 분석

정답과 해설 33쪽

1 문단 요약 다음은 이 글에 나타난 각 문단의 중심 내용입니다. 알맞은 것에 ○표, 틀린 것에 ×표를 하세요.

1 문단	장자는 춘추 전국 시대 제자백가 중 하나인 유가의 사상가이다.	( )
2 문단	장자는 무위자연의 삶과 세상 모든 것을 똑같이 대하는 삶의 태도를 강조했다.	( )
3 문단	장자는 자신의 생각을 이야기 형식으로 전달해 사람들이 그 속에서 깨달음을 얻게 했다.	( )

2 글의 구조 다음 표의 빈칸을 채워 이 글의 내용을 정리해 보세요.

장자

- 춘추 전국 시대에 활동한 중국 사상가
- 제자백가 중 하나로 ( ) 사상을 주장함.

- ( )자연의 삶. 모든 것을 ( )하지 않고 똑같이 대하는 삶의 태도를 주장함.
- 욕망을 초월한 ( )적 인물로 평가됨.

- 자신의 생각을 ( ) 형식으로 전달함. 예 호접지몽 이야기

배경지식 춘추 전국 시대의 사상가들

공자

"지나침은 모자람만 못하다."

맹자

"다스림은 선함으로만 되지 않고, 제도가 있어야 한다."

한비자

"법에 따라 엄하게 다스려야 한다."

장자

"인위적으로 하지 말고 자연스럽게 해야 한다."

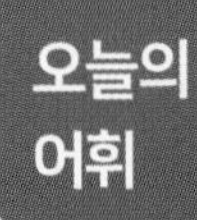

오늘의 어휘

다음 낱말의 알맞은 뜻을 찾아 선으로 이으세요.

낱말	뜻
분열 •	• 여러 갈래로 나뉘는 것.
본성 •	• 어떤 한계를 뛰어넘는 것.
권세 •	• 사람이 날 때부터 가진 성질.
연연하지 •	• 권력과 세력을 아울러 이르는 말.
초월 •	• 어떤 일을 잊거나 포기하지 않고 계속하여 마음을 쓰지.

1

다음 빈칸에 들어갈 알맞은 말을 오늘의 어휘 에서 찾아 쓰세요.

- 그들은 승패를 [　　　　]하여 멋진 경기를 펼쳤다.
- 그는 [　　　　]된 나라를 통일하고 황제가 되었다.
- 지나간 일에 [　　　　] 말고 현재에 집중해야 한다.
- 간신들은 왕에게 아부하며 [　　　　]를 누리려 한다.
- 내 친구는 [　　　　]이 착해서 어려운 사람을 보면 그냥 지나치지 못한다.

2

다음 글에서 밑줄 친 말과 비슷한 뜻을 가진 말을 찾아 두 글자로 쓰세요.

인간의 본성이 악한가 선한가를 두고 많은 논란이 있어 왔다. 맹자는 사람의 천성이 선하다고 주장했다. 인간의 마음속에는 도덕심이 이미 존재하므로 이를 잘 갈고 닦으면 된다는 것이다. 반면에 순자는 사람의 본성은 악하다고 생각했다. 그래서 교육을 통해 악한 마음을 바로잡고 바른 마음을 쌓아야 한다고 주장했다.

(　　　　　　)

KEY WORD

니콜라 테슬라

글자 수

1097

600 800 1000 1200

천재 발명가 니콜라 테슬라

1 1856년 크로아티아에서 태어난 니콜라 테슬라는 어려서부터 발명에 관심이 많았다. 1880년대에 전기 **공급**을 시작한 에디슨은 **직류** 전력 공급 방식을 사용했다. 이를 본 테슬라는 직류 대신 전기가 흐르는 방향이 주기적으로 바뀌는 교류 장치를 생각해 냈다. 직류는 **전압**을 높이기 어려워 먼 거리까지 전력을 보내기 어렵지만, 교류는 직류보다 전압을 높이기 쉬워 적은 손실로 전류를 멀리 보낼 수 있기 때문이다. 테슬라는 1882년 파리 콘티넨털에디슨 회사에서 기술자로 일하면서 최초의 교류 모터를 제작했다. 1884년엔 미국 에디슨 기계 제작소에 들어가 ㉠교류가 우수하다고 주장했으나 직류를 주장하는 에디슨과 의견이 맞지 않아 1년 뒤 제작소를 그만두었다.

2 테슬라는 1888년에 조지 웨스팅하우스에게 교류 관련 장치들의 **특허**를 팔았고 웨스팅하우스는 교류 방식의 전력 공급에 나선다. 전력 시스템의 표준을 직류로 할지 교류로 할지 경쟁하는 '전류 전쟁'이 시작되었다. 에디슨은 교류 시스템에 사람이 죽을 수도 있다는 과장된 **선전**을 했지만 1893년 시카고 만국 박람회에 교류가 채택되고 1895년 나이아가라 폭포에 교류 발전기를 사용한 수력 발전소가 건설되면서 교류가 인정받는다. 이후 미국에서 제작된 대부분의 전기 장비가 전력 공급 방식으로 교류를 사용하게 되었다.

3 테슬라는 1891년에 테슬라 코일을 만들어 간단한 장치로 수십만 볼트의 전압을 만들어 낸다. 무선 통신을 발명하기도 했다. 그는 1943년 숨을 거두기까지 26개국에서 약 300개의 특허를 획득하는 놀라운 성과를 냈다. 오늘날 우리가 사용하는 리모컨, 모터, 형광등, 네온사인, 레이더 등은 모두 그가 발명했거나 그가 발명한 기술을 **기반**으로 한 것이다. 이렇게 니콜라 테슬라는 전기의 아버지라 불리는 에디슨의 경쟁자이자 그를 뛰어넘기도 한 천재 발명가였다. 그러나 그는 살아 있는 동안 자신의 성과를 제대로 인정받지 못하고 쓸쓸히 죽은 **비운**의 천재이기도 하다.

4 다행히 오늘날에는 그가 남긴 성과가 재평가되며 많은 사람들이 그를 기억한다. **자기장**의 세기를 나타내는 단위인 T(Tesla)는 그의 이름 테슬라에서 비롯되었다. 세르비아에 있는 '니콜라 테슬라 국제 공항', 미국 전기 전자 통신 학회가 **수여**하는 '니콜라 테슬라상', 미국의 전기차 제조업체 '테슬라' 등 그의 이름을 딴 수많은 명칭들도 있다. 또한 그의 생일인 7월 10일은 세르비아에서 '과학의 날'로 정해져 있다.

- **공급**(供 이바지할 공, 給 줄 급) 필요한 것을 마련하여 주는 것.
- **직류**(直 곧을 직, 流 흐를 류) 시간이 지나도 전류의 크기와 방향이 변하지 않는 전류.
- **전압**(電 번개 전, 壓 누를 압) 전기가 흐르는 힘의 세기.
- **특허**(特 특별할 특, 許 허락할 허) 어떤 사람이나 기관의 발명품에 대하여 그것을 남이 그대로 흉내 내지 못하게 하고 그것을 이용할 권리를 국가가 그 사람이나 기관에 주는 것.
- **선전**(宣 베풀 선, 傳 전할 전) 많은 사람들이 알고 이해하도록 잘 설명하여 널리 알리는 일.
- **기반**(基 터 기, 盤 소반 반) 크고 중요한 일의 기초가 되는 바탕.
- **비운**(悲 슬플 비, 運 운전할 운) 불행하고 비참한 운명.
- **자기장**(磁 자석 자, 氣 기운 기, 場 마당 장) 자기의 작용이 미치는 범위.
- **수여**(授 줄 수, 與 더불 여) 증서, 상장, 훈장 등을 주는 것.

설명 대상

1 **이 글에서 설명한 내용이 아닌 것은 무엇인가요? (　　　　)**

① 니콜라 테슬라의 가족 관계
② 니콜라 테슬라의 대표적 발명
③ 니콜라 테슬라의 출생과 사망 시기
④ 니콜라 테슬라에 대한 당대 사람들의 평가
⑤ 니콜라 테슬라에 대한 오늘날 사람들의 평가

전개 방식

2 **이 글의 각 문단에 나타난 설명 방식이 아닌 것은 무엇인가요? (　　　　)**

① 1문단에서 두 대상의 차이점을 보이고 있다.
② 2문단에서 사건을 시간의 흐름에 따라 설명한다.
③ 3문단에서 대상의 가치나 수준을 평가하고 있다.
④ 4문단에서 구체적인 예를 들어 보이고 있다.
⑤ 4문단에서 대상에 대한 평가를 직접 인용하고 있다.

내용 이해

3 **이 글에서 테슬라가 ㉠과 같이 주장한 이유로 알맞은 말에 ○표 하세요.**

교류는 직류보다 전압을 (높이기, 낮추기) 쉬워 (적은, 많은) 손실로 전류를 멀리 보낼 수 있기 때문이다.

추론하기

4 **이 글에서 사건이 일어난 순서대로 기호를 쓰세요.**

㉮ 테슬라가 교류 모터를 제작함.
㉯ 에디슨이 직류 방식으로 전기 공급을 시작함.
㉰ 테슬라가 교류 관련 장치들의 특허를 웨스팅하우스에게 판매함.
㉱ 에디슨의 직류 방식과 웨스팅하우스의 교류 방식 간 '전류 전쟁'이 시작됨.
㉲ 테슬라가 에디슨 기계 제작소에서 교류의 우수성을 주장했으나 받아들여지지 않음.
㉳ 교류 방식의 우수함을 인정받아 미국 전기 장비의 대부분이 교류 방식을 사용하게 됨.

(　　　　) → (　　　　) → (　　　　) → (　　　　) → (　　　　) → (　　　　)

지문 분석

정답과 해설 34쪽

1 중심 내용

다음 빈칸에 알맞은 말을 넣어 이 글의 중심 내용을 요약하세요.

니콜라 테슬라는 현대 (   ) 문명의 바탕이 되는 (   ) 장치를 발명했으며, 수많은 전기 실험으로 현대 과학 및 기술 발전에 크게 기여한 (   ) 발명가이다.

2 글의 구조

다음 표의 빈칸을 채워 이 글의 내용을 정리해 보세요.

테슬라의 업적

- (   ) 방식 장치를 개발함.
- (   )에게 교류 장치의 우수성을 주장했으나 인정받지 못함.

↓

- '(   ) 전쟁'에서 교류 방식이 인정받아 널리 쓰이게 됨.

↓

- 테슬라 코일, 무선 통신 등 수많은 발명 특허를 획득함.

→

테슬라에 대한 평가

- 천재 발명가였으나 살아 있는 동안 제대로 인정받지 못함.
- 오늘날 그의 성과가 (   )됨.
- 그의 업적을 기리는 수많은 명칭, 상, 기념일 등이 있음.

배경지식 직류와 교류

전류의 방향이 변하지 않는 것을 직류, 흐르는 방향이 주기적으로 변하는 것을 교류라고 한다. 흐르는 방향이 변하는 이유는 전기를 만들 때 자석이 회전 운동을 하기 때문이다.

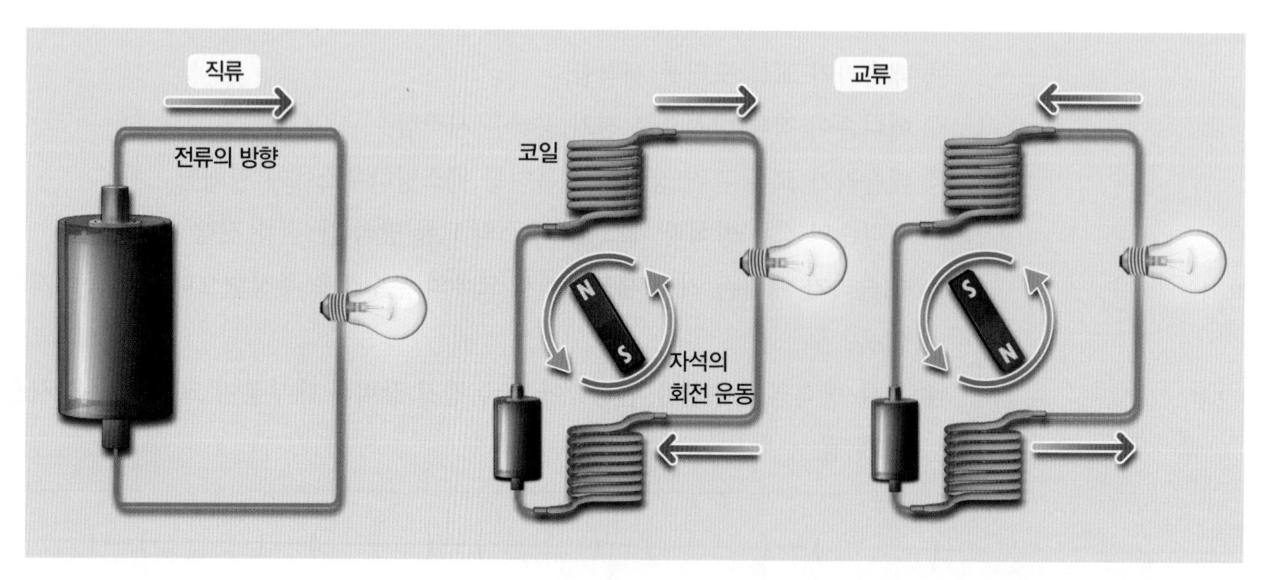

정답과 해설 34쪽

다음 낱말의 알맞은 뜻을 찾아 선으로 이으세요.

낱말		뜻
전압 •		• 불행하고 비참한 운명.
선전 •		• 전기가 흐르는 힘의 세기.
기반 •		• 증서, 상장, 훈장 등을 주는 것.
비운 •		• 크고 중요한 일의 기초가 되는 바탕.
수여 •		• 많은 사람이 알고 이해하도록 잘 설명하여 널리 알리는 일.

1 다음 빈칸에 들어갈 알맞은 말을 오늘의 어휘 에서 찾아 쓰세요.

- 우승자에게 상장과 트로피가 [ ]된다.
- 사람은 자기 경험에 [ ]해 행동하기 쉽다.
- 한국 전쟁은 우리 민족에게 크나큰 [ ]이었다.
- 새로운 제품의 성능이 뛰어나다는 것을 [ ]했다.
- 우리나라에서는 220볼트 [ ]의 전기 제품을 사용한다.

2 다음 글에서 밑줄 친 말과 비슷한 뜻을 가진 말을 찾아 두 글자로 쓰세요.

영화 「커런트 워」와 「테슬라」는 실화를 바탕으로 만들어진 영화이다. 「커런트 워」는 에디슨과 웨스팅하우스, 테슬라의 전류 전쟁을 기반으로 하고 있고, 「테슬라」는 니콜라 테슬라의 발명가로서의 삶을 다룬 영화이다.

( )

개혁을 꿈꾸고 실천한 박지원

KEY WORD

박지원

글자 수

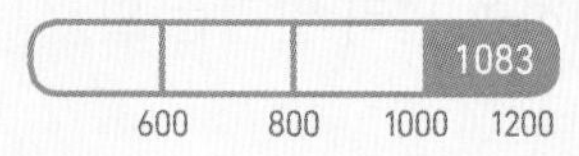

1 박지원은 1737년 서울의 이름난 양반 집안에서 태어났다. 박지원은 벼슬에는 뜻이 없고 젊은 학자들과 어울리며 사회 현실과 새로운 **문물**에 대해 토론하기를 즐겼다. 그러던 1780년, 그는 청나라를 방문하는 **사신**단에 뽑힌 친척을 따라 청나라에 갈 기회를 얻었다. 당시 청나라는 조선에 비해 서양과의 **교류**가 많아서 과학, 기술, 문화 등이 조선보다 앞서 있었다. 압록강을 건너 베이징(북경)을 거쳐 러허(열하)까지 갔다 한양으로 돌아오기까지 5개월간 청나라의 기술과 문화를 접하며 박지원은 큰 충격을 받았다. 이후 박지원은 청나라 여행 경험을 담은 『열하일기』를 발표했다. 『열하일기』는 청나라의 정치·경제·사회·문화에 대해 보고 듣고 느낀 점과 이를 바탕으로 한 박지원의 **실학** 사상으로 이루어져 있다. 또한 이 책에는 당시 조선 사회에 대한 **비판**을 담은 「호질」, 「허생전」 등의 소설도 함께 실려 있다.

2 청나라에 다녀온 경험과 『열하일기』 집필은 박지원에게 조선의 변화를 꿈꾸게 했다. 당시 빠르게 변화하는 세계의 흐름과 달리 조선은 자신의 생각만을 고집하며 변화를 받아들이지 못하고 있었다. 특히 청나라를 **오랑캐**라 업신여겼으며 이전에 치렀던 전쟁으로 청나라를 안 좋게 생각했다. 박지원은 이런 생각을 가진 조선의 양반들을 겉치레와 형식에만 힘쓰고 **명분**과 **체면**을 중시한다며 비판했다. 그리고 과학 기술을 발전시켜 백성을 이롭게 하고 나라를 **부강하게** 하는 것이 우선이라 여겼다. 그래서 청나라의 문물을 받아들이고 상공업을 발달시켜 경제를 활발히 하자는 **개혁** 사상인 북학론을 주장했다.

3 박지원은 1786년에 처음 벼슬을 했다. 관리가 된 그는 노인들을 초청해 잔치를 베풀거나 죄에 대한 처벌을 **관대하게** 하였으며, 백성들의 삶을 살피는 데 힘썼다. 베틀, 물레방아 등을 만들어 백성들에게 사용하게 하였고, 청나라식 건물을 짓기도 했다. 1798년에 농사 방법을 정리한 책 『과농소초』를 썼는데, 이 책에서 청나라의 농사법을 활용하고 농기구와 비료를 바꿔 생산량을 늘릴 것을 주장하기도 했다. 이후 1805년에 세상을 떠날 때까지 박지원은 끊임없이 새로운 것을 배우고 자신의 학문이 백성의 삶을 풍요롭게 할 수 있도록 실천하는 삶을 살았다.

- **문물**(文 글월 문, 物 만물 물) 종교·예술·학문·정치·경제·기술 등 사람이 만들어 낸 모든 문화적 산물.
- **사신**(使 부릴 사, 臣 신하 신) 임금이나 나라의 명령을 받고 다른 나라에 파견되는 신하.
- **교류**(交 사귈 교, 流 흐를 류) 사람들이 서로 자주 만나거나 연락하면서 의견이나 물건을 주고받고 하는 것.
- **실학**(實 열매 실, 學 배울 학) 17세기 후반부터 조선 말기까지 전통적 유학에서 벗어나 실생활의 향상과 사회 제도의 개선을 이루고자 한 우리나라의 학문.
- **비판**(批 비평할 비, 判 판가름할 판) 행동, 생각, 사물을 자세히 따져서 옳고 그름, 좋고 나쁨에 대하여 자기 생각을 밝히는 것.
- **오랑캐** 다른 민족을 낮잡아 이르는 말.
- **명분**(名 이름 명, 分 나눌 분) 겉으로 내세우는 이유나 구실.
- **체면**(體 몸 체, 面 낯 면) 남을 대하기에 떳떳한 태도나 입장.
- **부강**(富 부유할 부, 强 강할 강)**하게** 부유하고 강하게.
- **개혁**(改 고칠 개, 革 가죽 혁) 제도, 관습, 기구 등을 새롭게 바꾸는 것.
- **관대**(寬 너그러울 관, 大 큰 대)**하게** 마음이 너그럽게.

글의 특징

1 이 글에 대한 설명으로 알맞지 않은 것은 무엇인가요? (　　　　)

① 박지원의 삶에 대한 평가가 나타나 있다.
② 박지원의 삶을 시간의 흐름에 따라 소개하고 있다.
③ 박지원의 개혁 사상이 후대에 미친 영향이 나타나 있다.
④ 박지원이 자신의 사상을 실천한 구체적 예가 나타나 있다.
⑤ 박지원이 청나라를 여행한 기간과 방문한 지역을 알려 주고 있다.

내용 이해

2 이 글에서 설명한 내용이 아닌 것은 무엇인가요? (　　　　)

① 박지원이 주장한 사상의 내용
② 박지원과 함께 북학론을 주장한 학자들
③ 당시 조선이 청나라에 대하여 가진 생각
④ 박지원이 관리가 되어 백성을 위해 한 일
⑤ 『열하일기』의 내용과 함께 실린 소설의 제목

추론하기

3 이 글의 내용으로 미루어, 박지원이 주장한 내용으로 볼 수 없는 것은 무엇인가요?

(　　　　)

① 청나라의 문물을 받아들이자.
② 실생활에 도움이 되는 학문을 연구하자.
③ 이익이 되는 일이라도 명분에 어긋나면 하지 말자.
④ 오랑캐의 것이라도 이로움이 있다면 기꺼이 배우자.
⑤ 우리 것만 고집하지 말고 다른 나라의 선진 기술을 배우자.

적용하기

4 다음 빈칸에 들어갈 말을 2문단에서 찾아 세 글자로 쓰세요.

백성들의 삶은 어려워지는데 양반들이 현실성 없는 이야기만 하자, 일부 젊은 학자들이 백성들이 실제로 잘살 수 있는 사상을 고민하여 실용적인 학문인 실학을 주장한다. 실학은 '백성들이 잘살 수 있는 방법의 중심'이 무엇이냐에 따라 농업을 중시하는 중농학파와 (　　　　)을 중시하는 중상학파로 나뉜다. 중상학파는 청의 문물을 받아들이자는 주장을 해 북학파라고 부르기도 한다.

(　　　　　　　　)

지문 분석

정답과 해설 35쪽

1 문단 요약 다음은 이 글에 나타난 각 문단의 중심 내용입니다. 알맞은 것에 ○표, 틀린 것에 ×표를 하세요.

1 문단	『열하일기』를 쓴 후 청나라를 방문한 박지원	(　　)
2 문단	조선의 개혁을 위해 북학론을 주장한 박지원	(　　)
3 문단	개혁을 실천하고 백성을 위하는 삶을 산 박지원	(　　)

2 글의 구조 다음 표의 빈칸을 채워 이 글의 내용을 정리해 보세요.

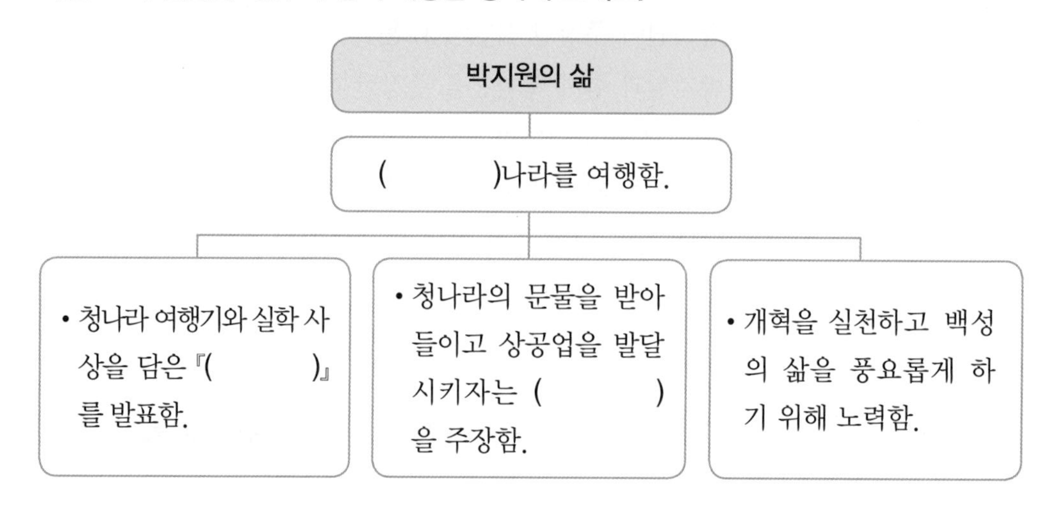

배경지식 박지원의 청나라 여행

『열하일기』는 박지원이 의주에서 출발하여 156일 동안 청나라를 여행하고 쓴 기행문이다.

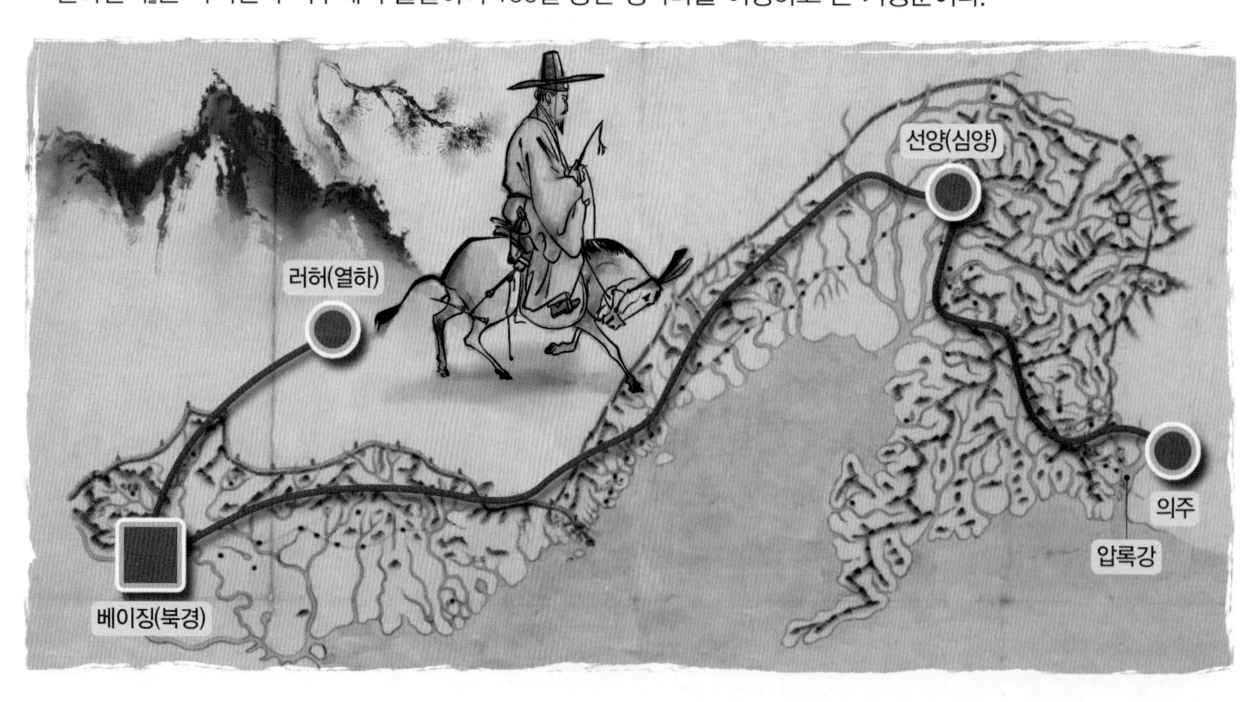

오늘의 어휘

다음 낱말의 알맞은 뜻을 찾아 선으로 이으세요.

낱말		뜻
교류 •		• 겉으로 내세우는 이유나 구실.
비판 •		• 남을 대하기에 떳떳한 태도나 입장.
명분 •		• 제도, 관습, 기구 등을 새롭게 바꾸는 것.
체면 •		• 사람들이 서로 자주 만나거나 연락하면서 의견이나 물건을 주고받고 하는 것.
개혁 •		• 행동, 생각, 사물을 자세히 따져서 옳고 그름, 좋고 나쁨에 대하여 자기 생각을 밝히는 것.

1 다음 빈칸에 들어갈 알맞은 말을 오늘의 어휘 에서 찾아 쓰세요.

- 잘못된 제도를 [   ]해야 한다.
- 두 나라는 옛날부터 [   ]가 활발하였다.
- 전쟁은 어떤 [   ]으로도 정당화될 수 없다.
- 남을 [   ]하기 전에 항상 나 자신부터 돌아봐야 한다.
- 부모님의 [   ]을 봐서라도 함부로 행동해서는 안 된다.

2 다음 글에서 밑줄 친 말과 뜻이 비슷한 말을 찾아 두 글자로 쓰세요.

박지원의 소설 「호질」은 겉과 속이 다르고 타락한 양반 북곽 선생을 호랑이가 꾸짖으며 인간의 어리석음과 탐욕을 비판하는 내용이다. 이 소설에서 호랑이는 작가 박지원의 생각을 대신하는 인물이며, 북곽 선생은 명분 세우기를 좋아하고 체면을 중시하는 양반을 대표하는 인물이다. 당시 양반들 중에는 양반이라는 <u>명목</u>으로 백성들을 괴롭히는 탐욕스럽고 도덕적이지 못한 이들이 많았다.

(   )

흑인 해방 운동가 해리엇 터브먼

KEY WORD

해리엇 터브먼

글자 수

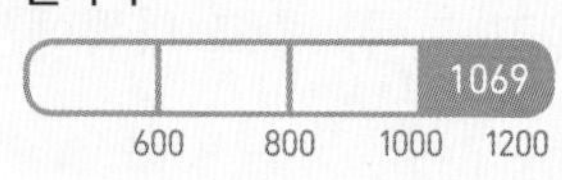

1 해리엇 터브먼은 1820년 미국 메릴랜드주의 한 농장에서 태어났다. 그녀의 **조부모**는 아프리카에서 미국으로 **강제**로 끌려와 노예가 되었고 해리엇 터브먼도 태어날 때부터 노예의 삶을 살았다. 해리엇 터브먼은 대여섯 살부터 부모와 떨어져 아기 돌보미로 일했으며, 10대 때는 도망치는 동료 노예를 돕기 위해 주인에게 반항하다 머리를 맞아 큰 상처를 입기도 했다.

2 그녀는 **비참한** 노예로서의 삶을 이어가다가 1849년 흑인 노예들의 탈출을 돕던 비밀 조직인 '지하 철도'의 한 조직원을 만나 북부로 탈출했다. 당시 미국 백인 사회는 거대한 목화 농장을 경영하는 남부 지역과 공장이 발달한 북부 지역으로 나뉘어 있었다. 남부의 백인들은 힘든 목화 농장 일을 공짜로 해 주는 흑인 노예가 필요해 노예 제도를 **유지**하길 바랐다. 반면 북부의 백인들은 적은 **임금**으로 공장에 취직해 줄 흑인이 필요했기 때문에 노예에게 자유를 주었다. 북부나 남부 모두 흑인의 자유나 **권리** 자체에 대한 관심보다는 자신들의 경제적인 부를 위해서 흑인들의 **처지**를 결정한 것이었지만, 흑인의 입장에서는 적으나마 임금을 주고 자유로운 삶을 인정하는 북부가 좋았다.

3 해리엇 터브먼은 북부에서 자유를 얻은 뒤에 다른 노예들의 탈출을 돕기 시작했다. 1850년부터 10여 년 동안 ㉠<u>죽음의 위험을 무릅쓰고</u> 300명이 넘는 흑인들의 탈출을 도왔다. 그러다 1861년 남북 전쟁이 **발발하자** 노예 해방을 지지하는 북부 군대에 들어가 요리사, 간호사, 안내원 등으로 일했다. 특히 남부 군대에 스파이로 **잠입해** 중요 군사 정보를 빼돌리면서 북부 군대의 승리에 힘을 보탰다. 그녀는 능력을 인정받아 북부 군대 한 부대의 **습격** 작전을 지휘해 700명 이상의 노예를 구출해 내기도 했다.

4 남북 전쟁이 끝나고 노예제가 **폐지**된 뒤에도 터브먼의 투쟁은 계속됐다. 그녀는 흑인들의 삶을 위해 노력했을 뿐 아니라 여성들의 정치 참여 권리를 위해서도 힘썼다. 또한 평생 모은 돈으로 '해리엇 터브먼의 집'을 만들어 가난한 흑인들을 도왔다. 1913년 세상을 뜨기까지, 해리엇 터브먼은 자유와 평등을 위해 싸우는 삶을 살았다. 그 **치열한** 삶은 오늘날까지 많은 사람들에게 존경받고 있다.

- **조부모**(祖 할아비 조, 父 아버지 부, 母 어머니 모) 할아버지와 할머니.
- **강제**(强 강할 강, 制 억제할 제) 힘으로 눌러 억지로 시킴.
- **비참**(悲 슬플 비, 慘 참혹할 참)**한** 몹시 슬프고 불쌍한.
- **유지**(維 바 유, 持 가질 지) 어떤 상태나 현상을 그대로 이어 가거나 계속하는 것.
- **임금**(賃 품팔이 임, 金 쇠 금) 일한 값으로 주거나 받는 돈.
- **권리**(權 권세 권, 利 이로울 리) 어떤 일을 자기 마음대로 할 수 있는 올바른 자격.
- **처지**(處 곳 처, 地 땅 지) 주어진 사정이나 형편.
- **발발**(勃 우쩍 일어날 발, 發 필 발)**하자** 전쟁이나 큰 사건 등이 갑자기 일어나자.
- **잠입**(潛 자맥질할 잠, 入 들 입)**해** 남몰래 숨어들어.
- **습격**(襲 엄습할 습, 擊 공격할 격) 갑자기 공격하는 것.
- **폐지**(廢 폐할 폐, 止 그칠 지) 하던 일, 제도, 풍습 등을 그만두게 하거나 없애는 것.
- **치열**(熾 성할 치, 烈 세찰 열)**한** 세력이나 기세가 매우 센.

설명 대상

1 이 글에서 설명한 내용이 아닌 것은 무엇인가요? (　　　　)

① 해리엇 터브먼이 태어나고 죽은 때
② 해리엇 터브먼에 대한 사람들의 평가
③ 해리엇 터브먼이 북부로 탈출하게 된 배경
④ 해리엇 터브먼의 흑인 노예 해방을 위한 노력
⑤ 해리엇 터브먼이 여성 정치 참여를 위해 투쟁한 결과

내용 이해

2 다음 중 이 글의 내용과 일치하지 않는 것은 무엇인가요? (　　　　)

① 노예제가 폐지된 후에도 흑인들의 삶은 어려웠다.
② 해리엇 터브먼은 노예 해방을 위해 전쟁에 참여했다.
③ 미국 북부 지역은 남부와 달리 많은 돈을 주고 흑인을 고용했다.
④ 해리엇 터브먼이 살았던 시기에는 여성의 정치 참여가 어려웠다.
⑤ 1800년대 초 백인들은 아프리카에서 강제로 흑인들을 끌고 와 노예로 삼았다.

어휘·어법

3 다음 중 ㉠과 바꾸어 쓸 수 있는 말은 무엇인가요? (　　　　)

① 죽음의 위험을 피하고
② 죽음의 위험을 무시하고
③ 죽음의 위험과 관계없이
④ 죽음의 위험에도 불구하고
⑤ 죽음의 위험을 두려워하고

추론하기

4 다음 내용이 들어가기 알맞은 문단의 번호를 쓰세요.

> '지하 철도'에서는 탈출 경로를 '철로', 도망친 흑인 노예를 숨겨 주는 조력자의 집을 '역', 흑인 노예들을 이끌어 북부로 안전하게 탈출시키는 인도자를 '차장'이라고 불렀다.

(　　　　　　　　)문단

지문 분석

정답과 해설 36쪽

1 중심 내용 다음 빈칸에 알맞은 말을 넣어 이 글의 중심 내용을 요약하세요.

해리엇 터브먼은 흑인 여성 (   )로 태어나 (   )와 (   )을 위해 끊임없이 투쟁한 인물이다. 남북 전쟁에서는 여성 최초로 무장 군대를 이끌고 흑인 노예 해방에 앞장섰으며, 전쟁 이후에도 (   )들의 정치 참여와 흑인들의 삶을 위해 노력했다.

2 글의 구조 다음 표의 빈칸을 채워 이 글의 내용을 정리해 보세요.

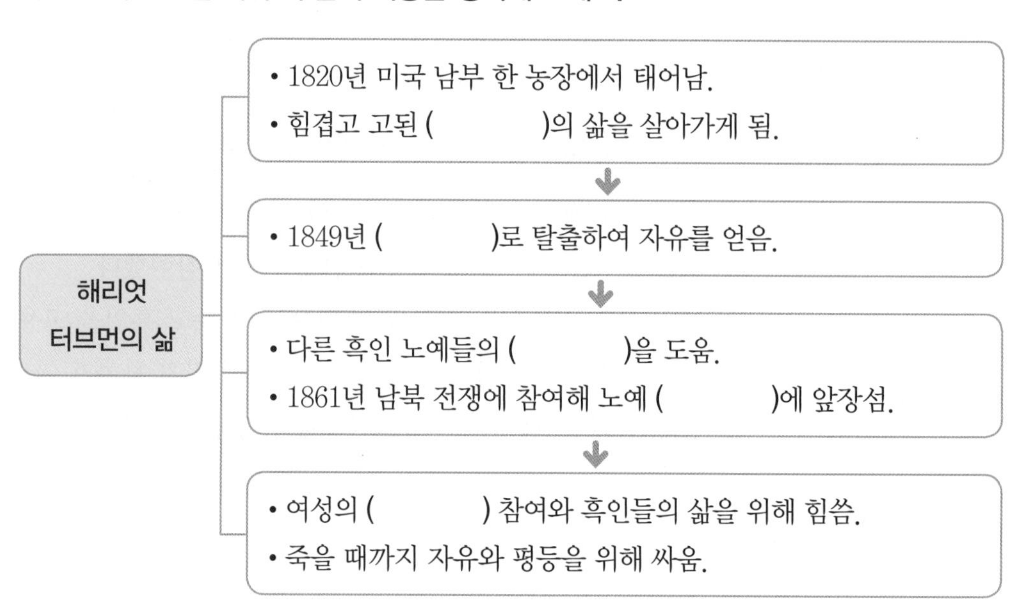

배경지식 미국의 남북 전쟁

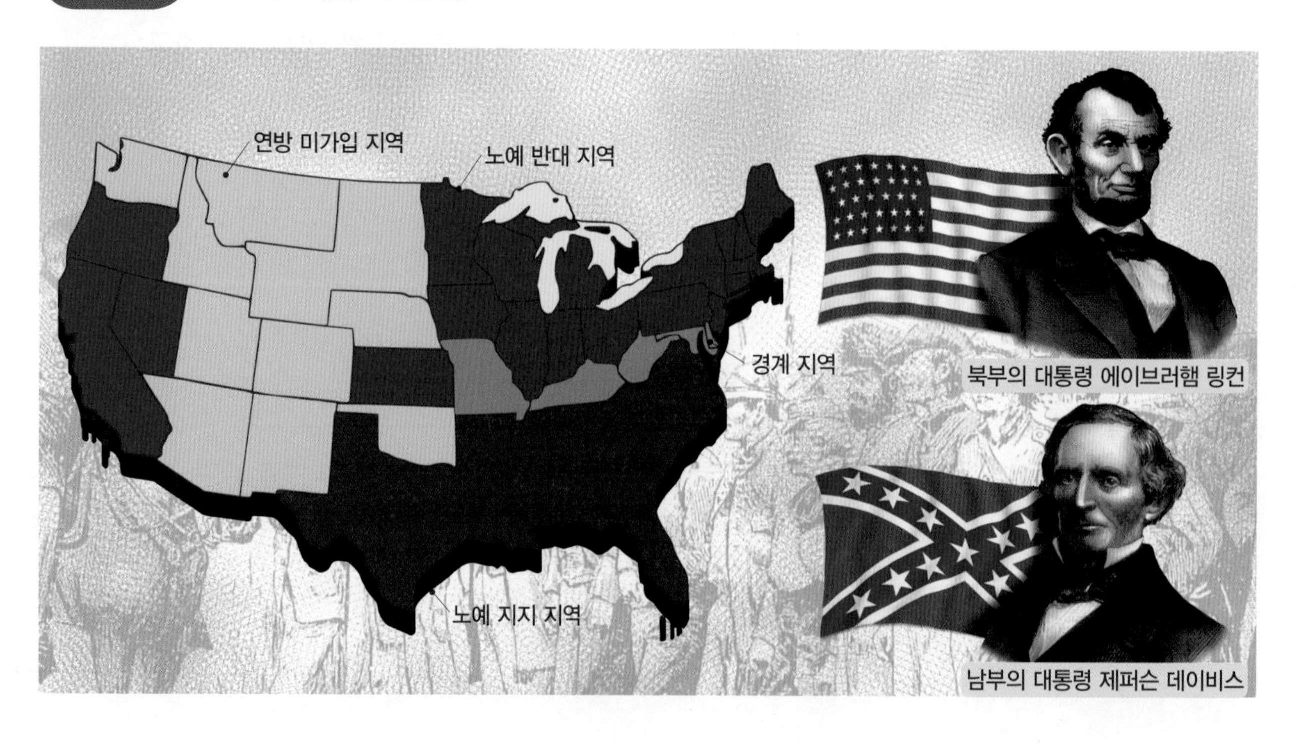

북부의 대통령 에이브러햄 링컨

남부의 대통령 제퍼슨 데이비스

오늘의 어휘

정답과 해설 36쪽

다음 낱말의 알맞은 뜻을 찾아 선으로 이으세요.

강제 •	• 주어진 사정이나 형편.
유지 •	• 힘으로 눌러 억지로 시킴.
임금 •	• 일한 값으로 주거나 받는 돈.
권리 •	• 어떤 일을 자기 마음대로 할 수 있는 올바른 자격.
처지 •	• 어떤 상태나 현상을 그대로 이어 가거나 계속하는 것.

1 다음 빈칸에 들어갈 알맞은 말을 오늘의 어휘 에서 찾아 쓰세요.

- 사람에게는 사람답게 살 [ ]가 있다.
- 무슨 일이든 상대에게 [ ]로 시키면 안 된다.
- 작년보다 더 많은 일을 했더니 [ ]이 올랐다.
- 어린이 보호 구역에서는 느린 속도를 [ ]해야 한다.
- 배려심이 깊은 사람은 다른 사람의 어려운 [ ]를 잘 살피고 돕는다.

2 다음 글에서 밑줄 친 말과 비슷한 뜻을 가진 말을 찾아 두 글자로 쓰세요.

국민은 권리와 함께 의무도 갖는다. 나라를 지킬 의무인 국방의 의무, 나랏일을 운영하는데 드는 세금을 내는 납세의 의무, 모든 국민이 일정한 교육을 받도록 해야 하는 교육의 의무, 일을 해야 하는 근로의 의무, 깨끗한 환경을 지키기 위해 노력해야 할 환경 보전의 의무 등을 국민의 의무라고 한다. 국민들이 국민의 의무를 지키지 않는다면 국가는 발전하기 힘들다. 의무를 지키는 국민들은 국가의 혜택을 누릴 자격이 있다.

( )

온난화와 지구 위기

1 녹아내린 빙하 사이로 북극곰이 위태롭게 서 있는 모습이 인터넷이나 텔레비전을 통해 종종 등장한다. 북극곰이 어쩌다 이렇게 된 것일까? 바로 지구 온난화 때문이다. 지구 온난화란 지구 **지표면**의 평균 기온이 상승하는 현상이다.

2 지구 온난화의 가장 큰 원인은 이산화 탄소의 증가이다. 이산화 탄소는 지구에 있는 열을 지구 밖으로 빠져나가지 못하도록 막는다. 석탄이나 석유 같은 화석 연료의 사용이 증가하고, 이산화 탄소를 흡수하는 숲은 감소하는 등 여러 이유로 **대기** 중 이산화 탄소가 늘어나면서 지구의 기온이 점점 상승하고 있다. 그리고 이는 온 지구를 **위협**하는 다양한 문제를 낳고 있다.

3 지구 온난화로 인해 발생하는 문제 중 하나는 **극지방**의 빙하가 녹는 것이다. 빙하가 녹으면 북극곰뿐 아니라 인간의 삶도 위협받는다. 해수면이 상승해 **저지대**가 물에 잠기기 때문이다. 남태평양의 섬나라 투발루와 태평양 저지대에 사는 사람들은 해수면의 상승으로 생활 **터전**이 물에 잠겨 하나둘 고향을 떠나고 있다.

4 온난화로 인한 사막화도 문제이다. 지구의 온도가 상승하면 토양의 습기가 빠르게 증발해 토양이 **황폐**해지면서 점점 사막처럼 변하는데 이것을 사막화라고 한다. 사막화가 진행되면 물이 사라져 농작물을 재배할 수 없으므로 식량이 부족해진다. 숲이나 초원이 사라지면서 산소 공급이 감소하고 이산화 탄소는 증가하기 때문에 온난화가 더 **악화**될 수도 있다.

5 대기와 바닷물의 순환에 변화가 생겨 발생하는 이상 기후 현상도 심각하다. 지구 곳곳에서 가뭄과 폭염, 잘 꺼지지 않는 산불과 대규모 홍수 등이 발생해 피해를 주고 있다. 또한 강수량이 불규칙해지면서 농작물 생산량이 감소해 식량 부족 문제가 생기고, 높은 기온으로 인해 열대성 질병이나 **해충**이 증가하기도 한다.

6 온난화로 생태계가 파괴되고 동식물이 **멸종** 위기에 처하기도 한다. 바다의 수온 상승으로 주요 먹이가 죽어 먹을 것이 없어지거나, 해수면이 높아져서 알을 낳을 수 있는 해변이 사라져 멸종 위기를 겪는 바다 생물들도 있다. 특별한 장소에서만 살 수 있는 식물이 그 지역의 기후 변화로 인해 더 이상 자라지 못하게 되기도 한다. 기온 상승으로 열대 식물만 살아남고 낮은 온도에서 자라는 식물들이 한꺼번에 멸종될 수도 있다.

KEY WORD

지구 온난화

글자 수

1097 (600 / 800 / 1000 / 1200)

- **지표면**(地 땅 지, 表 겉 표, 面 낯 면) 지구의 표면, 또는 땅의 겉면.
- **대기**(大 큰 대, 氣 기운 기) 지구를 둘러싸고 있는 모든 공기.
- **위협**(威 위엄 위, 脅 으를 협) 두려워하게 하는 것. 겁을 내게 하는 것.
- **극지방**(極 지극할 극, 地 땅 지, 方 모 방) 남극과 북극을 중심으로 한 그 주변 지역.
- **저지대**(低 낮을 저, 地 땅 지, 帶 띠 대) 낮은 지대.
- **터전** 생활의 근거지.
- **황폐**(荒 거칠 황, 廢 폐할 폐) 가꾸고 돌보지 않아 거칠어져 못 쓰게 되는 것.
- **악화**(惡 악할 악, 化 될 화) 어떤 상태가 나빠지는 것.
- **해충**(害 해로울 해, 蟲 벌레 충) 인간의 생활에 해를 끼치는 벌레.
- **멸종**(滅 멸망할 멸, 種 씨 종) 생물의 한 종류가 지구에서 완전히 없어지는 것.

설명 대상

1 이 글에서 설명한 내용이 아닌 것은 무엇인가요? (　　　　)

① 지구 온난화의 개념
② 지구 온난화의 원인
③ 지구 온난화의 영향
④ 지구 온난화의 문제점
⑤ 지구 온난화의 해결책

전개 방식

2 이 글의 1~3문단에서 사용한 설명 방법이 아닌 것은 무엇인가요? (　　　　)

① 1문단에서 대상의 뜻을 설명하고 있다.
② 1문단에서 스스로 묻고 답하는 방식을 활용해 독자의 관심을 끌고 있다.
③ 2문단에서 어떠한 일의 원인과 그에 따른 결과를 설명하고 있다.
④ 3문단에서 구체적인 예를 들어 설명하고 있다.
⑤ 3문단에서 서로 다른 대상의 차이점을 설명하고 있다.

내용 이해

3 4문단을 읽고 ㉠과 ㉡에 들어갈 말을 찾아 쓰세요.

[㉠] 현상 → 숲이나 초원 감소
↑ ↓
지구 온난화 현상 ← [㉡] 증가

㉠: (　　　　　　　　), ㉡: (　　　　　　　　)

추론하기

4 이 글을 읽고 짐작할 수 있는 내용이 아닌 것은 무엇인가요? (　　　　)

① 동식물은 삶의 환경이 바뀌면 멸종할 수도 있다.
② 온난화 현상이 지구의 식량 위기를 불러올 수 있다.
③ 기온이 상승하면 모든 식물이 멸종 위기에 처할 것이다.
④ 건물을 지을 때 숲을 함께 만들면 이산화 탄소를 줄일 수 있다.
⑤ 석탄, 석유의 사용을 줄이면 온난화 현상을 막는 데 도움이 된다.

지문 분석

정답과 해설 37쪽

1 문단 요약 이 글에 나타난 각 문단의 중심 내용으로 알맞은 것을 찾아 선으로 이으세요.

1 문단 •		• 지구 온난화 현상의 원인
2 문단 •		• 지구 온난화 현상의 개념
3 문단 •		• 지구 온난화로 인한 사막화 문제
4 문단 •		• 지구 온난화로 인한 이상 기후 문제
5 문단 •		• 지구 온난화로 인한 해수면 상승 문제
6 문단 •		• 지구 온난화로 인한 생태계 파괴 문제

2 글의 구조 다음 표의 빈칸을 채워 이 글의 내용을 정리해 보세요.

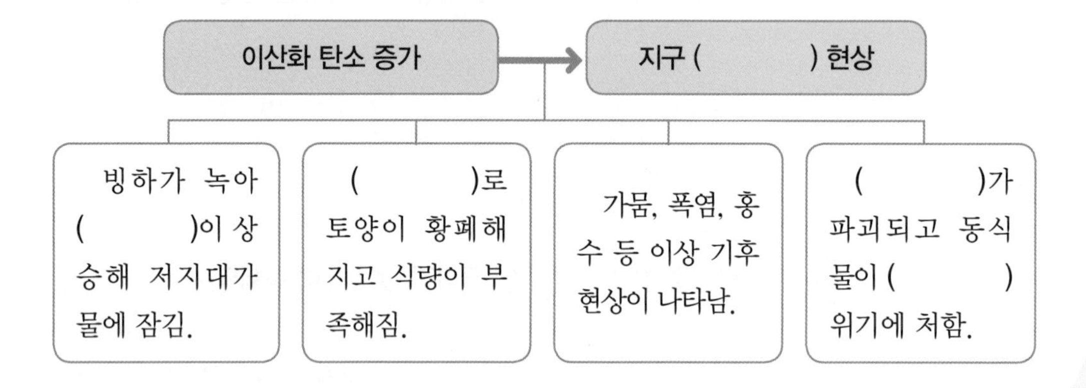

배경지식 가정에서 온실 가스를 줄일 수 있는 방법

오늘의 어휘

다음 낱말의 알맞은 뜻을 찾아 선으로 이으세요.

위협 •	• 생활의 근거지.
터전 •	• 어떤 상태가 나빠지는 것.
황폐 •	• 인간의 삶에 해를 끼치는 벌레.
해충 •	• 두려워하게 하는 것. 겁을 내게 하는 것.
악화 •	• 가꾸고 돌보지 않아 거칠어져 못 쓰게 되는 것.

1 다음 빈칸에 들어갈 알맞은 말을 오늘의 어휘 에서 찾아 쓰세요.

- 어부들은 바다가 삶의 [ ]이다.
- 가뭄으로 마을 전체가 [ ]해졌다.
- 기상 [ ]로 비행기가 출발하지 못했다.
- 바퀴, 벼룩 같은 벌레를 [ ]이라고 한다.
- 환경 오염은 인류의 생존을 [ ]하고 있다.

2 다음 글에서 밑줄 친 말과 반대의 뜻을 가진 말을 찾아 두 글자로 쓰세요.

얼마 전부터 할아버지께서 편찮으시다. 하루 빨리 수술을 하지 않으면 증상이 악화될 수 있다고 한다. 부모님께서는 할아버지께서 힘든 수술을 견디실 수 있을까 걱정하셨다. 할아버지를 위해 내가 할 수 있는 일은 할아버지의 병세가 <u>호전</u>되기를 기도하는 것뿐이었다.

( )

체르노빌 원전 사고

KEY WORD

원자력 발전

글자 수

1 1986년 4월 26일 우크라이나 체르노빌의 원자력 발전소에서 제4호 원자로가 폭발했다. 원자로의 안전 시스템을 시험하던 중 발생한 거대한 폭발로 원자로 지붕이 파괴되고 화재가 발생했으며 **방사성** 물질이 대량으로 **유출**됐다. 발전소와 가까운 벨라루스, 우크라이나, 러시아 일부 지역이 심하게 오염됐으며 작은 **입자**들은 먼 지역까지 바람을 타고 퍼졌다.

2 사람들은 사태의 심각성을 제대로 이해하지 못했다. 현장에 남은 사람들과 지역 소방관들이 **방사선**을 막을 수 있는 보호복도 입지 않은 채 화재를 진압하고 상황을 **수습**했다. **방사능** 구름이 **인근** 지역을 뒤덮고 36시간이 지난 후에야 인근 도시 주민을 대피시키라는 명령이 내려졌다. 체르노빌이 격리되고 원자로를 봉쇄하기까지, 셀 수 없는 사람들이 방사선에 그대로 **노출**되었다.

3 체르노빌 사고로 인한 피해는 지금까지도 정확한 규모를 알 수 없다. ㉮ 방사선에 노출된 사람들의 질병과 죽음을 방사선 때문이라고 **단정** 짓기 어렵고 ㉯ 피해가 오랜 시간에 걸쳐 나타나기 때문이다. 확실한 것은 피해가 심각하다는 것이다. 여러 공식 기관에서 피해자가 적게는 수십만, 많게는 수백만 명에 이르는 것으로 추정하고 있고, 그중 수천에서 수만 명이 암으로 사망했거나 사망할 것으로 예측했다. 기형아 출산 비율과 유아 사망률도 증가했다. 체르노빌 원전에서 30킬로미터 내에 있는 토양과 지하수 또한 방사선에 심하게 오염돼 이 지역은 이후 몇백 년이 지나도 사람이 살 수 없는 죽음의 땅이 되어 버렸다. 현재에도 체르노빌 발전소 주변 지역은 출입이 제한되고 있다.

4 원자력 발전은 화석 연료에 비해 환경 오염이 적고 비용이 적게 들어 큰 기대를 받았다. 그러나 체르노빌 원전 사고는 ㉠ 원자력 발전의 어두운 면을 보여 준다. 사고가 발생할 경우 방사성 물질이 나와 심각한 피해가 생길 수 있기 때문이다. 게다가 원자력 발전 과정에서 나오는 **폐기물**에는 방사선을 내보내는 물질이 수천 년 동안 남아 있어 처리가 어렵다.

- **방사성(放 놓을 방, 射 쏠 사, 性 성품 성)** 물질이 방사능을 가진 성질.
- **유출(流 흐를 유, 出 날 출)** 밖으로 흘러 나가거나 흘려 내보냄.
- **입자(粒 알 입, 子 아들 자)** 물질의 일부로서, 구성하는 물질과 종류가 같은 아주 작은 물체.
- **방사선(放 놓을 방, 射 쏠 사, 線 선 선)** 라듐, 우라늄 등 특수한 물질이 내뿜는 에너지의 흐름.
- **수습(收 거둘 수, 拾 주울 습)** 어수선하고 불안한 마음이나 사태를 정리하고 바로잡는 것.
- **방사능(放 놓을 방, 射 쏠 사, 能 능할 능)** 라듐, 우라늄 등 특수한 물질이 내뿜는 강력한 힘.
- **인근(隣 이웃 인, 近 가까울 근)** 이웃한 가까운 곳.
- **노출(露 드러낼 노, 出 날 출)** 어떤 상황이나 환경의 영향을 직접 받게 하는 것. 무방비 상태가 되는 것.
- **단정(斷 끊을 단, 定 정할 정)** 딱 잘라서 판단하고 결정함.
- **폐기물(廢 폐할 폐, 棄 버릴 기, 物 만물 물)** 쓸모없어 버리는 물건, 쓰레기.

지문 독해

설명 대상

1 **이 글에서 설명한 내용이 아닌 것은 무엇인가요? (　　　　)**

① 원자력의 단점
② 원자력의 장점
③ 체르노빌 원전 사고의 결과
④ 체르노빌 원전 사고의 발생 시기
⑤ 원자력 발전소 건설에 대한 찬반 입장

내용 이해

2 **다음 중 이 글의 내용과 일치하는 것은 무엇인가요? (　　　　)**

① 방사선 노출은 사람에게만 피해를 준다.
② 폐기물 처리가 완벽히 해결된다면 원자력 발전은 안전하다.
③ 체르노빌 사고 직후 사람들은 빠른 대처로 피해를 줄이려 했다.
④ 방사선 노출이 사람들에게 질병과 죽음을 불러온다고 할 수 없다.
⑤ 폭발 장소와 맞닿지 않은 먼 지역까지도 방사선 오염 피해가 발생할 수 있다.

추론하기

3 **㉠에 해당하는 것은 무엇인가요? (　　　　)**

① 비용 문제
② 환경 문제
③ 기술 문제
④ 안전성 문제
⑤ 이용 편리성 문제

적용하기

4 **다음은 체르노빌 사고 피해에 대한 여러 기관의 보고 중 일부입니다. 피해의 규모를 알 수 없는 이유와 관련해 ㉮, ㉯를 뒷받침할 수 있는 것을 각각 골라 기호를 쓰세요.**

ⓐ 사고 당시 18세 미만이었던 어린이와 청소년 중 4000명 정도가 1992~2002년 사이 갑상선암 진단을 받았다.
ⓑ 러시아 오염 지역에서 6000건 이상의 갑상선암이 보고되었지만, 체르노빌 사고 이전에도 암 발생이 높아지는 경향이 있었다.
ⓒ 벨라루스, 러시아, 우크라이나에서 방사선 노출 영향으로 갑상선암 진단을 받은 환자 수는 2016년까지 만 천 명이 넘으며, 앞으로 더욱 증가할 것으로 예측된다.
ⓓ 사고 당시 방사선에 노출된 어린이들이 암에 걸릴 위험성을 추적 조사한 결과, 방사선에 노출된 양이 많을수록 암에 걸릴 위험이 높아지고, 25년이 경과한 후에도 위험이 낮아지지 않았다.

㉮: (　　　　　　　　), ㉯: (　　　,　　　,　　　)

지문 분석

정답과 해설 38쪽

1 문단 요약 다음은 이 글에 나타난 각 문단의 중심 내용입니다. 알맞은 것에 ○표, 틀린 것에 ×표를 하세요.

문단	중심 내용	
1문단	체르노빌 원전 사고의 발생	(　　)
2문단	체르노빌 원전 사고가 발생한 원인	(　　)
3문단	체르노빌 원전 사고의 복구 과정과 현재 모습	(　　)
4문단	원자력 발전의 장단점과 안전성 문제	(　　)

2 글의 구조 다음 표의 빈칸을 채워 이 글의 내용을 정리해 보세요.

- 체르노빌 (　　　　) 발전소에서 원자로 폭발이 일어남.
- 방사성 물질이 대량 (　　　　)됨.

↓

- 사고를 수습하는 과정에서 사람들이 보호복을 입지 않음.
- 인근 도시 주민들을 늦게 대피시킴.
- 많은 사람들이 (　　　　)에 노출됨.

↓

- 수많은 사람들이 (　　　　)에 걸리고 죽음에 이름.
- 주변 (　　　　)과 지하수가 방사선에 오염돼 몇백 년이 지나도 사람이 살 수 없는 땅이 됨.

→ 체르노빌 원전 사고로 (　　　　) 발전의 위험성이 드러남.

배경지식 화석 연료도, 원자력도 안 된다면? 신재생 에너지!

신재생 에너지는 기존의 화석 연료를 재활용하거나 재생 가능한 에너지를 변환시켜 이용하는 에너지로, 태양열 에너지, 지열 에너지, 해양 에너지, 풍력 에너지, 조류 에너지 등이 있다.

정답과 해설 38쪽

오늘의 어휘

다음 낱말의 알맞은 뜻을 찾아 선으로 이으세요.

유출 •	• 딱 잘라서 판단하고 결정함.
수습 •	• 쓸모없어 버리는 물건, 쓰레기.
노출 •	• 밖으로 흘러 나가거나 흘려 내보냄.
단정 •	• 어수선하고 불안한 마음이나 사태를 정리하고 바로잡는 것.
폐기물 •	• 어떤 상황이나 환경의 영향을 직접 받게 하는 것. 무방비 상태가 되는 것.

1 다음 빈칸에 들어갈 알맞은 말을 오늘의 어휘 에서 찾아 쓰세요.

- 나의 실수로 중요한 정보가 [   ]되었다.
- 바다에 [   ]을 함부로 버리는 것은 불법이다.
- 햇볕에 장시간 [   ]되는 것은 피부에 해롭다.
- 앞으로의 일이 잘못될 거라고 쉽게 [   ]하지 말자.
- 불이 나자 선생님들은 혼란을 [   ]하고 학생들을 밖으로 내보냈다.

2 다음 글에서 밑줄 친 말과 비슷한 뜻을 가진 말을 찾아 두 글자로 쓰세요.

고속도로 한복판에서 차끼리 부딪히는 사고가 발생해 도로 위 차들이 움직이지 못하고 수습하기 힘든 상황이 되었다. 경찰과 구급차가 출동하여 사고 현장을 <u>처리</u>하기 시작했다. 잠시 후 정체되어 있던 차들이 서서히 앞으로 나아가기 시작했다.

(   )

유전자 조작 농산물

KEY WORD

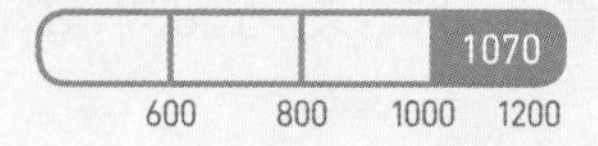

글자 수

1070

600 800 1000 1200

1 유전자란 부모로부터 자식에게 전해지는 특징인 유전 정보를 담고 있는 물질이다. 우리의 머리카락 색깔, 키, 혈액형, 생김새 등이 유전자에 따라 결정된다. 유전자 조작이란 어떤 생물체의 유용한 유전자를 다른 생물체의 유전자와 결합시켜 원하는 특징을 갖도록 만드는 것이다. 이런 기술로 만들어진 농산물이 유전자 조작 농산물이다. 유전자 변형 농산물이라고도 한다. 세계 최초의 유전자 조작 농산물은 1986년에 미국에서 개발된 '무르지 않는 토마토'이다. 그 뒤 '농약에 잘 견디는 콩', '**병충해**에 강한 벼' 등 유전자를 조작한 농산물이 계속 개발되었다.

2 유전자 조작 농산물을 적극적으로 개발하고자 하는 사람들은 유전자 조작 농산물이 인류에 도움을 줄 것이라고 생각한다. 유전자를 조작해 농산물의 **품질**을 좋게 할 수 있고 농산물의 생산량을 늘려 식량 부족 문제를 해결할 수 있기 때문이다. 게다가 유전자를 조작해 병충해에 강한 식물을 재배하면 농약의 사용을 줄여 환경 오염을 줄일 수도 있다.

3 (㉠) 유전자 조작 농산물에 부정적인 입장을 취하는 사람들도 많다. 유전자를 **조합**하는 과정에서 어떤 물질이 만들어지는지 정확하게 알 수 없으므로 사람들의 건강에 해로울 수 있기 때문이다. 또한 유전자를 조작한 농산물은 새로운 종류의 식물이기 때문에 기존 생태계의 균형과 질서를 파괴할 가능성이 있다. 게다가 병충해에 강한 유전자 조작 농산물 때문에 더 강한 **내성**을 가진 해충과 잡초들이 생길 수도 있는데, 이들은 잘 죽지 않기 때문에 더 많은 농약을 써야 해서 오히려 환경에 안 좋은 영향을 끼칠 수도 있다.

4 이렇듯 유전자 조작 농산물에 대한 긍정적, 부정적 시각이 **공존**하고 있는 가운데 유전자 조작 농산물은 계속 증가하고 있다. 이에 많은 나라에서 '유전자 조작 농산물 표시 제도'를 **실시**하고 있다. 소비자가 구매하는 제품 겉면에 유전자 조작 농산물에 대한 정보를 표시해서, 소비자가 원하는 제품을 선택할 수 있는 권리를 **보장**해 주는 제도이다. 우리나라는 콩, 콩나물, 옥수수 등에 대하여 2001년 3월부터 이 제도를 **시행**하고 있으며 2015년부터 유전자 조작 농산물을 원료로 한 제품의 경우에도 표기하도록 하고 있다.

- **병충해**(病 병들 병, 蟲 벌레 충, 害 해로울 해) 농작물이 균이나 벌레 때문에 입는 피해.
- **품질**(品 물건 품, 質 바탕 질) 상품의 질.
- **조합**(組 짤 조, 合 합할 합) 여럿을 한데 모아 한 덩어리로 짬.
- **내성**(耐 견딜 내, 性 성품 성) 생물체가 어떤 약물에 대하여 가지는 저항력. 약물의 반복 복용에 의해 약의 효과가 떨어지는 현상.
- **공존**(共 함께 공, 存 있을 존) 서로 다른 여러 가지가 함께 있거나 함께 살아가는 것.
- **실시**(實 열매 실, 施 베풀 시) 국가나 공공의 기관에서 어떤 법이나 제도를 실제로 행하는 것.
- **보장**(保 보전할 보, 障 가로막을 장) 어떤 일이 뜻하는 대로 이루어지도록 조건을 마련하여 보호함.
- **시행**(施 베풀 시, 行 다닐 행) 공포한 법이나 제도를 실제로 행하는 것.

설명 대상

1 이 글에서 설명한 내용이 아닌 것은 무엇인가요? (　　　　)

① 유전자의 뜻
② 유전자 조작의 뜻
③ 유전자 조작 농산물의 뜻
④ 유전자 조작 농산물 표시 제도의 목적
⑤ 국가별 유전자 조작 농산물 표시 제도 시행 시기

내용 이해

2 이 글의 내용과 다른 것은 무엇인가요? (　　　　)

① 유전자를 조작해 농산물의 품질을 향상시킬 수 있다.
② 유전자 조작 농산물은 생태계 질서에 영향을 주지 않는다.
③ 우리나라도 유전자 조작 농산물 표시 제도를 실시하고 있다.
④ 머리카락 색깔, 키, 혈액형, 생김새는 유전자에 의해 결정된다.
⑤ 유전자를 조작하는 과정에서 해로운 물질이 만들어질 수도 있다.

어휘·어법

3 ㉠에 들어갈 알맞은 이어 주는 말은 무엇인가요? (　　　　)

① 그리고　② 그래서　③ 더구나
④ 하지만　⑤ 왜냐하면

적용하기

4 다음은 유전자 조작 농산물에 대해 찬성하거나 반대하는 입장의 근거입니다. 각 입장에 해당하는 것을 찾아 기호를 쓰세요.

㉮ 병충해에 강한 유전자 조작 벼는 농약을 덜 써도 된다.
㉯ 유전자 조작 옥수수가 우리에게 이로운 벌레를 죽이는 일도 있다.
㉰ 유전자 조작 옥수수를 재배해 생산량이 기존보다 열 배 증가했다.
㉱ 병충해에 강한 잡초가 생겨서 오히려 농약을 많이 사용하게 되었다.
㉲ 유전자 조작 농산물이 인체에 어떤 영향을 끼치는지 아직 확인할 수 없다.
㉳ 비타민 E가 기존 들깨보다 열 배 이상 많은 들깨가 유전자 변형을 통해 개발되었다.

(1) 찬성 입장: (　　,　　,　　)　(2) 반대 입장: (　　,　　,　　)

지문 분석

정답과 해설 39쪽

1 문단 요약 이 글에 나타난 각 문단의 중심 내용으로 알맞은 것을 찾아 선으로 이으세요.

1문단 •	• 유전자 조작 농산물의 개념
2문단 •	• 유전자 조작 농산물 표시 제도
3문단 •	• 유전자 조작 농산물에 반대하는 입장
4문단 •	• 유전자 조작 농산물에 찬성하는 입장

2 글의 구조 다음 표의 빈칸을 채워 이 글의 내용을 정리해 보세요.

유전자 조작 농산물	여러 생물체의 (　　　)를 결합해 원하는 특징을 갖도록 만드는 유전자 (　　　) 기술로 만들어진 농산물

(　　　) 입장	반대 입장
품질 향상, 생산량 증가, 환경 오염 감소	건강에 나쁜 영향, (　　　) 파괴, 환경 오염 유발

유전자 조작 농산물 (　　　) 제도를 시행함.

배경지식 유전자 조작 농산물 표시 제도

유전자 조작 농산물 표시 제도는 유전자 조작 농산물이 첨가되었는지 제품의 겉면에 표기하는 제도이다.

오늘의 어휘

다음 낱말의 알맞은 뜻을 찾아 선으로 이으세요.

품질 •	• 상품의 질.
내성 •	• 서로 다른 여러 가지가 함께 있거나 함께 살아가는 것.
공존 •	• 국가나 공공의 기관에서 어떤 법이나 제도를 실제로 행하는 것.
실시 •	• 어떤 일이 뜻하는 대로 이루어지도록 조건을 마련하여 보호함.
보장 •	• 생물체가 어떤 약물에 대하여 가지는 저항력. 약물의 반복 복용에 의해 약의 효과가 떨어지는 현상.

1 다음 빈칸에 들어갈 알맞은 말을 오늘의 어휘 에서 찾아 쓰세요.

- 인간은 자연과 [　　　　] 해야 한다.
- 감기약에 [　　　　] 이 생기면 약효가 떨어진다.
- 장래가 [　　　　] 되는 직업을 선택하는 것이 좋다.
- 제품의 [　　　　] 향상을 위해서 신기술을 개발했다.
- 다음 주부터 사회적 거리 두기 2단계를 [　　　　] 한다.

2 다음 글에서 밑줄 친 말과 비슷한 뜻을 가진 말을 찾아 두 글자로 쓰세요.

악어와 악어새는 <u>공생</u> 관계입니다. 악어는 악어새가 입 속으로 들어와도 입을 쫙 벌리고 가만히 있습니다. 악어새가 악어 이빨 사이에 낀 음식 찌꺼기나 기생충을 잡아먹도록 내버려 두는 거지요. 악어새가 먹이를 먹는 동안, 악어의 이빨은 시원하게 청소가 됩니다. 이렇듯 생태계에는 다양한 방식으로 여러 생물들이 공존하고 있습니다.

(　　　　　　　　)

KEY WORD

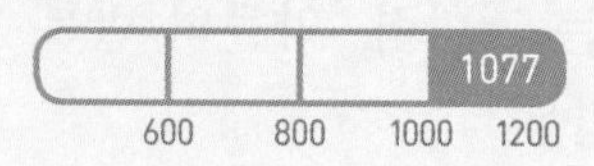

글자 수

1077

600 800 1000 1200

국제 환경 협약

1 지구 온난화, 오존층 파괴, 산성비, 사막화 등 환경 문제는 한 나라만의 문제가 아니다. 발생 범위가 **국경**을 넘어 여러 국가에 걸쳐 있거나 지구 전체인 경우도 있기 때문이다. (㉠) 환경 문제를 해결하기 위해서는 개인과 국가의 노력도 필요하지만, 전 세계가 함께 노력해야 한다. 이런 이유로 환경을 위한 국가 간 협력 절차와 규제를 갖춘 국제 환경 협약이 **체결**되었다. 현재 170여 개가 넘는 국제 환경 협약이 체결되어 있으며 우리나라 역시 다양한 환경 협약에 가입되어 있다.

2 람사르 협약은 1971년에 이란 람사르에서 정한 습지 보호 국제 협약이다. 습지는 하천이나 늪, 연못 및 그 주변의 습한 땅으로 다양한 생물들이 살고 있는 곳이다. 생태계에 중요한 습지들이 **훼손**되는 것을 막기 위해, 협약에 가입한 국가는 보호지로 지정한 습지를 관리하며 3년마다 보고서를 제출해야 한다. 우리나라는 1997년에 가입하였으며, 대암산 용늪, 창녕군 우포늪, 순천만 갯벌 등을 보호지로 지정하여 보호하고 있다.

3 몬트리올 의정서는 1987년 캐나다 몬트리올에서 **채택**한 오존층 파괴 물질의 **규제**에 관한 국제 협약이다. 해로운 자외선을 막아 사람과 생태계를 보호하는 오존층이 파괴되는 것을 막기 위해 약 100가지 기체 물질의 사용을 규제하고 있다. 우리나라는 1992년에 가입했으며 이에 따라 규제 물질을 포함한 냉장고나 에어컨 등의 제품을 비가입국으로부터 수입할 수 없게 되었다.

4 바젤 협약은 1989년 스위스 바젤에서 채택된 협약으로, **유해** 폐기물의 국가 간 이동 및 **교역**을 규제하는 협약이다. 선진국들이 해로운 폐기물을 **개발 도상국**에 마음대로 버리는 것을 막기 위해 폭발성, **인화성** 등 13가지 독성을 가지고 있는 폐기물 47종을 규제 대상으로 정하고 있다. 우리나라는 1994년에 가입했다.

5 이 외에도 무리한 개발과 지나친 **목축**으로 인해 지구에 사막이 늘어나는 것을 **방지**하기 위한 사막화 방지 협약, 폐기물이나 다른 물질을 바다에 함부로 버리는 것을 막아 해양 오염을 방지하기 위한 런던 협약, 지구상의 생물종이 멸종하는 것을 방지하기 위한 생물 다양성 보존 협약 등 다양한 국제 환경 협약이 환경 문제를 **극복**하기 위해 체결되었다.

- **국경**(國 나라 국, 境 지경 경) 나라와 나라의 영역을 가르는 경계.
- **체결**(締 맺을 체, 結 맺을 결) 계약이나 조약을 맺는 것.
- **훼손**(毁 헐 훼, 損 덜 손) 손상시키는 것, 못 쓰게 만드는 것.
- **채택**(採 캘 채, 擇 가릴 택) 여럿 중에서 골라 결정하는 것.
- **규제**(規 법 규, 制 억제할 제) 규칙, 법, 관습 등을 벗어나지 못하게 하는 것.
- **유해**(有 있을 유, 害 해로울 해) 해로움이 있음.
- **교역**(交 사귈 교, 易 바꿀 역) 여러 나라들이 서로 물건을 사고팔고 하는 일.
- **개발 도상국**(開 열 개, 發 필 발, 途 길 도, 上 위 상, 國 나라 국) 선진국에 비해서 경제가 뒤져서 이제 막 경제를 발전시키려고 힘쓰는 나라.
- **인화성**(引 끌 인, 火 불 화, 性 성품 성) 불이 잘 붙는 성질.
- **목축**(牧 칠 목, 畜 가축 축) 소·말·양·돼지 등의 가축을 많이 기르는 일.
- **방지**(防 막을 방, 止 그칠 지) 좋지 않은 일이 일어나지 않도록 미리 막는 것.
- **극복**(克 이길 극, 服 입을 복) 어렵고 힘든 일을 이겨 내는 것.

설명 대상

1 이 글에서 설명한 내용이 아닌 것은 무엇인가요? (   )

① 국제 환경 협약의 내용
② 국제 환경 협약을 체결한 목적
③ 우리나라가 가입한 국제 환경 협약의 예
④ 우리나라가 가입한 국제 환경 협약의 개수
⑤ 다양한 국제 환경 협약의 예와 구체적 내용

내용 이해

2 이 글의 내용으로 알맞은 것은 무엇인가요? (   )

① 국제 환경 협약은 전 세계 모든 국가가 가입해야 한다.
② 환경 문제를 해결하기 위해서는 개인적 노력은 필요 없다.
③ 해양 오염을 막으려면 바다에 폐기물만 버리지 않으면 된다.
④ 람사르 협약에 가입한 국가는 지정된 습지만 보호하면 된다.
⑤ 우리나라는 몬트리올 의정서에 가입하지 않은 나라로부터 규제 물질이 포함된 에어컨을 수입하면 안 된다.

어휘·어법

3 ㉠에 들어갈 알맞은 이어 주는 말은 무엇인가요? (   )

① 게다가　　② 그러므로　　③ 왜냐하면
④ 그렇지만　　⑤ 예를 들어

적용하기

4 다음 상황을 해결하기 위해 체결된 국제 환경 협약의 이름을 쓰세요.

> 사용할 수 없는 폐기된 전자 제품, 독성 폐기물은 처리 비용이 많이 든다. 그래서 미국, 영국과 같은 선진국들은 자국에서 발생된 엄청난 양의 폐기물들을 개발 도상국인 인도, 가나와 같은 국가에 싼 가격에 팔아 이득을 취하고, 이를 산 나라들은 폐기물 속에서 가치가 있는 금이나 금속 등을 찾아 이득을 취하려 한다. 그러나 유해 폐기물 속에서 작업하던 인부들이 인체에 해로운 물질에 노출되어 각종 질병에 걸리거나 사망에 이르는 등 문제가 나타나기 시작했다.

(   )

지문 분석

정답과 해설 40쪽

1 중심 내용 다음 빈칸에 알맞은 말을 넣어 이 글의 중심 내용을 요약하세요.

(　　　　　)은 환경을 보호하기 위해 체결되는 국가 간의 약속으로서, 주로 지구적 차원의 환경을 보전하기 위한 국가별 의무 또는 노력을 규정하고 있다. 현재 170여 개의 국제 환경 협약이 체결되어 있으며 주요한 협약으로는 람사르 협약, (　　　　) 의정서, 바젤 협약 등이 있다.

2 글의 구조 다음 표의 빈칸을 채워 이 글의 내용을 정리해 보세요.

국제 환경 (　　　　)

(　　　　) 협약	몬트리올 의정서	(　　　　) 협약	기타
생태계에 중요한 습지 보호 관리를 위한 협약	(　　　　) 파괴 물질을 규제하기 위한 협약	유해 폐기물의 국가 간 이동 및 교역을 규제하는 협약	사막화 방지 협약, 런던 협약, 생물 다양성 보존 협약 등

배경지식 다양한 환경 문제

지구 온난화로 빙하가 녹아 북극곰이 삶의 터전을 잃고 있다.

바닷가의 플라스틱 쓰레기들로 많은 동물이 피해를 보고 있다.

초원의 사막화로 양들이 뜯을 풀이 줄어들고 있다.

오늘의 어휘

다음 낱말의 알맞은 뜻을 찾아 선으로 이으세요.

훼손 •	• 여럿 중에서 골라 결정하는 것.
채택 •	• 어렵고 힘든 일을 이겨 내는 것.
규제 •	• 손상시키는 것, 못 쓰게 만드는 것.
방지 •	• 좋지 않은 일이 일어나지 않도록 미리 막는 것.
극복 •	• 규칙, 법, 관습 등을 벗어나지 못하게 하는 것.

1 다음 빈칸에 들어갈 알맞은 말을 오늘의 어휘 에서 찾아 쓰세요.

- 힘을 합쳐야 시련을 [ ]할 수 있다.
- 교통 신호를 지키지 않으면 [ ]를 받는다.
- 무분별한 개발로 자연이 많이 [ ]되고 있다.
- 스케이트보드가 올림픽 정식 종목으로 [ ]되었다.
- 질병 확산을 [ ]하기 위해 위생 관리를 철저히 하고 있다.

2 다음 글에서 밑줄 친 말과 비슷한 뜻을 가진 말을 찾아 두 글자로 쓰세요.

많은 사람들이 여름철 더위를 피하기 위해 물놀이를 간다. 그런데 안전 수칙을 소홀히 해 사고가 일어나는 경우가 많다. 사고를 예방하려면 물에 들어가기 전에 준비 운동을 하고 물의 깊이가 얼마나 되는지 꼭 확인해야 한다. 물에 들어가서는 깊은 곳에 함부로 가지 않고, 어느 정도 시간을 보내면 물에서 나와 적당한 휴식을 취해야 한다. 안전 수칙을 잘 지켜 사고를 방지하고 즐거운 시간을 보내도록 하자.

( )

오늘의 어휘 찾아보기

바른 독해의 빠른시작

정답과 해설

초등 국어

비문학 독해 6단계

5·6학년

동아출판

- **글의 종류** 설명문
- **글의 특징** 이 글은 오늘날 '출사표를 던지다'라는 관용어의 뜻을 설명하면서 제갈량이 쓴 '출사표'를 소개하는 글입니다.
- **설명 방식** 정의, 인용
- **글의 주제** '출사표'의 유래와 의미

013쪽 지문 독해

1 ⑤ **2** ④ **3** ③ **4** (2) ○

1 이 글은 '출사표를 던지다'라는 관용어를 활용하여 제갈량이 쓴 '출사표'에 대해 설명하고 있습니다. 따라서 핵심어는 '출사표'입니다.

2 제갈량은 출사표를 통해 후임 황제에게 여러 가지 조언을 하고 있지만, 황제의 잘못을 꾸짖는 내용은 찾아볼 수 없습니다.

유형 분석/내용 이해

내용 이해 문제는 독해에서 거의 빠지지 않고 출제됩니다. 개괄적인 내용뿐 아니라 세세한 내용에 대한 것까지 확인하는 경우가 많습니다. 따라서 평소에 글을 꼼꼼하게 읽는 연습을 해 두어야 합니다.

3 ㉠과 관련된 한자성어는 '삼고초려(三顧草廬)'입니다. 삼고초려는 '초가집을 세 번 찾아가다.'라는 뜻으로, 인재를 맞아들이기 위하여 참을성 있게 노력함을 비유적으로 의미하는 말입니다.

오답 풀이

① 작심삼일(作心三日): 단단히 먹은 마음이 사흘을 가지 못한다는 뜻으로, 결심이 굳지 못함을 이르는 말입니다.
② 조삼모사(朝三暮四): 간사한 꾀로 남을 속여 희롱함을 이르는 말. 중국 송나라 저공의 고사로, 먹이를 아침에 세 개, 저녁에 네 개씩 주겠다는 말에는 원숭이들이 적다고 화를 내더니, 아침에 네 개, 저녁에 세 개씩 주겠다는 말에는 좋아하였다는 데서 유래한 말입니다.
④ 장삼이사(張三李四): 장씨(張氏)의 셋째 아들과 이씨(李氏)의 넷째 아들이라는 뜻으로, 이름이나 신분이 특별하지 아니한 평범한 사람들을 이르는 말입니다.
⑤ 맹모삼천(孟母三遷): 맹자가 어렸을 때 묘지 가까이 살았더니 장사 지내는 흉내를 내기에, 맹자 어머니가 집을 시장 근처로 옮겼더니 이번에는 물건 파는 흉내를 내므로, 다시 글방이 있는 곳으로 옮겨 공부를 시켰다는 것으로, 맹자의 어머니가 아들을 가르치기 위하여 세 번이나 이사를 하였음을 이르는 말입니다.

4 ❶문단에 따르면, '출사표를 던지다'는 '경기, 경쟁 따위에 참가 의사를 밝히다.'라는 뜻을 지닌 관용어로 주로 선거에 나서는 경우에 쓴다고 했습니다.

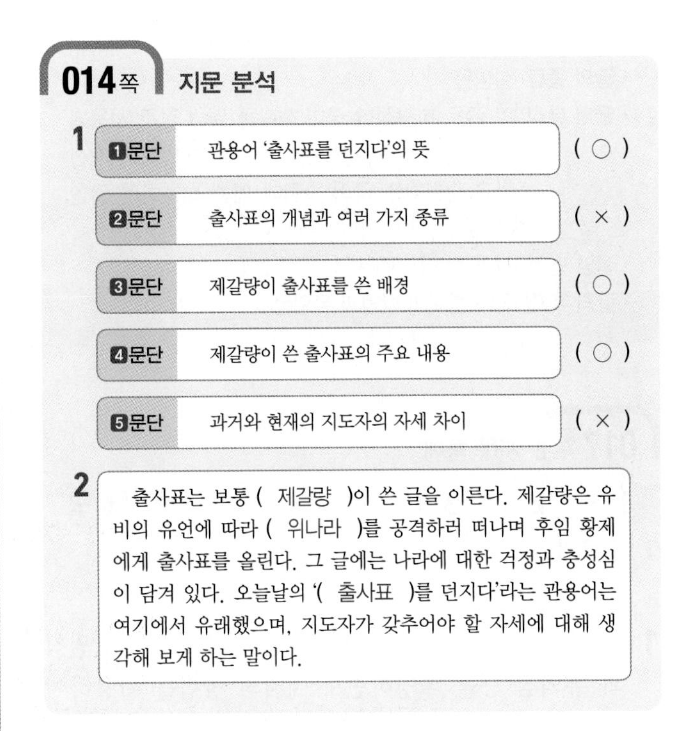

014쪽 지문 분석

1

❶문단	관용어 '출사표를 던지다'의 뜻	(○)
❷문단	출사표의 개념과 여러 가지 종류	(×)
❸문단	제갈량이 출사표를 쓴 배경	(○)
❹문단	제갈량이 쓴 출사표의 주요 내용	(○)
❺문단	과거와 현재의 지도자의 자세 차이	(×)

2 출사표는 보통 (제갈량)이 쓴 글을 이른다. 제갈량은 유비의 유언에 따라 (위나라)를 공격하러 떠나며 후임 황제에게 출사표를 올린다. 그 글에는 나라에 대한 걱정과 충성심이 담겨 있다. 오늘날의 '(출사표)를 던지다'라는 관용어는 여기에서 유래했으며, 지도자가 갖추어야 할 자세에 대해 생각해 보게 하는 말이다.

1 ❷문단은 출사표의 의미와 일반적으로 말하는 출사표가 제갈량의 글임을 설명하고 있지만, 출사표의 종류에 대해서는 설명하지 않았습니다. 그리고 ❺문단의 중심 내용은 '출사표를 던지다'라는 관용어에 담긴 진정한 의미로 볼 수 있습니다. 과거와 현재의 지도자의 자세 차이는 나타나지 않았습니다.

2 제갈량의 출사표에서 유래된 '출사표를 던지다'의 뜻을 설명하는 글의 중심 내용을 정리해 봅니다.

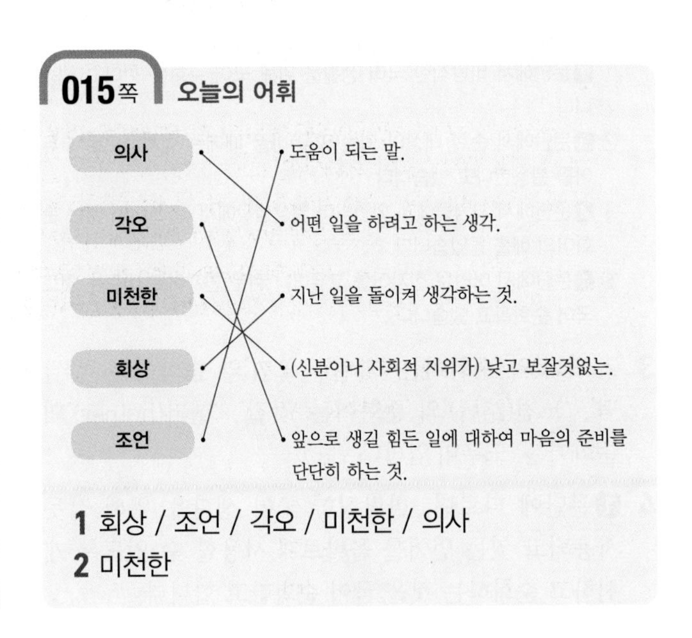

015쪽 오늘의 어휘

1 회상 / 조언 / 각오 / 미천한 / 의사
2 미천한

- **글의 종류** 설명문
- **글의 특징** 이 글은 바람직한 국어 생활을 위해 잘못 사용되고 있는 언어를 올바르게 사용할 수 있도록 개선하고 순화하는 국어 순화에 대해 설명하는 글입니다.
- **설명 방식** 정의, 예시
- **글의 주제** 국어 순화의 방법과 유의점

017쪽 지문 독해

1 ③ **2** ④ **3** (1) ㉠ (2) ㉣ (3) ㉡ (4) ㉢ **4** 국어 순화

1 이 글은 국어 순화의 개념과 주요 대상, 순화의 원칙과 유의점 등을 설명하면서 예시의 방법을 활용하여 내용 이해를 돕고 있습니다.

오답 풀이

① 이 글은 주장하는 글이 아니라 설명하는 글입니다. 그리고 반드시 고유어를 활용하여 국어 순화를 해야 한다는 내용은 나와 있지 않습니다.
② 외래어가 국어 순화의 대상임을 제시하고 있지만 외래어의 부정적 영향을 지적하지는 않았습니다.
④ 2문단에서 국어 순화의 대상이 일본어 잔재에서 외래어나 어려운 한자어로 된 법률 용어로 바뀌었음을 제시하고 있지만, 과거와 현재의 국어 순화 운동이 지닌 장단점을 비교하지는 않았습니다.
⑤ 국어가 잘못 쓰이는 원인을 다양한 측면에서 분석하지는 않았습니다.

2 2문단에 따르면, 국어 순화는 1990년대가 아니라 광복 이후 일본어 잔재를 없애려는 운동에서 시작되었습니다.

오답 풀이

① 1문단에서 바람직한 국어 생활을 위해 국어 순화를 한다고 했습니다.
② 3문단에서 순화 대상이 되는 말을 바꿀 때에는 일차적으로 고유어를 활용한다고 했습니다.
③ 4문단에서 사람들에게 외면받아 일상생활에서 잘 쓰이지 않는 순화어의 예를 들었습니다.
⑤ 1문단에서 어려운 한자어를 고유어나 쉬운 한자어로 바꾸는 것도 국어 순화라고 했습니다.

3 '노가다'의 순화어는 '막일', '모찌'의 순화어는 '찹쌀떡', '노견(路肩)'의 순화어는 '갓길', '헬퍼(helper)'의 순화어는 '도우미'입니다.

4 1문단에 따르면, 바람직한 국어 생활을 위해 잘못 사용되고 있는 언어를 올바르게 사용할 수 있도록 개선하고 순화하는 것을 국어 순화라고 합니다.

018쪽 지문 분석

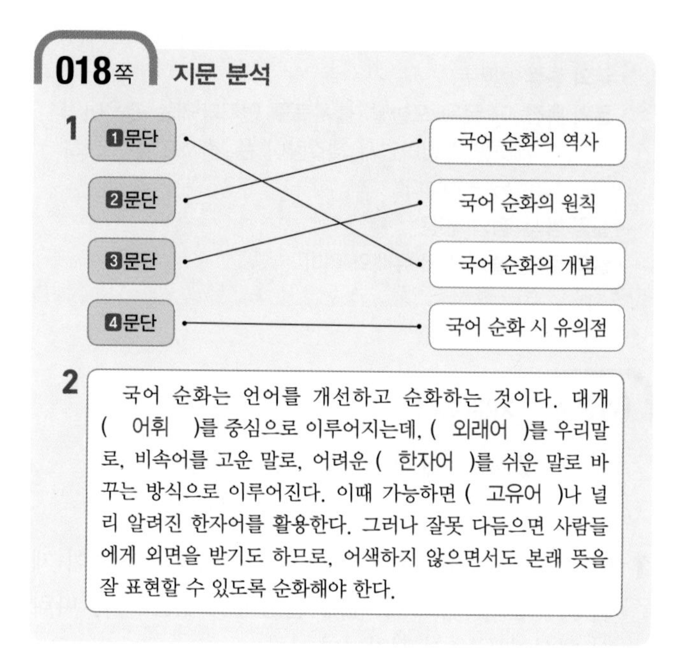

1 1문단에서는 국어 순화의 개념을 제시하고, 이어 2문단에서는 국어 순화가 광복 이후 일본어 잔재를 없애려는 운동에서 시작되었다는 점과 1990년대부터 본격화되었음을 설명하고 있습니다. 그리고 3문단에서는 국어 순화의 원칙을 제시한 뒤, 4문단에서는 호응을 얻지 못한 순화어의 예를 들면서 국어 순화를 할 때 유의해야 할 점을 제시하고 있습니다.

2 국어 순화의 개념과 외래어, 비속어, 어려운 한자어를 순화된 말로 바꾸는 원칙을 정리합니다.

019쪽 오늘의 어휘

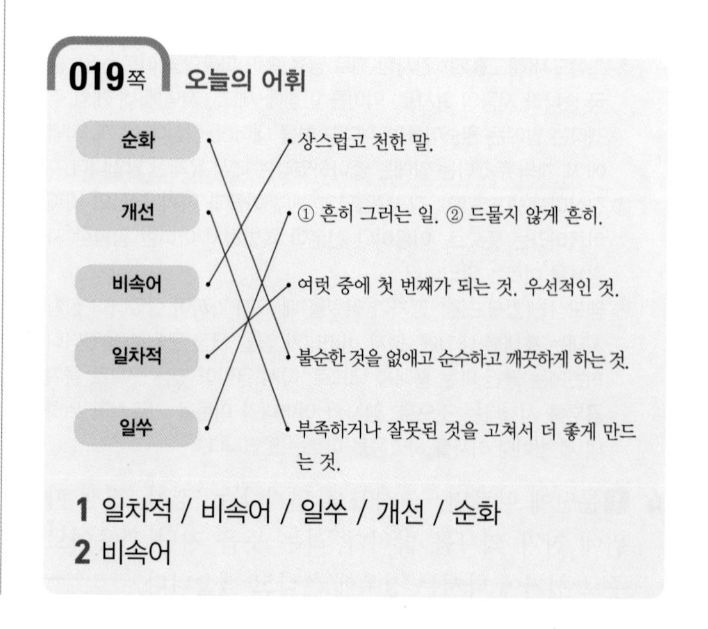

1 일차적 / 비속어 / 일쑤 / 개선 / 순화
2 비속어

- **글의 종류** 설명문
- **글의 특징** 이 글은 프로그래밍 언어를 이용하여 컴퓨터 프로그램이나 컴퓨터 하드웨어가 특정한 작동을 하도록 하는 명령을 입력하는 코딩에 대해 설명하는 글입니다.
- **설명 방식** 분석, 분류, 비유, 정의, 예시
- **글의 주제** 코딩의 개념 및 중요성

021쪽 지문 독해

1 컴퓨터, 코딩 **2** ⑤ **3** ② **4** 프로그래밍 언어

1 ❶문단에서 코딩이 무엇인지 질문을 던지고 ❷문단과 ❸문단에서 컴퓨터의 구성 요소와 특징을 설명한 뒤, 이를 바탕으로 ❹문단과 ❺문단에서 코딩의 개념과 중요성을 설명하고 있습니다.

2 ❷문단에서 하드웨어가 몸이라면 소프트웨어는 뇌나 정신이라고 설명하였습니다. ①은 ❸문단에서, ②는 ❹문단에서, ③은 ❷문단에서, ④는 ❺문단에서 확인할 수 있습니다.

3 ❹문단의 '프로그래밍 언어로 응용 프로그램이나 시스템 프로그램을 만들어 내는 과정을 코딩이라고 한다.'라는 설명에서, 코딩을 하려면 프로그래밍 언어를 먼저 배워야 한다는 것을 짐작할 수 있습니다.

오답 풀이

① 여러 가지 프로그래밍 언어를 사용할 수 있다고 설명하였으나 그것이 디지털 기기의 크기에 따라 달라진다는 것은 추론할 수 없습니다.
③ 컴퓨터의 하드웨어 자체는 아무것도 할 수 없다고 설명하였으며, 코딩은 소프트웨어를 만들어 내는 것이므로 코딩이 잘못되었다고 해서 컴퓨터가 스스로 수정할 수 없습니다.
④ 프로그램에는 시스템 프로그램과 응용 프로그램이 있다고 하였는데, 둘 중 어느 것이 더 만들기 쉬운지에 대한 내용은 언급되지 않았습니다.
⑤ 프로그래밍 언어는 인간의 언어처럼 일정한 규칙이 있다고 하였지, 인간의 언어를 이용한다고 하지 않았습니다.

유형 분석/추론하기

추론은 미리 제시된 정보를 통해서만 이끌어 낼 수 있어야 합니다. 글에 제시된 내용을 바탕으로 생각하고, 추론한 내용의 근거가 분명한지 확인합니다.

4 ❸문단에서 컴퓨터가 알아들을 수 있는 언어를 프로그래밍 언어라고 한다고 설명했습니다. 그리고 ❹문단에서 코딩은 프로그래밍 언어를 이용한다고 하였습니다.

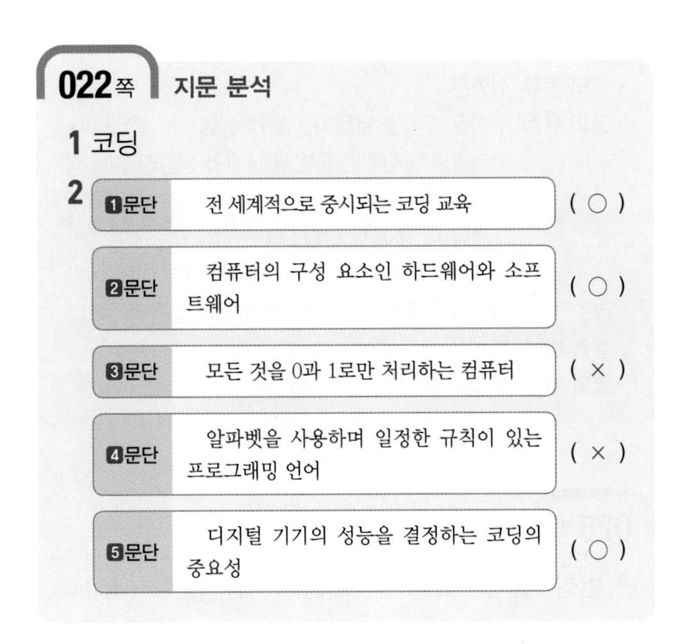
022쪽 지문 분석

1 코딩

2

문단	내용	
❶문단	전 세계적으로 중시되는 코딩 교육	(○)
❷문단	컴퓨터의 구성 요소인 하드웨어와 소프트웨어	(○)
❸문단	모든 것을 0과 1로만 처리하는 컴퓨터	(×)
❹문단	알파벳을 사용하며 일정한 규칙이 있는 프로그래밍 언어	(×)
❺문단	디지털 기기의 성능을 결정하는 코딩의 중요성	(○)

1 ❷문단의 '도대체 코딩이 무엇이길래 이렇게 중요하게 여길까?'라는 질문과 이어지는 내용을 고려할 때, 이 글의 핵심어가 '코딩'임을 알 수 있습니다.

2 컴퓨터가 모든 것을 0과 1로 처리하고 프로그래밍 언어에 일정한 규칙이 있는 것은 맞지만, 문단의 중심 내용은 아닙니다. ❸문단의 중심 내용은 프로그래밍 언어의 개념, 즉 '컴퓨터가 알아들을 수 있는 프로그래밍 언어'이고, ❹문단의 중심 내용은 코딩의 개념, 즉 '프로그래밍 언어로 프로그램을 만들어 내는 코딩'입니다.

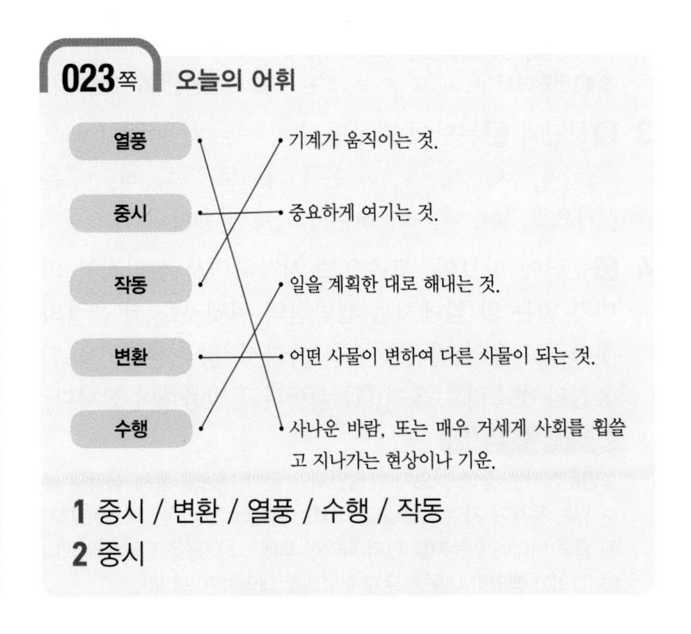
023쪽 오늘의 어휘

1 중시 / 변환 / 열풍 / 수행 / 작동
2 중시

- **글의 종류** 설명문
- **글의 특징** 우리말 받침을 발음하는 법을 설명하는 글입니다. 우리말의 받침에는 홑받침 14개와 쌍받침 2개, 겹받침 11개 등 총 27개의 받침이 올 수 있습니다. 그러나 이 중에서 받침소리로 발음되는 것은 'ㄱ, ㄴ, ㄷ, ㄹ, ㅁ, ㅂ, ㅇ'의 7개뿐입니다. 이외의 받침은 모두 이 7개 중 하나로 바뀌어 발음됩니다.
- **설명 방식** 예시
- **글의 주제** 우리말 받침의 발음 방법

025쪽 지문 독해

1 받침 **2** ① **3** (1) ㉰ (2) ㉮ (3) ㉱ (4) ㉯ **4** ⑤

1 우리말의 받침을 올바르게 발음하는 법을 설명하는 글입니다.

2 ❸문단과 ❹문단에 따르면, 겹받침 'ㄺ'은 원칙적으로 단어 끝이나 자음 앞에서 [ㄱ]으로 발음되지만, '맑고[말꼬]'처럼 'ㄱ' 앞에서 [ㄹ]로 발음되는 경우도 있다고 했습니다.

오답 풀이

② ❸문단의 '(겹받침은) 단어 끝이나 자음 앞에서 두 개의 자음 중 하나로 발음한다.'라는 설명에서 알 수 있습니다. ❺문단에 따르면, 모음으로 시작하면서 실질적인 의미가 없는 조사나 어미 앞에서는 뒤엣것을 뒤 음절의 첫소리로 옮겨 발음하지만, 이때에도 원래 겹받침이 있던 단어는 하나의 받침으로만 발음합니다.

③ ❷문단에서 받침소리로 발음하는 것은 'ㄱ, ㄴ, ㄷ, ㄹ, ㅁ, ㅂ, ㅇ'의 7개라고 했습니다.

④ ❹문단에서 '넓-'은 '넓죽하다[넙쭈카다]'와 '넓둥글다[넙뚱글다]'에서는 [넙-]으로 발음한다고 했습니다.

⑤ ❷문단에서 'ㅅ, ㅆ, ㅈ, ㅊ, ㅌ, ㅎ'은 [ㄷ]으로 발음한다고 했습니다.

3 ❷문단과 ❸문단에 따르면, 'ㄲ, ㅋ, ㄳ, ㄺ'은 [ㄱ]으로, 'ㅅ, ㅆ, ㅈ, ㅊ, ㅌ'은 [ㄷ]으로, 'ㅍ, ㄿ, ㅄ'은 [ㅂ]으로, 'ㄼ, ㄽ, ㄾ, ㅀ'은 [ㄹ]로 발음합니다.

4 ❺문단에 따르면, 모음으로 시작하면서 실질적인 의미가 없는 말 앞에서는 겹받침의 뒤엣것을 뒤 음절의 첫소리로 옮겨 발음합니다. 따라서 '닭을'은 'ㄱ'을 뒤 음절의 첫소리로 옮겨 [달글]이라고 발음해야 합니다.

유형 분석/추론하기

설명문에서는 글에 나오지는 않았지만 글의 내용을 통해 짐작해 볼 수 있는 문제가 자주 나옵니다. 이때는 문제에 해당하는 내용이 제시된 글의 어디에 있는지를 먼저 파악한 후에, 그 내용을 정리해야 합니다. 그리고 정리한 내용을 문제에 그대로 대입하면 됩니다.

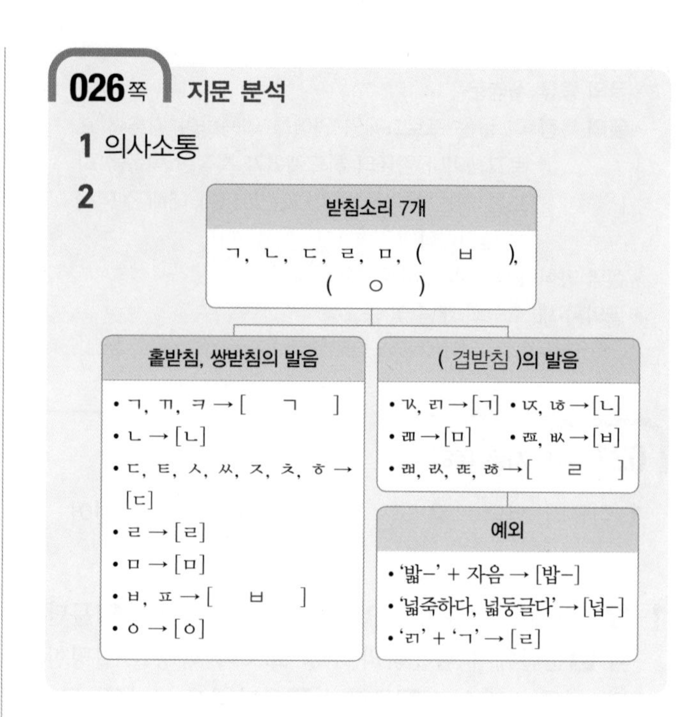

1 ❶문단의 '낱말을 올바르게 발음하지 않으면 의사소통이 원활하게 이루어지지 않는다.'에서 낱말을 올바르게 발음해야 하는 까닭을 알 수 있습니다.

2 이 글에 나온 여러 받침들의 올바른 발음을 정리해 봅니다. 홑받침, 쌍받침, 겹받침의 발음을 글로만 읽을 때는 헷갈릴 수 있지만 받침은 7개의 자음 중 하나로 발음된다는 점을 생각하면서 다양한 낱말 예를 직접 발음해 보면 좀 더 쉽게 익힐 수 있습니다.

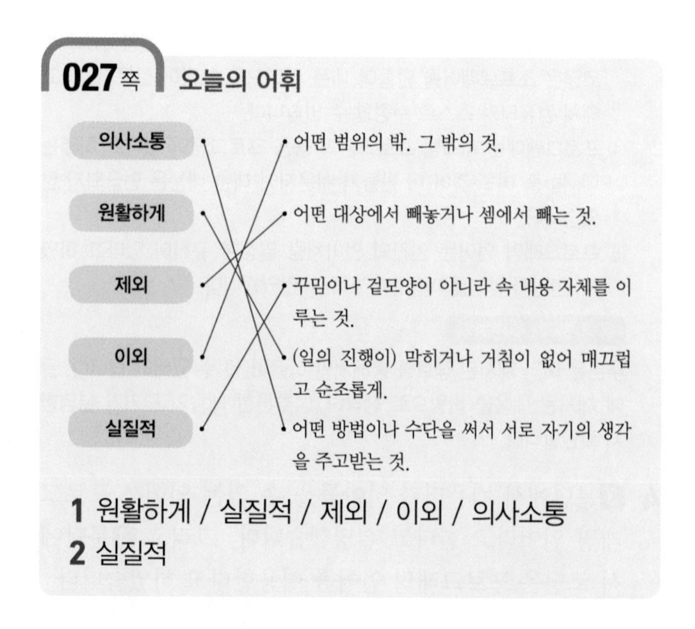

- **글의 종류** 설명문
- **글의 특징** 이 글은 심리학의 개념 및 궁극적인 목적을 구체적인 실험 사례를 활용하여 설명하는 글입니다.
- **설명 방식** 예시, 정의, 문답
- **글의 주제** 심리학의 개념 및 목적

029쪽 지문 독해

1 ③ 2 ㉡, ㉢ 3 ⑤ 4 ①

1 이 글에서 중점적으로 설명하고 있는 것은 심리학입니다. ❶문단과 ❸문단은 심리 실험의 사례이고, ❷문단은 ❶문단에서 예로 든 실험의 결과를 심리학으로 설명하는 내용입니다. 그리고 ❹문단에서는 심리학의 개념과 활용 분야를 설명하고 있습니다.

2 ㉡ ❶문단의 '어떻게 하는 것이 좋을까?', '왜 이렇게 많은 사람들이 어리석어 보이는 선택을 한 것일까?'와 ❸문단의 '왜 그럴까?'에서 독자에게 질문을 하는 방식을 활용하고 있습니다. ㉢ ❶문단과 ❸문단에서 흥미를 자아내는 심리학 연구 사례를 제시하고 있습니다.

오답 풀이

㉠ 글쓴이 자신의 경험은 나와 있지 않습니다.
㉣ 웃음을 유발하는 표현은 사용되지 않았습니다.

3 ❷문단에서 사람들이 심리적으로 손실을 이익보다 더 크게 여긴다는 것은 언급되어 있지만, 왜 그런 심리를 가지는지에 대한 설명은 하지 않았습니다.

오답 풀이

① ❷문단에서 경제학자들은 사람은 합리적이므로 자신에게 이익이 되는 쪽을 선택한다고 생각한다고 했습니다.
② ❹문단에서 광고, 범죄 연구, 정신 의학, 교육, 상담 등의 분야에서 심리학이 활용된다고 했습니다.
③ ❹문단에서 인간을 더 깊이 이해하려고 인간의 행동을 연구한다고 했습니다.
④ ❸문단에서 원시 시대 때의 습관이 남아 있기 때문이라고 했습니다.

4 '왜 이렇게 많은 사람들이 어리석어 보이는 선택을 한 것일까?'에서 '많은 사람들'이 게임 참가를 거절하였음을 알 수 있습니다. 따라서 '(열 가운데 여덟이나 아홉이라는 뜻으로) 대부분. 거의 전부.'라는 뜻을 지닌 '십중팔구'가 ㉠에 들어갈 한자 성어로 가장 적절합니다.

030쪽 지문 분석

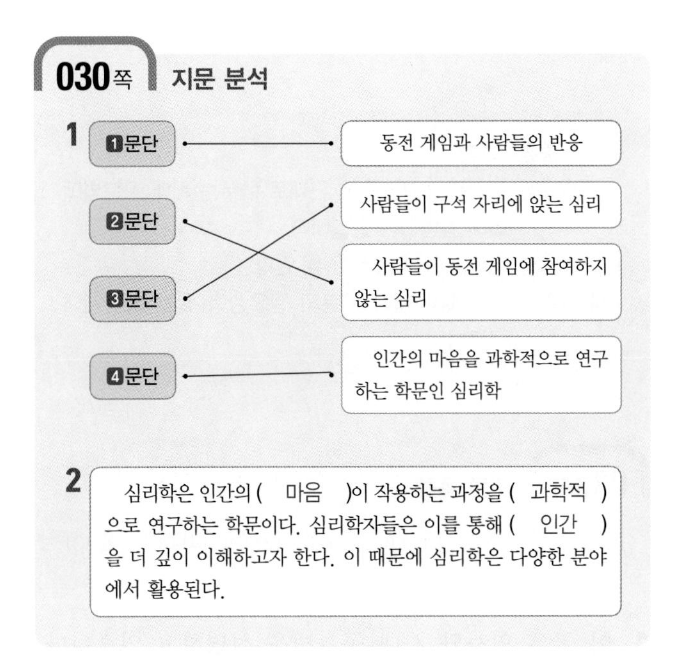

1 이 글은 심리학 실험의 사례를 두 가지 들면서 심리학이라는 학문에 대해 소개하는 글입니다. ❶, ❷문단에서는 동전을 던져서 나오는 면에 따라 결과가 달라지는 실험을, ❸문단에서는 사람들이 구석 자리에만 앉는 이유를 예로 들고 ❹문단에서는 이러한 과정을 통해 인간의 마음을 연구하는 심리학에 대해 설명하고 있습니다.

2 심리학은 인간의 마음이 작용하는 과정을 과학적으로 연구하는 학문입니다. 사람이 왜 그런 식으로 행동하거나 생각하는지에 대해 객관적으로 분석하기 때문에 심리학은 다양한 분야에서 활용됩니다.

031쪽 오늘의 어휘

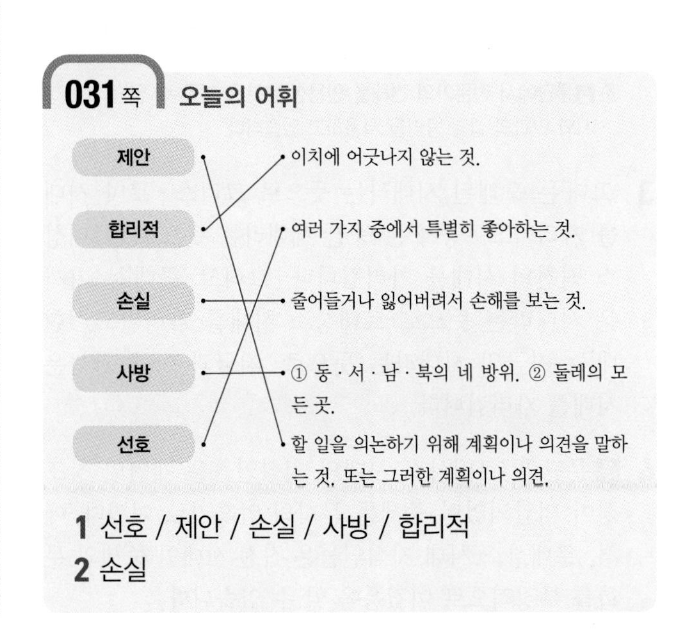

- **글의 종류** 설명문
- **글의 특징** 역사를 고대, 중세, 근대로 나누는 시대 구분법에 대해 설명하는 글입니다.
- **설명 방식** 정의, 예시, 구분, 유추, 인과
- **글의 주제** 역사에서 시대 구분의 필요성과 일반적인 시대 구분법

033쪽 지문 독해

1 ⑤ **2** ① **3** (1) ㉡ (2) ㉢ (3) ㉠ (4) ㉣ **4** ③

1 이 글은 역사와 시대 구분법을 설명하고 있습니다. ❶문단의 '역사를 체계적으로 이해하려면 시대를 구분해서 보는 것이 필요하다.'와 ❷~❸문단의 내용을 통해 알 수 있습니다.

2 ❶문단에서는 역사에서 시대를 구분하는 것의 필요성을 한 개인이 자신의 인생을 시기별로 구분하는 것에 빗대고 있습니다. 이를 유추의 설명 방법이라고 합니다.

오답 풀이

② ❷문단에서는 '르네상스'의 뜻을 풀이하여 내용에 대한 이해를 돕고 있습니다. 하지만 두 대상의 공통점을 중심으로 설명하는 비교의 설명 방법은 사용하지 않았습니다.

③ ❸문단에서는 '고대, 중세, 근대'의 한자어 뜻을 풀이하여 내용에 대한 이해를 돕고 있습니다. 하지만 구체적인 사례를 활용하지는 않았습니다.

④ ❹문단에서는 '현대'의 한자어 뜻을 풀이하여 내용에 대한 이해를 돕고 있습니다. 하지만 대상을 일정한 기준에 따라 나누는 구분의 설명 방법은 사용하지 않았습니다.

⑤ ❺문단에서 전문가의 견해를 인용한 부분은 찾을 수 없습니다. 예시와 인과의 설명 방법을 사용하고 있습니다.

3 '고대'는 오래된 시대라는 뜻으로 그리스 · 로마 시대를 가리키고, '중세'는 중간 세대라는 뜻으로, 르네상스 직전의 시대를 가리킵니다. 그리고 '근대'는 가까운 시대라는 뜻으로 르네상스 시대를 가리키고, '현대'는 지금의 시대라는 뜻으로, 지금과 아주 가까운 시대를 가리킵니다.

4 ❸문단의 '르네상스 시대의 지식인들은 개인의 창조성이 억압되었던 중세를 문화의 암흑기로 여겼다.'에서, 르네상스 시대 지식인들은 직전 시대인 중세의 문화를 부정적으로 여겼음을 알 수 있습니다.

034쪽 지문 분석

1

역사에서 시대는 일반적으로 '고대, (중세), 근대'로 구분한다. 이 용어는 (르네상스) 시대의 지식인들이 자신이 사는 시대를 기준으로 만든 것이다. 그러나 '(근대)'가 계속 이어지는 문제가 있어 후세의 역사학자들이 '현대'라는 용어를 추가하였다. 한편, 이런 서양 중심의 시대 구분은 (동양)의 역사 구분에는 적용하기 어렵다.

2

- 일반적인 시대 구분
  - 고대: 르네상스 지식인들이 본받으려 한 (그리스) · 로마 시대
  - 중세: 개인의 창조성이 억압되었던 문화의 (암흑기)
  - 근대: 당시와 가까운 시대 (르네상스 시대)
- 추가된 시대 구분
  - 현대: (지금)과 아주 가까운 시대

1 역사의 시대 구분과 관련하여 글에서 중요하게 언급된 낱말들을 찾아 씁니다.

2 시대의 흐름에 따른 구분과 그 특징을 정리해 봅니다. 이 글에서는 르네상스 시대에 만들어진 시대 구분 용어인 '고대 · 중세 · 근대', 후세에 추가된 용어인 '현대'를 소개하고 르네상스 지식인들이 생각한 각 시대의 특징을 설명하고 있습니다. 또한 이러한 시대 구분의 한계도 지적하고 있습니다.

035쪽 오늘의 어휘

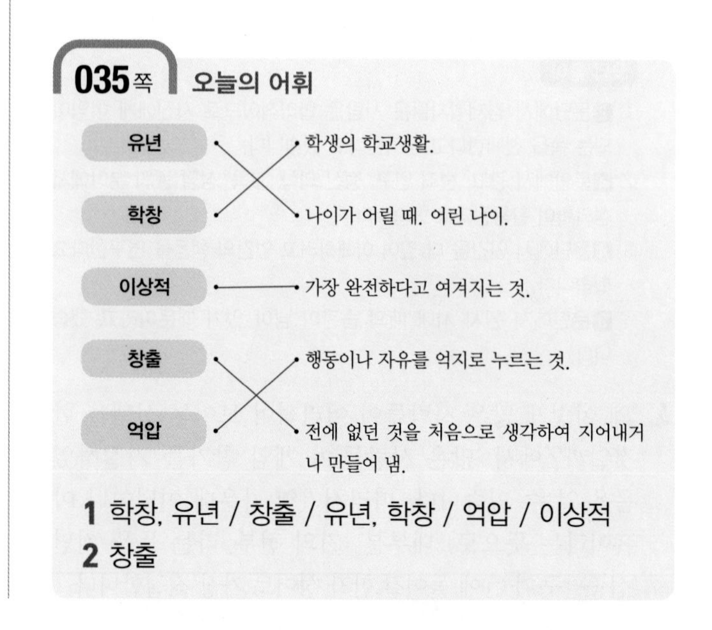

1 학창, 유년 / 창출 / 유년, 학창 / 억압 / 이상적
2 창출

• **글의 종류** 설명문
• **글의 특징** 연역법의 원리와 한계, 의의 등을 삼단 논법의 예를 활용하여 설명하는 글입니다.
• **설명 방식** 정의, 예시, 구분, 인과
• **글의 주제** 연역법의 특징과 의의

037쪽 지문 독해

1 삼단 논법, 연역법 **2** ② **3** ⑤ **4** ⑤

1 이 글은 삼단 논법을 예로 들어서 연역법의 형식과 한계, 의의 등을 구체적으로 설명하고 있습니다.

유형 분석/주제

주제를 파악하기 위해서는 먼저 무엇에 대해 언급하고 있는지를 정확하게 파악해야 합니다. 예를 들어 이 글은 삼단 논법이 아니라 연역법에 대한 글입니다. 그리고 대상에 대해 설명하는 것인지 주장하는 것인지, 개인적인 정서를 표현하는 것인지를 파악해야 합니다.

2 4문단에 따르면 연역법은 규칙이나 규범이 확립되어 있는 사회에서 어떤 행위에 대한 판단을 내리는 데 효과적인 방법입니다. 따라서 일상생활에서도 쓸모가 있으며, 그 예로 수학에서 값을 구하는 과정에 대해 언급했습니다.

오답 풀이

① 2문단의 '결론의 내용은 반드시 대전제와 소전제에서 나온 것이어야 한다.'에서 확인할 수 있습니다.
③ 1문단의 '이성을 활용하는 방법을 연역법이라고 한다.'에서 확인할 수 있습니다.
④ 3문단의 '연역법을 통해 얻은 지식은 새로운 진리라고 보기는 힘들다.'에서 확인할 수 있습니다.
⑤ 2문단에서 삼단 논법은 '대전제-소전제-결론'의 과정을 거친다는 것을 알 수 있습니다.

3 2문단에서 '결론의 내용은 반드시 대전제와 소전제에서 나온 것이어야 한다.'라는 설명을 고려할 때, ㉠은 대전제와 소전제에 포함되지 않은 내용이 제시되었기 때문에 올바른 추론이 아님을 알 수 있습니다.

4 ㉡ '기댄다(기대다)'는 문맥상 '근거로 하다.'라는 뜻으로 사용되었습니다. ⑤의 '기대다(기대어)'도 같은 뜻으로 사용되었습니다. ①, ②, ③의 '기대다'는 '(바로 서 있는 사물에 몸을) 의지하거나 비스듬히 대다.'라는 뜻으로 사용되었고, ④의 '기대다'는 '남의 힘에 의지하다.'라는 뜻으로 쓰였습니다.

038쪽 지문 분석

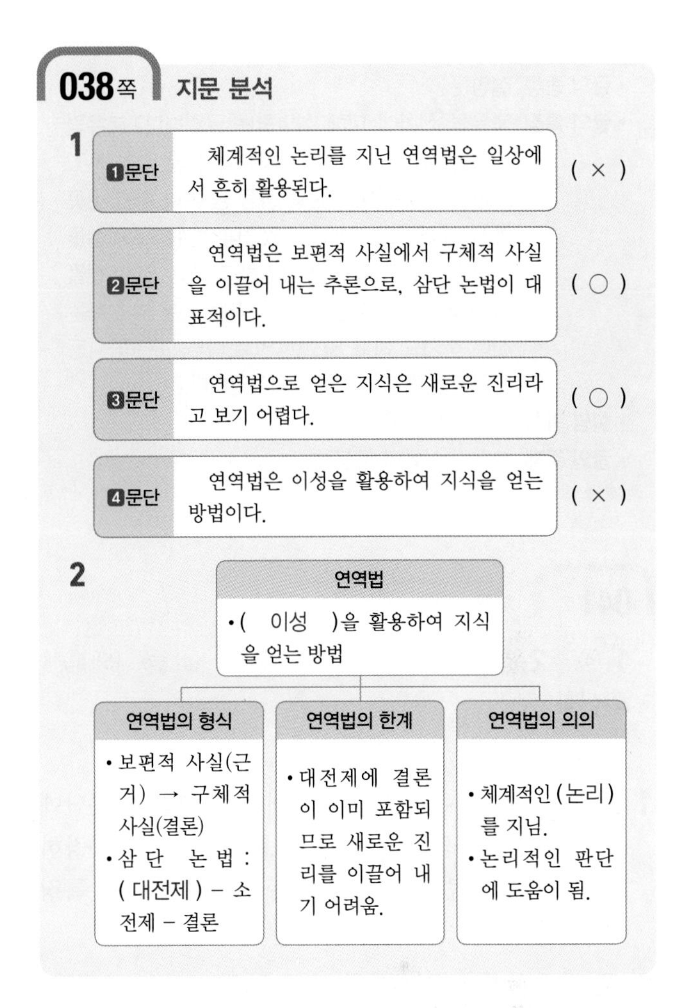

1 1문단은 연역법이 이성을 활용하여 지식을 얻는 방법임을 제시하고 있으며, 4문단은 연역법이 체계적인 논리를 지니고 있어 일상에서 흔히 활용된다는 것을 설명하고 있습니다.

2 연역법의 뜻과 형식, 한계와 의의를 정리합니다.

039쪽 오늘의 어휘

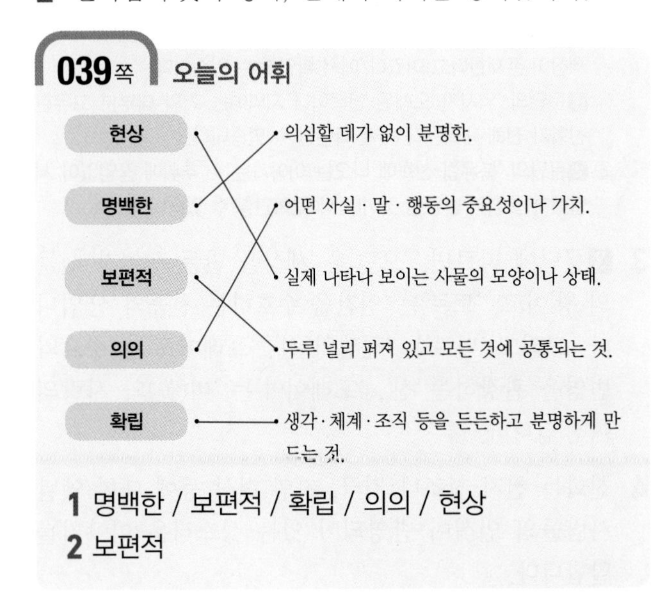

1 명백한 / 보편적 / 확립 / 의의 / 현상
2 보편적

- **글의 종류** 설명문
- **글의 특징** 북유럽 신화에 대해 설명하는 글입니다. 북유럽 신화는 그리스 · 로마 신화에 비해 덜 알려져 있지만 요일 이름이나 문화 상품 등 우리 주변 곳곳에서 그 흔적을 찾을 수 있습니다. 위그드라실을 공간적 배경으로 삼아 다양하고 개성 있는 신들이 웅장한 이야기를 펼쳐 나가는 북유럽 신화는 신이 죽기도 하고 사소한 일로 다투기도 하는 등 인간적인 면모가 많아 매력적입니다.
- **설명 방식** 예시, 열거, 비교
- **글의 주제** 북유럽 신화의 특징

041쪽 지문 독해

1 ④ **2** ③ **3** (1) ⓜ (2) ⓒ (3) ⓐ (4) ⓓ (5) ⓑ
4 신화

1 ❶문단에서 북유럽 신화를 소개한 뒤, ❷~❹문단에서 북유럽 신화의 공간적 배경, 북유럽 신화에 등장하는 신들, 북유럽 신화에 나오는 이야기가 지닌 특징 등을 설명하고 있습니다.

2 ❹문단에 따르면, 북유럽 신화에 나오는 신들은 다른 신화에 나오는 신들과 달리 죽음을 맞기도 합니다. 신 중의 신인 오딘도 죽는다고 했습니다.

오답 풀이

① ❶문단의 '가령, 일주일 중 화요일, 수요일, 목요일, 금요일의 영어 이름은 북유럽 신화에 나오는 신들의 이름을 따서 명명된 것이다.'에서 확인할 수 있습니다.
② ❷문단의 '북유럽 신화는 위그드라실이라는 ~ 큰 물푸레나무에 세상이 존재한다고 여겼다.'에서 확인할 수 있습니다.
④ ❶문단의 '역사가 오래된 민족이나 지역에는 거의 대부분 고유한 신화가 전해 내려온다.'에서 확인할 수 있습니다.
⑤ ❹문단의 '북유럽 신화에 나오는 이야기는 ~ 추위에 끊임없이 시달렸다는 점이 반영된 것이다.'에서 확인할 수 있습니다.

3 ❸문단에 따르면, '오딘'은 '세상을 만든 신이자 신들의 왕'이고, '토르'는 '인간을 수호하는 천둥의 신'입니다. 그리고 '티르'는 '전쟁의 신', '프레이르'는 '풍요와 번영을 관장하는 신', '프레이야'는 '미(美)와 사랑의 여신'입니다.

4 신화는 천지 창조나 건국, 자연 현상 등에 대한 옛날 사람들의 인식이 반영되어 있는 성스러운 이야기를 말합니다.

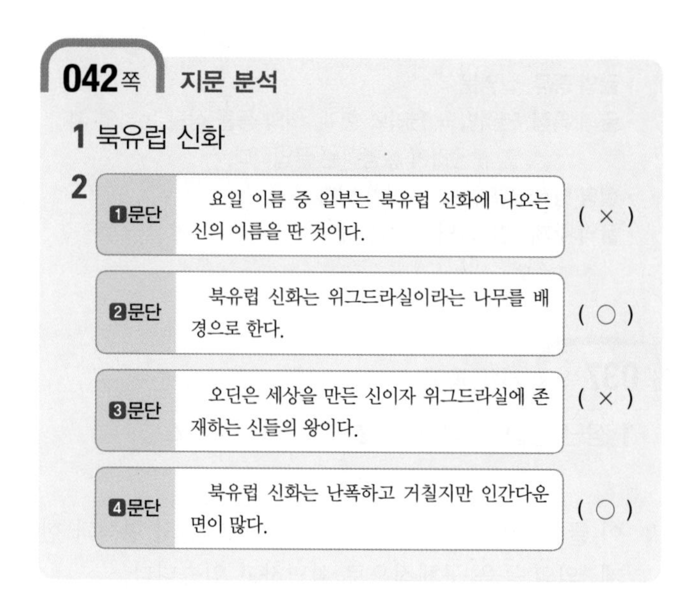

042쪽 지문 분석

1 북유럽 신화

2

❶문단	요일 이름 중 일부는 북유럽 신화에 나오는 신의 이름을 딴 것이다.	(×)
❷문단	북유럽 신화는 위그드라실이라는 나무를 배경으로 한다.	(○)
❸문단	오딘은 세상을 만든 신이자 위그드라실에 존재하는 신들의 왕이다.	(×)
❹문단	북유럽 신화는 난폭하고 거칠지만 인간다운 면이 많다.	(○)

1 이 글은 우리에게 낯설지만 알고 보면 우리 생활 곳곳에서 흔적을 찾을 수 있는 북유럽 신화에 대해 설명하고 있습니다. 북유럽 신화의 공간적 배경인 위그드라실과 신화에 등장하는 오딘, 토르, 티르, 로키, 프레이르, 프레이야 같은 신들을 소개하고 북유럽 신화의 특징과 매력을 소개하였습니다.

2 ❶문단은 중심 내용은 '북유럽 신화는 우리 생활 가까이 있다.'로, ❸문단의 중심 내용은 '북유럽 신화에는 개성적인 신들이 등장한다.'로 정리할 수 있습니다.

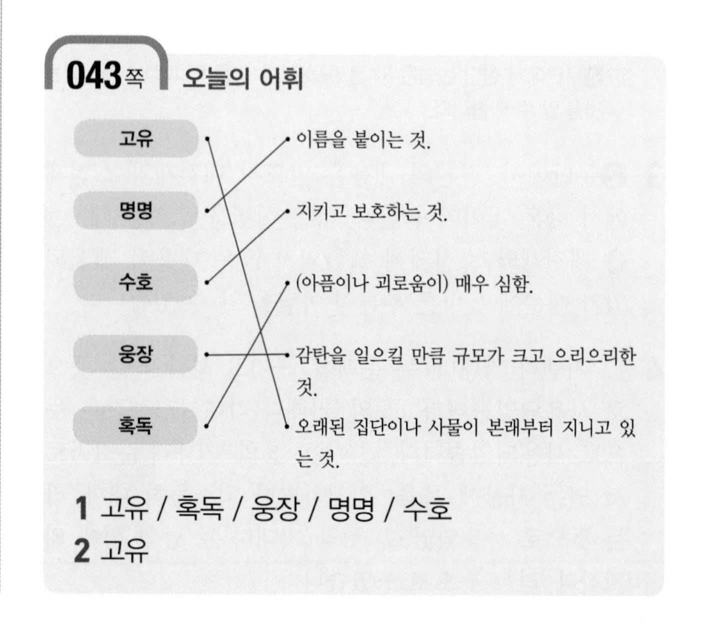

043쪽 오늘의 어휘

1 고유 / 혹독 / 웅장 / 명명 / 수호
2 고유

사회 01 사람의 존엄성을 지켜 주는 '인권'

- **글의 종류** 설명문
- **글의 특징** 인권의 역사와 중요성, 인권 침해 사례 등을 설명하면서 인권 존중에 대한 인식을 가져야 한다고 강조하는 글입니다.
- **설명 방식** 정의, 예시, 인용
- **글의 주제** 인권의 개념 및 중요성

045쪽 지문 독해

1 인권 **2** ③ **3** ⑤ **4** ㉠: ㉮, ㉲ ㉡: ㉯, ㉰, ㉱

1 ❶문단에 따르면, 사람이면 누구에게나 주어지는 기본적인 권리를 인권이라고 합니다.

2 이 글은 인권의 개념을 먼저 설명한 뒤, 민주주의가 확립된 오늘날에도 인권이 제대로 지켜지지 못하고 있음을 제시하고, 인권을 보호하기 위한 노력을 소개하고 있습니다.

오답 풀이

① ❷문단에서 인권과 관련된 과거의 상황을 시간 순서에 따라 설명하였지만 인권이 변화해 온 과정을 살펴보고 있지는 않습니다.

② ❶문단에서 「세계 인권 선언문」의 제1조를 인용하고 있지만 여러 조항을 소개하지는 않았습니다.

④ 인권을 침해하는 예는 제시하였지만 인권을 존중한 사례가 나오지는 않았습니다.

⑤ 미래 사회를 예측하는 내용은 찾아볼 수 없습니다.

3 ❸문단의 '오늘날에도 '보이지 않는 차별', 즉 비공식적인 차별을 사회 곳곳에서 찾아볼 수 있다.'에서 민주주의가 정착된 오늘날에도 '보이지 않는 차별'이 이루어지고 있음을 알 수 있습니다. ①은 ❷문단에서, ②, ④는 ❶문단에서, ③은 ❸문단에서 확인할 수 있습니다.

4 ㉮, ㉲: 모든 사람에게 인권이 있다고 하였으므로 친구에게도 인권이 있습니다. 따라서 친구의 전화번호를 공개하는 것[㉮]은 인권을 침해하는 것입니다. 또한 국적으로 차별하는 것[㉲]도 인권을 침해하는 것입니다.

㉯, ㉰, ㉱: 가난한 사람[㉯]과 시각 장애인[㉱]은 사회적 약자입니다. 따라서 이들을 돕는 것은 인권을 보호하는 것입니다. 그리고 적절한 교육을 받을 권리[㉰]는 기본적인 권리이므로 이를 지원하는 것은 인권을 보호하는 것입니다.

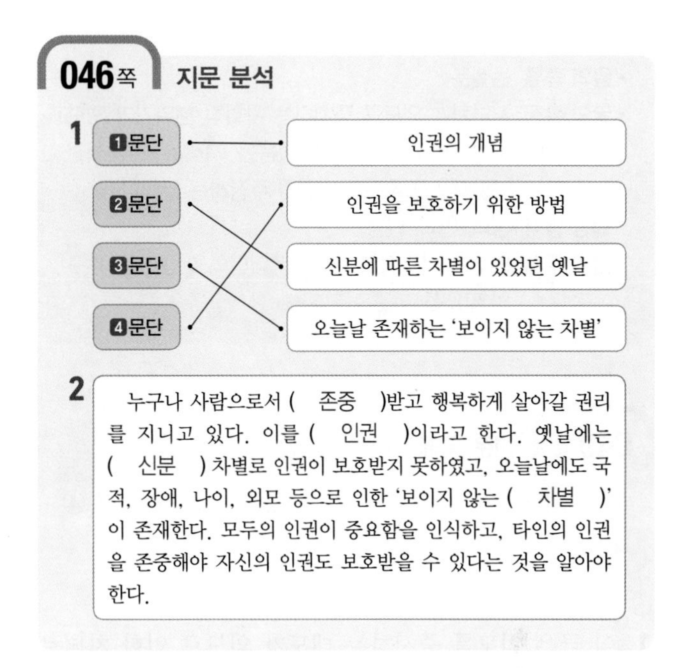

1 ❶문단에서 사람이면 누구나 인권을 가지고 있음을 설명하고, ❷문단에서는 옛날에는 오늘날과 달리 신분에 따른 차별이 있었음을 제시하였습니다. 그리고 ❸문단에서는 오늘날에도 '보이지 않는 차별'이 존재하고 있음을 밝히고, ❹문단에서 인권을 보호하기 위해서는 인권 존중에 대한 인식이 확립되어야 함을 제시하였습니다.

2 이 글은 인권의 개념과 중요성을 설명하고, 보이지 않는 차별이 이루어지고 있는 오늘날의 상황을 소개하면서 인권의 중요성을 인식하고 타인의 인권을 존중할 것을 강조하고 있습니다.

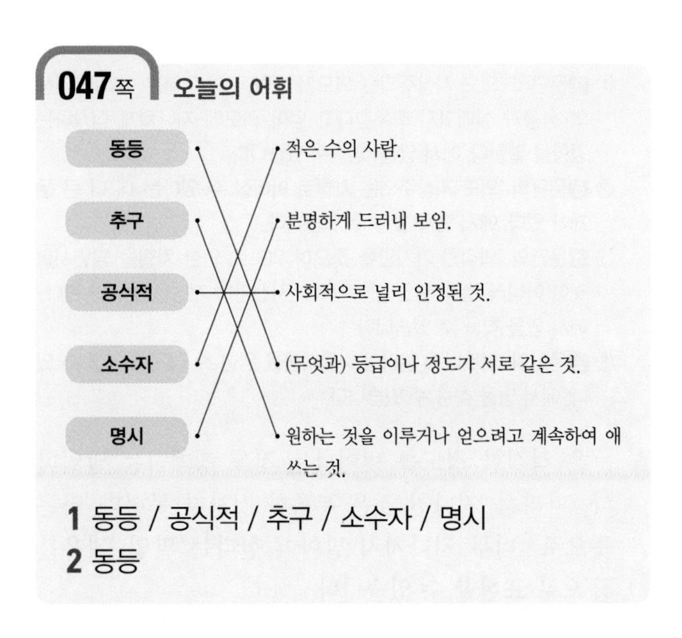

- **글의 종류** 논설문
- **글의 특징** 지나치게 외모를 중시하는 사회적 분위기가 외모 지상주의로 이어질 수 있음을 지적하고, 내적인 아름다움을 추구해야 함을 주장하는 글입니다.
- **설명 방식** 정의, 인과, 인용
- **글의 주제** 외모 지상주의의 비판 및 내면의 아름다움 추구의 필요성

049쪽 지문 독해

1 (1) 외모 (2) 차별 (3) 주장 **2** ㉮, ㉰, ㉱ **3** ④
4 ①

1 이 글은 외모를 중시하는 태도가 외모로 인한 차별로 이어질 수 있음을 지적하고, 그것에서 벗어나야 한다고 주장하고 있습니다.

2 ㉮: ❶문단과 ❹문단에서 '같은 값이면 다홍치마'라는 속담을 활용하고 있습니다.
㉰: ❷문단의 '방학 기간을 이용하여 쌍꺼풀 수술을 받는 청소년도 쉽게 찾아볼 수 있다.'에서 화제와 관련 있는 청소년들의 모습을 언급하고 있습니다.
㉱: ❷문단에서 외모 가꾸기의 긍정적인 점을 제시하고 있습니다.

3 ❶문단과 ❷문단에서 외모 지상주의가 사회에 널리 퍼져 있다는 점을 언급하고 있지만 외모 지상주의가 널리 퍼진 원인을 설명하지는 않았습니다.

오답 풀이
① ❸문단의 '외모 지상주의는 외모가 개인 간의 우열뿐 아니라 인생의 성공과 실패까지 좌우한다고 믿어 외모에 지나치게 집착하는 경향을 말한다.'에서 답을 찾을 수 있습니다.
② ❸문단의 '외모 지상주의는 차별로 이어질 수 있다는 데 더 큰 문제가 있다.'에서 답을 찾을 수 있습니다.
③ ❹문단의 '외적인 가치만을 좇으며 외모로 인한 차별을 당연시할 것이 아니라, 실력과 인성을 기르고 자신만의 개성을 찾아야 한다.'에서 답을 찾을 수 있습니다.
⑤ ❷문단의 '피트니스 센터와 아름다움을 위한 ~ 쉽게 찾아볼 수 있다.'에서 답을 찾을 수 있습니다.

4 ㉠은 적절한 정도를 벗어나는 것을 경계하는 말입니다. 따라서 '지나친 것은 부족한 것보다 못하다.'라는 뜻으로, 너무 지나치지 말아야 한다는 말인 '과유불급'으로 표현할 수 있습니다.

050쪽 지문 분석

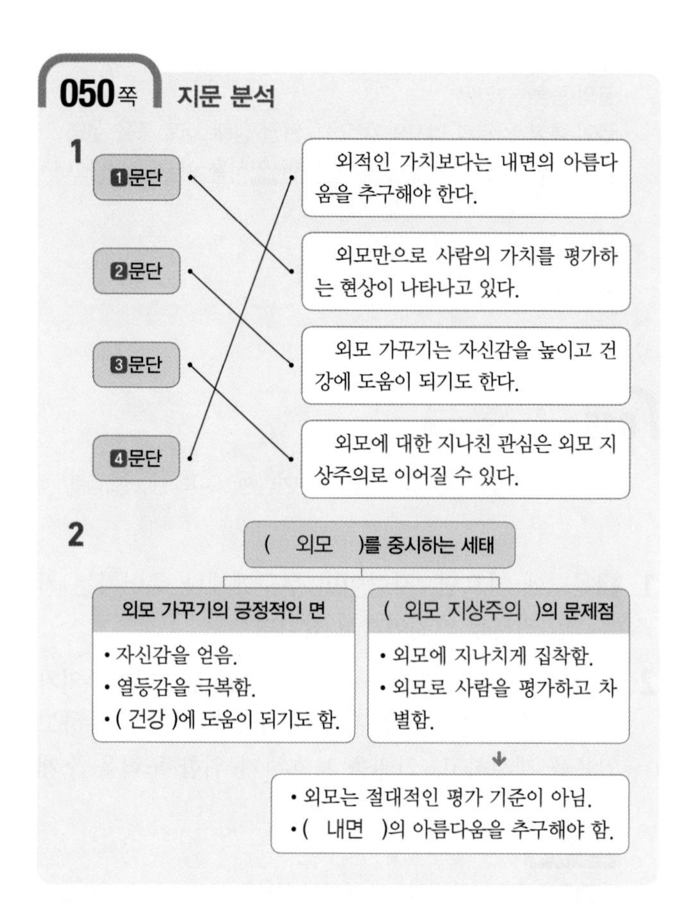

1 ❶문단에서 외모만으로 사람의 가치를 평가하는 세태를 제시한 뒤 ❷문단에서 외모 가꾸기의 긍정적인 면을 제시하였습니다. ❸문단에서 지나친 외모 가꾸기가 외모 지상주의로 이어질 수 있음을 지적하고, ❹문단에서 외모 지상주의를 극복하는 방법을 제시하고 있습니다.

2 이 글에서는 외모 지상주의를 비판하면서 내면의 아름다움을 추구해야 한다고 주장하고 있습니다.

051쪽 오늘의 어휘

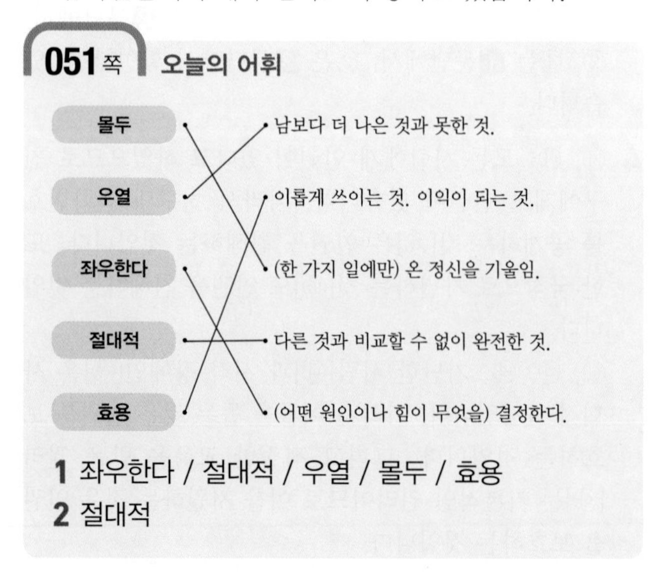

1 좌우한다 / 절대적 / 우열 / 몰두 / 효용
2 절대적

- **글의 종류** 설명문
- **글의 특징** 헌법 재판소의 역할과 구체적인 업무, 재판관을 구성하는 방법과 위헌 결정 방법 등을 설명하는 글입니다.
- **설명 방식** 유추, 정의, 예시
- **글의 주제** 헌법 재판소의 역할과 업무

053쪽 지문 독해

1 ③ **2** ④ **3** (1) ㉣ (2) ㉮ (3) ㉰ (4) ㉱ (5) ㉯
4 헌법

1 이 글은 헌법 재판소가 우리 사회에서 하는 역할을 설명하고 있습니다. 헌법 재판소는 각종 법률이나 법률에 근거한 국가 기관의 행위가 헌법의 규정과 정신을 지키는지를 심판함으로써 국민의 기본적 자유와 권리를 보호하는 역할을 합니다.

2 헌법 재판소의 설립 역사에 대한 내용은 이 글에서 찾아볼 수 없습니다.

오답 풀이
① ❷문단의 '헌법 재판소는 헌법과 관련된 다툼이 생겼을 때 그것을 해결하는 국가 기관으로'에서 알 수 있습니다.
② ❸문단의 내용을 통해 알 수 있습니다.
③ ❹문단의 '9명의 재판관으로 구성된다. 그중 3명은 대통령이, 3명은 대법원장이, 3명은 국회가 선임한다.'에서 알 수 있습니다.
⑤ ❹문단의 '위헌인지를 가리는 중요한 결정에는 9명 중 6명 이상의 찬성이 필요하다.'에서 알 수 있습니다.

3 ❸문단에 따르면, 탄핵 심판은 대통령이나 국무총리 등 법률로 정한 고위 공무원이 헌법에 어긋나는 일을 했을 때 물러나게 할지 판단하는 것이며, 위헌 법률 심판은 법률이 헌법에 어긋나는지 판단하는 것이고, 헌법 소원 심판은 국가 기관의 행위가 개인의 기본권을 침해했는지를 판단하는 것입니다. 그리고 권한 쟁의 심판은 국가 기관이나 지방 자치 단체들 사이에서 일어나는 권한 다툼을 해결하는 것이고, 정당 해산 심판은 특정 정당이 헌법 질서를 어지럽혔는지 판단하는 것입니다.

4 ❷문단에 따르면, 여러 가지 법률 조항의 기본 방향을 제시하는 법은 헌법입니다. 모든 법률은 헌법에서 정한 범위를 벗어날 수 없습니다.

054쪽 지문 분석

1 헌법 재판소

2

헌법 및 헌법 재판소
- (헌법): 법률의 기본 방향 제시
- 헌법 재판소: 헌법과 관련된 다툼 해결

헌법 재판소가 하는 일	재판관 구성 및 위헌 결정 방법
• 위헌 법률 심판 • 탄핵 심판 • 헌법 소원 심판 • 권한 쟁의 심판 • 정당 해산 심판	• 총 9명: 대통령이 3명, 대법원장이 3명, (국회)에서 3명 선임함. • 중요 결정: 9명의 재판관 중 (6)명 이상의 찬성이 필요함.

1 이 글은 헌법 재판소의 역할과 구체적으로 하는 일, 재판관의 구성 방법과 위헌 결정 방법 등을 설명하고 있습니다.

유형 분석/핵심어
핵심어는 중심 화제를 의미합니다. 그런데 글쓴이는 중심 화제를 설명하는 과정에서 이와 관련된 여러 가지 화제를 두루 사용합니다. 그래서 중심 화제를 명확하게 판단하기 어려울 때가 있습니다. 그럴 때는 글 속에서 반복적으로 나오며, 각 단락이나 글 전체의 중심 문장에서 사용되는 것이 중심 화제입니다.

2 사회 질서를 유지하기 위한 법은 헌법을 기본으로 하여 만들어지는데, 헌법과 관련된 다툼을 해결하는 곳이 헌법 재판소입니다. 헌법 재판소에서 하는 일과 헌법 재판소의 구성을 글에서 찾아 정리합니다.

055쪽 오늘의 어휘

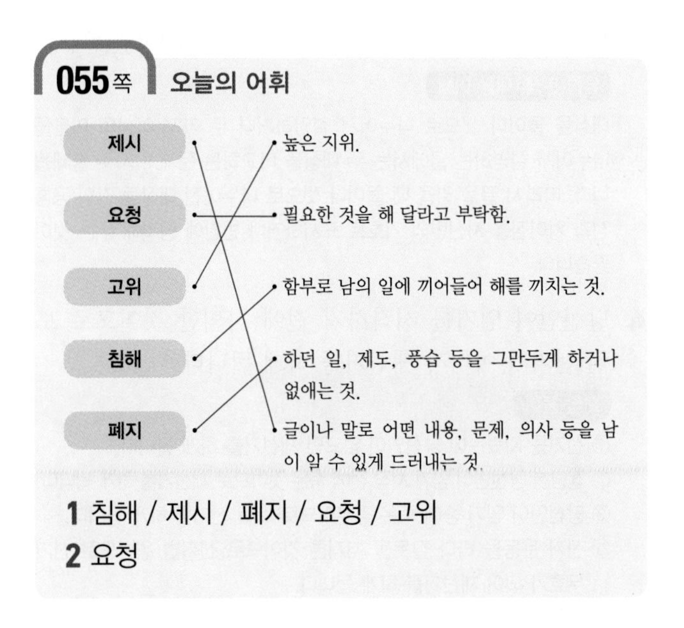

1 침해 / 제시 / 폐지 / 요청 / 고위
2 요청

- **글의 종류** 설명문
- **글의 특징** 재선거와 보궐 선거의 공통점과 차이점을 설명하는 글입니다.
- **설명 방식** 정의, 예시, 구분, 비교, 대조
- **글의 주제** 재선거와 보궐 선거의 공통점과 차이점

057쪽 지문 독해

1 재선거, 보궐 선거 2 ㉮, ㉯ 3 ⑤ 4 ④

1 이 글은 재선거와 보궐 선거의 공통점과 차이점을 설명하고 있습니다. 차이점은 ❷문단과 ❸문단에서, 공통점은 ❷문단의 '당선인의 임기가 끝나기 전에 다시 치르는 선거에는 재선거와 보궐 선거가 있다.'와 ❹문단에서 확인할 수 있습니다.

2 ㉮ 당선인의 임기가 끝나기 전에 다시 치르는 선거를 실시 이유에 따라 재선거와 보궐 선거로 나누어 설명하고 있습니다. ㉯ ❷문단과 ❸문단에서 각각 재선거와 보궐 선거를 실시하는 예를 들고 있습니다.

오답 풀이

㉰ ❷문단과 ❸문단에서는 재선거와 보궐 선거를 차이점을 중심으로 견주고 있습니다.
㉱ 대상을 유사한 성격을 지닌 다른 상황에 빗대는 유추의 설명 방법은 사용되지 않았습니다.

3 ❷문단에서 재선거는 임기 시작 전에 당선인이 사퇴하거나 죽었을 때 실시한다고 설명하였습니다. 그리고 ❸문단에서 보궐 선거는 당선인이 맡은 임무를 수행하던 중에 죽거나 사퇴했을 때 실시한다고 설명하였습니다.

유형 분석/내용 이해

대상을 둘이나 셋으로 나누어서 설명하거나 두 가지 이상의 이론을 나누어서 설명하는 글에서는 두 대상을 비교하는 문제가 자주 출제됩니다. 따라서 글을 읽을 때 둘이나 셋으로 나누어진 대상들 간의 공통점과 차이점을 자신만의 기호로 표시하거나 빈칸에 정리해 두는 것이 좋습니다.

4 당선인이 임기를 시작하기 전에 사퇴한 것이므로 보궐 선거가 아니라 재선거를 하게 됩니다.

오답 풀이

① 선거를 치렀는데 당선인이 없으면 재선거를 하게 됩니다.
② 정당한 당선인이 임기 시작 전에 죽은 것이므로 재선거를 하게 됩니다.
③ 당선인이 임기 중에 죽은 경우이므로 보궐 선거를 하게 됩니다.
⑤ 선거 운동을 하다 잘못을 저지른 것이므로 선거법 위반으로 선거 무효가 되어 재선거를 하게 됩니다.

058쪽 지문 분석

1

당선인이 없거나, 선거 자체가 무효가 되었거나, 임기 시작 전에 당선인이 사퇴하거나 사망했을 때 실시하는 선거를 (재선거, 보궐 선거)라고 한다. 그리고 정당하게 당선된 사람이 맡은 임무를 수행하던 중에 죽거나 사퇴했을 때, 선거법과 상관없는 잘못을 저질러 해임되었을 때 실시하는 선거를 (재선거, 보궐 선거)라고 한다.

2

❶문단	선거를 다시 하는 경우	(○)
❷문단	선거 무효가 되었거나 당선자가 임기를 시작할 수 없을 때 하는 재선거	(○)
❸문단	임기를 시작한 정당한 당선자가 임무를 계속할 수 없을 때 하는 보궐 선거	(○)
❹문단	재선거나 보궐 선거를 치르지 않는 경우	(×)
❺문단	투표율이 높은 재선거나 보궐 선거	(×)

1 임기 시작 전에 당선인이 사퇴하거나 사망했을 때 실시하는 선거는 재선거이고, 당선된 사람이 맡은 임무를 수행하던 중에 죽거나 사퇴했을 때, 선거법과 상관없는 잘못을 저질러 해임되었을 때 실시하는 선거는 보궐 선거입니다.

2 ❹문단의 중심 내용은 '전임자의 잔여 임기만 재임할 수 있는 재선거 또는 보궐 선거 당선자'이고, ❺문단은 '유권자가 소중한 한 표를 행사할 때 의미가 있는 재선거와 보궐 선거'입니다.

059쪽 오늘의 어휘

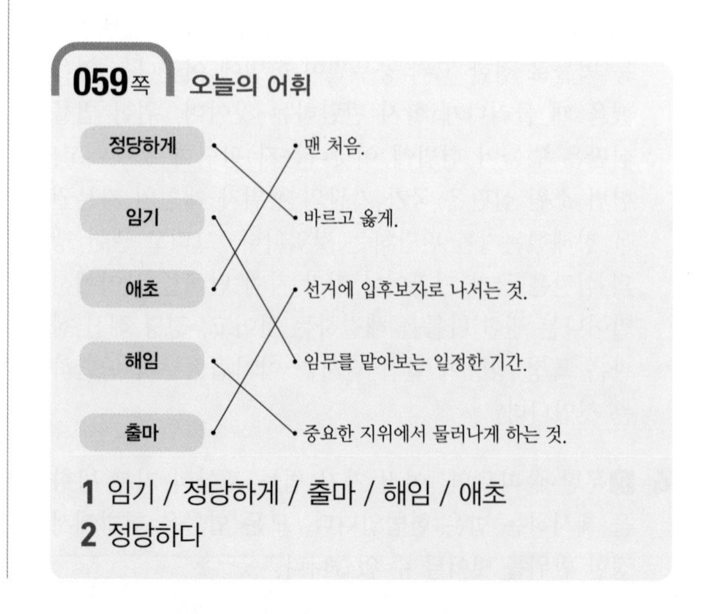

1 임기 / 정당하게 / 출마 / 해임 / 애초
2 정당하다

- **글의 종류** 설명문
- **글의 특징** 소셜 네트워크 서비스(SNS)의 게시물에 다는 해시태그(#)에 대해 설명하는 글입니다.
- **설명 방식** 정의, 예시
- **글의 주제** 해시태그의 다양한 활용

061쪽 지문 독해

1 정보, 해시태그 **2** ③ **3** ③ **4** ⑤

1 이 글은 해시태그의 개념과 목적, 해시태그의 다양한 활용 등을 설명하고 있습니다.

2 해시태그가 앞으로 어떤 방향으로 변화할 것인지에 대한 언급은 하지 않았습니다.

오답 풀이

① ❶문단의 '해시태그는 특정 단어나 문구 앞에 '#' 기호를 붙여서 그 게시물에 대한 정보를 나타내는 것이다.'에서 확인할 수 있습니다.
② ❷문단의 '해시태그는 누리 소통망[SNS]에서 정보 검색을 편하게 하기 위해 만들어졌다.'에서 확인할 수 있습니다.
④ ❸~❺문단에서 확인할 수 있습니다.
⑤ ❶문단의 '해시 기호 뒤 문구는 기본적으로 띄어쓰기를 하지 않고, 특수 기호도 사용하지 않는다.'에서 확인할 수 있습니다.

3 ㉠의 앞부분은 누리꾼들이 해시태그를 놀이 수단으로 이용하기도 한다는 것이고, ㉠의 뒷부분은 해시태그를 놀이로 사용하는 예입니다. 따라서 '예컨대'가 들어가는 것이 알맞습니다.

유형 분석/어휘·어법

이어 주는 말은 문단과 문단, 문장과 문장을 이어 주는 말입니다. 앞뒤 내용 간의 관계에 따라 이어 주는 말이 달라지므로, 이어 주는 말을 찾는 문제는 앞뒤 내용이 역접, 순접, 인과, 전환, 요약, 예시, 첨가, 대등 중에서 어떤 관계를 지니는지 파악해야 합니다.

4 ❶문단에 따르면 해시태그는 해시 기호 뒤에 단어나 문구를 써야 하며, 기본적으로 띄어쓰기와 특수 기호를 사용하지 않습니다. ⑤는 이런 조건을 모두 충족하고 있습니다.

오답 풀이

① '#' 뒤에 단어나 문구를 넣어야 하는데 '#'을 문구 뒤에 넣었으므로 적절하지 않습니다.
② '$'라는 특수 기호를 사용하고 있으므로 적절하지 않습니다.
③ 띄어쓰기를 하고 있으므로 적절하지 않습니다.
④ '♡'라는 특수 기호를 사용하고 있으므로 적절하지 않습니다.

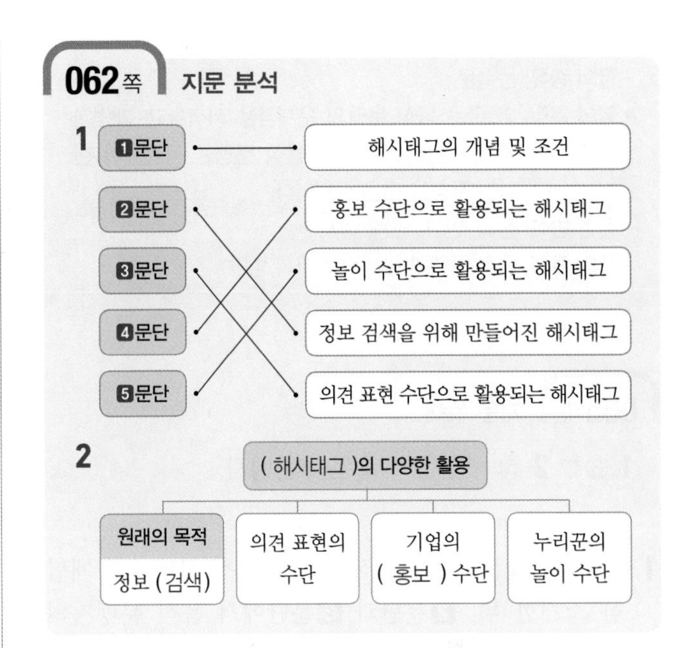

1 ❶문단에서 해시태그의 개념 및 조건을 제시한 뒤 ❷문단에서 해시태그가 만들어진 목적을 설명하였습니다. 그리고 ❸~❺문단에서 각각 해시태그가 의견 표현 수단, 홍보 수단, 놀이 수단 등으로 사용된다는 점을 설명하고 있습니다.

2 이 글의 ❷~❺문단에서 해시태그의 다양한 활용 양상을 알 수 있습니다. 해시태그는 원래 정보 검색을 위해 만들어졌으나 의견 표현의 수단, 기업의 홍보 수단, 누리꾼의 놀이 수단 등 다양하게 활용되고 있습니다.

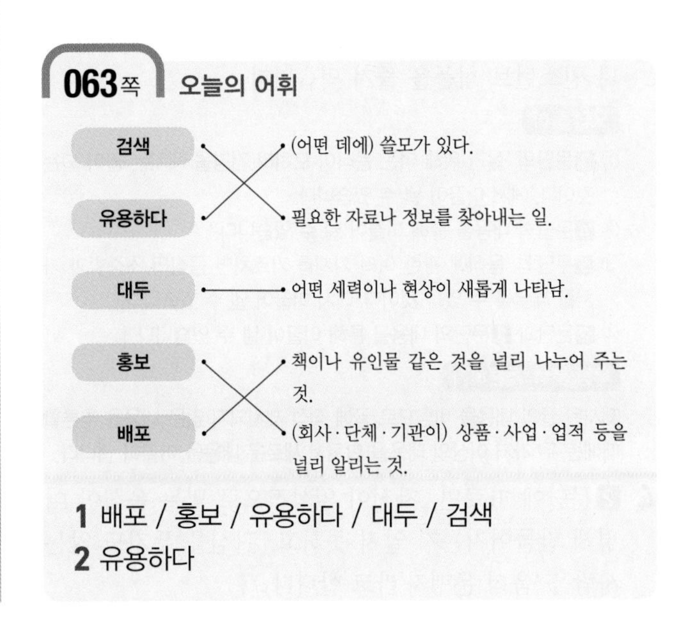

- **글의 종류** 논설문
- **글의 특징** 이 글은 음식 문맹의 문제점을 지적하고, 개인과 사회가 함께 노력하여 음식 문맹을 극복해야 한다는 주장을 담은 글입니다.
- **설명 방식** 정의, 인과, 인용, 예시
- **글의 주제** 음식 문맹의 문제점과 극복 방안

065쪽 지문 독해

1 ③ **2** ⑤ **3** ⑤ **4** 음식 문맹자

1 이 글은 ❶문단에서 음식 문맹과 음식 문맹자의 개념을 소개한 뒤, ❷문단과 ❸문단에서 음식 문맹자의 문제점을 지적하고, 이어 ❹문단과 ❺문단에서 음식 문맹의 극복 방안을 제시하고 있습니다.

2 ❷문단의 '늘 시간에 쫓기며 식사하는 시간마저 아까워하는 현대인들은 대부분 음식 문맹자나 마찬가지이다.'에서 확인할 수 있습니다.

오답 풀이

① ❸문단에서 패스트푸드나 인스턴트 식품은 열량은 높지만 영양가가 낮다고 했습니다.
② 패스트푸드는 제조 과정이나 사용한 재료가 명확하지 않은 경우가 많다고 했습니다.
③ 음식 문맹은 타고난 것이라는 내용은 찾아볼 수 없으며, ❹문단에서 개인적 차원의 극복 방안을 제시하고 있습니다.
④ ❷문단에 따르면 패스트푸드를 즐겨 먹는 이유는 시간에 쫓기는 생활을 하기 때문입니다.

3 ❷문단과 ❸문단에 따르면, 현대인은 늘 시간에 쫓기며 식사하는 시간마저 아까워하기 때문에 패스트푸드나 인스턴트 식품을 즐겨 먹습니다.

오답 풀이

① ❸문단의 '살기 위해 먹는 음식이 오히려 건강을 해치는 꼴이 되는 것이다.'에서 이끌어 낼 수 있습니다.
② ❹문단의 내용을 통해 이끌어 낼 수 있습니다.
③ ❺문단의 '음식에 관한 여러 가지를 가르치면 음식의 소중함과 가치를 깨달을 수 있을 것이다.'에서 이끌어 낼 수 있습니다.
④ ❷문단과 ❸문단의 내용을 통해 이끌어 낼 수 있습니다.

유형 분석/추론하기

제시된 글의 내용을 바탕으로 글에 직접 제시되지 않은 내용을 추론할 때에는 두 가지 이상의 내용을 합쳐서 새로운 내용을 이끌어 냅니다.

4 ❷문단에 따르면, 자신이 일상적으로 먹는 음식이 어떻게 만들어지는지 알지 못하고, 관심을 두지도 않는 사람을 '음식 문맹자'라고 합니다.

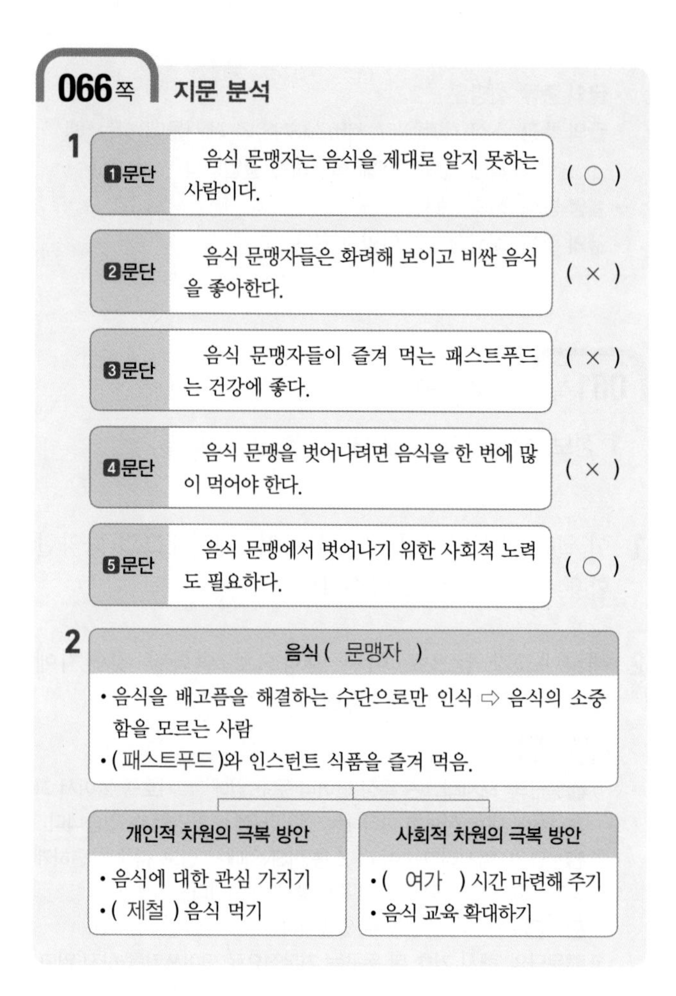

1 ❷문단은 음식 문맹자의 특징에 대해, ❸문단은 패스트푸드와 인스턴트 식품의 문제점에 대해, ❹문단은 음식 문맹에서 벗어나기 위한 개인적 노력에 대해 이야기하고 있습니다.

2 음식 문맹자의 개념과 문제점, 극복 방안을 정리합니다.

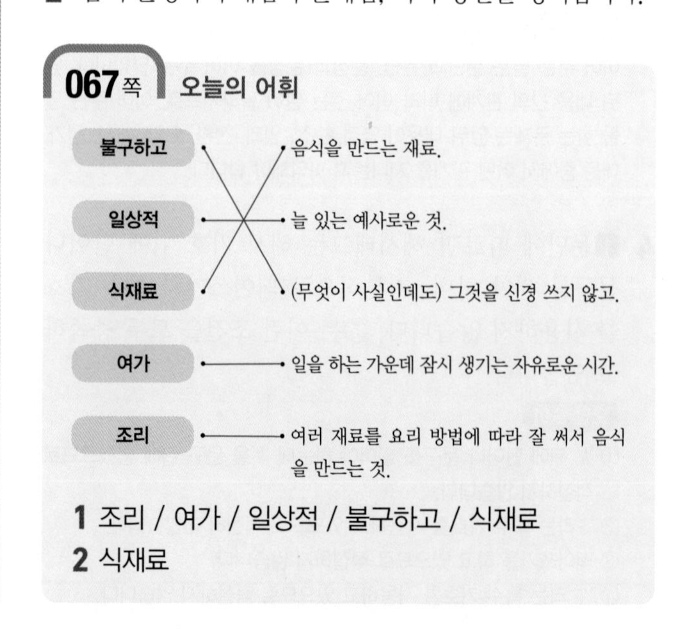

1 조리 / 여가 / 일상적 / 불구하고 / 식재료
2 식재료

- **글의 종류** 설명문
- **글의 특징** 14세기에서 17세기까지 유럽에서 벌어졌던 마녀사냥에 대해 설명하면서, 오늘날 인터넷상에서 일어나는 신상 털기가 중세의 마녀사냥과 성격이 비슷함을 비판하는 글입니다.
- **설명 방식** 정의, 예시, 인과
- **글의 주제** 중세 마녀사냥의 어리석음과 오늘날 신상 털기의 문제점

069쪽 지문 독해

1 유럽, 마녀사냥, 신상 털기 **2** ② **3** ①
4 신상 털기

1 이 글은 중세 유럽에서 수많은 여성들의 목숨을 앗아갔던 마녀사냥이 지배 계층이 자신들의 이익을 위해 벌인 짓임을 설명하고 있습니다. 그리고 오늘날 인터넷상에서 벌어지는 무분별한 신상 털기도 마녀사냥과 다를 바 없다고 비판하고 있습니다.

2 ❷문단에 따르면 중세 유럽에서 마녀사냥을 하던 시기에 마녀를 판단하는 방법은 매우 비과학적이었습니다.

오답 풀이

① ❶문단의 '이런 마녀는 사람들이 상상하여 만들어 낸 존재이다.'에서 확인할 수 있습니다.
③ ❷문단의 '이 때문에 당시 마녀로 몰린 사람은 거의 죽임을 당했다.'에서 확인할 수 있습니다.
④ ❸문단의 '정치 지도자들과 종교 지도자들 같은 지배 계층은 이 모든 일이 마녀 때문에 일어난 것이라고 주장하며 백성들의 관심을 딴 데로 돌리려 한 것이다.'에서 확인할 수 있습니다.
⑤ ❸문단의 '그 시절 유럽은 전쟁과 전염병 때문에 살기가 어려웠다. 게다가 흉년까지 계속되어 백성들의 불만이 극심하였다.'에서 확인할 수 있습니다.

3 '숭어가 뛰니까 망둥이도 뛴다'는 남이 한다고 하니까 분별없이 덩달아 나섬을 비유적으로 이르는 말이므로 ㉠을 나타내는 속담으로 적절합니다.

오답 풀이

② 무능한 사람도 한 가지 재주는 있다는 말.
③ 자기에게 조금이라도 유리한 쪽으로 이편이 되었다 저편이 되었다 한다는 말.
④ 자기가 먼저 남에게 잘 대해 주어야 남도 자기에게 잘 대해 준다는 말.
⑤ 계속해서 노력하면 힘든 일도 이루어진다는 말.

4 ❹문단에 따르면, 개인의 신상 정보를 함부로 인터넷에 올리는 것을 '신상 털기'라고 합니다.

070쪽 지문 분석

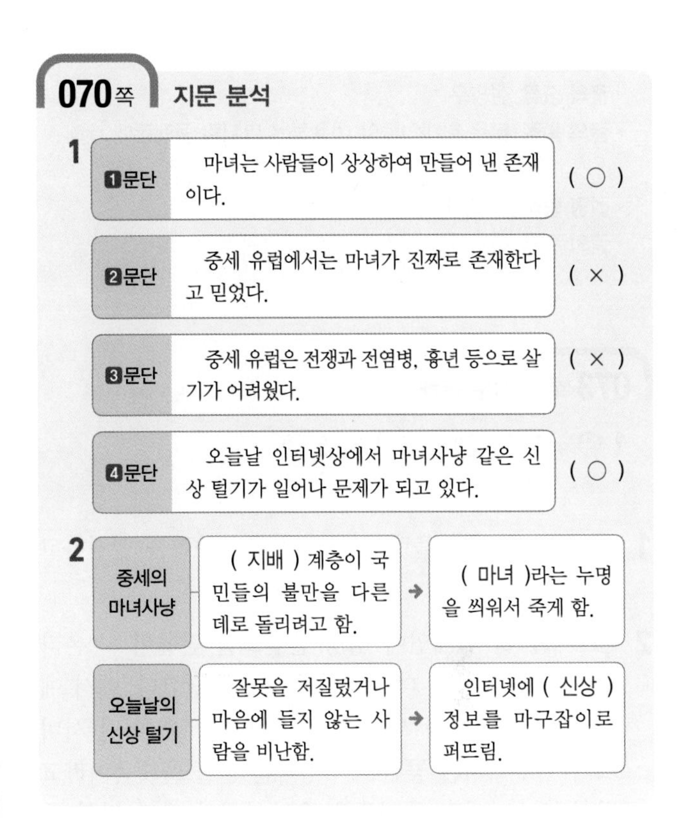

1 ❷문단은 중세 유럽에서는 마녀사냥이 벌어져 수많은 여성이 희생당했다는 것이, ❸문단은 중세 유럽의 마녀사냥은 지배 계층의 이익을 위해 일어난 일이라는 것이 중심 내용입니다.

2 중세의 마녀사냥과 오늘날의 '신상 털기'를 비교하여 정리합니다. 오늘날의 신상 털기도 누명을 씌워 상대를 비난한다는 점에서 중세의 마녀사냥과 비슷합니다.

071쪽 오늘의 어휘

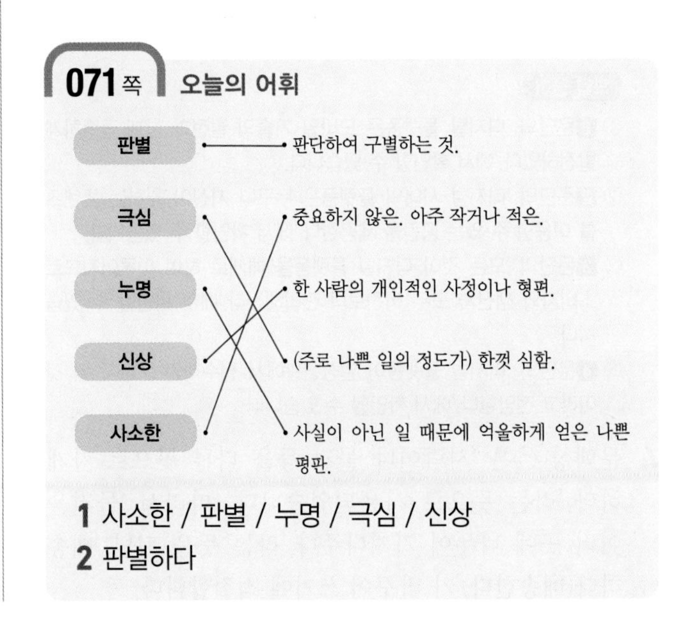

1 사소한 / 판별 / 누명 / 극심 / 신상
2 판별하다

- **글의 종류** 설명문
- **글의 특징** 많은 현대인들이 이용하는 디지털 플랫폼에 대해 설명하는 글입니다.
- **설명 방식** 정의, 예시
- **글의 주제** 디지털 플랫폼의 개념 및 효용

073쪽 지문 독해

1 ④ **2** ㉯, ㉰ **3** ④ **4** ③

1 이 글은 디지털 플랫폼의 개념과 영향력을 설명하고 있습니다.

2 ㉯ '예를 들어 개인이 영상 콘텐츠를 만들어 ~ 온라인 시스템은 모두 디지털 플랫폼에 해당한다.'에서 예시의 설명 방법을 사용하고 있습니다. ㉰ '어떤 서비스가 이루어지는 공간을 구성하는 틀을 플랫폼이라고 한다.'와 '디지털 플랫폼은 온라인에서 어떤 것의 생산, 유통, 소비가 이루어지도록 매개하는 시스템이다.'에서 정의의 설명 방법을 사용하고 있습니다.

오답 풀이

㉮ 일정한 기준에 따라 대상을 유사한 것끼리 묶는 분류의 설명 방법은 사용되지 않았습니다.

㉱ 어떤 현상을 원인과 결과를 중심으로 설명하는 인과의 설명 방법은 사용되지 않았습니다.

3 ❹문단의 '심지어 오프라인 매장 없이 앱으로만 운영되는 기업도 있다.'라는 설명을 고려할 때, 앱을 이용하는 디지털 플랫폼은 오프라인 매장이 없어도 활용할 수 있음을 알 수 있습니다.

오답 풀이

① ❸문단의 '디지털 플랫폼은 모바일 기술의 발전과 함께 급속하게 발전하였다.'에서 확인할 수 있습니다.

② ❷문단의 '디지털 시대의 플랫폼은 누구나 자신이 원하는 콘텐츠를 이용할 수 있는 공간을 제공한다.'에서 확인할 수 있습니다.

③ ❸문단의 '모든 것이 디지털 플랫폼을 매개로 하여 이루어지므로 소비자와 생산자 모두 이전보다 편리해진다.'에서 확인할 수 있습니다.

⑤ ❹문단의 '디지털 플랫폼이 일상생활에서 필수적인 문화가 될 것이라고 전망한다.'에서 확인할 수 있습니다.

4 문맥상 ㉠은 '사람이나 물건 등을 다른 곳으로 가게 하다.'라는 뜻으로 사용되었습니다. 따라서 '물건을 여러 곳에 나누어 가져다주다.'라는 뜻을 지닌 '배송하다(배송한다)'가 바꾸어 쓰기에 적절합니다.

074쪽 지문 분석

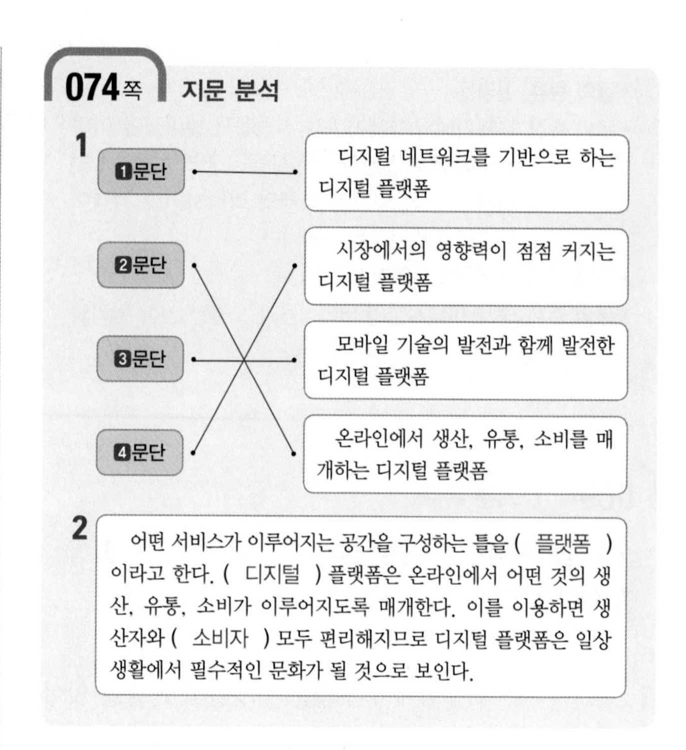

1 ❶문단에서는 디지털 플랫폼은 디지털 네트워크를 기반으로 한다는 것을, ❷문단에서는 디지털 플랫폼이 온라인에서 생산, 유통, 소비를 매개한다는 것을 설명했습니다. 그리고 ❸문단에서는 디지털 플랫폼이 모바일 기술의 발전과 함께 발전하였음을, ❹문단에서는 시장에서 디지털 플랫폼의 영향력이 점점 커진다는 것을 설명하고 있습니다.

2 디지털 플랫폼의 개념과 효용, 앞으로 미칠 영향력 등을 정리하여 씁니다.

075쪽 오늘의 어휘

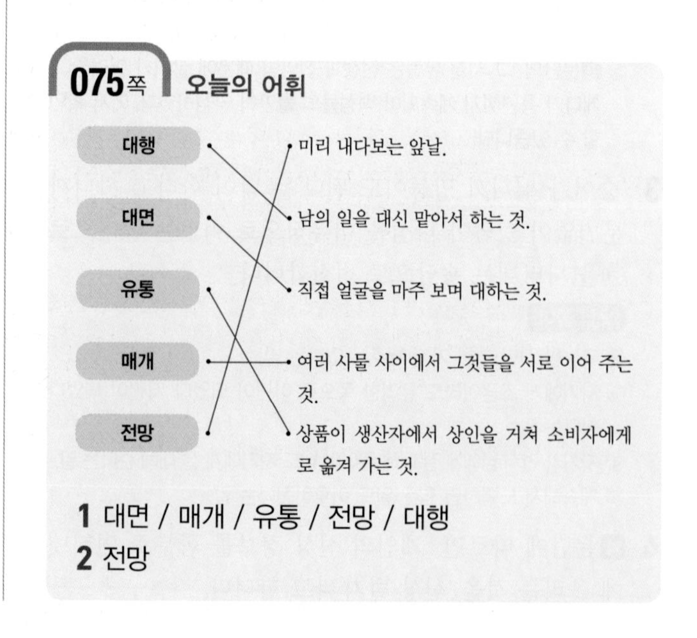

- **글의 종류** 설명문
- **글의 특징** 환율의 개념과 환율의 변동이 우리 생활에 미치는 영향을 설명하는 글입니다.
- **설명 방식** 정의, 예시, 인과
- **글의 주제** 환율의 개념과 환율 변동의 영향

079쪽 지문 독해

1 ⑤ **2** ⑤ **3** 하락 **4** 수출, 수입

1 이 글은 환율이란 무엇이고, 환율의 변동이 우리 생활에 어떤 영향을 미치는지에 대해 설명하고 있습니다.

2 ❸문단의 '우리나라 화폐를 사려는 사람이 많아지면 우리나라 화폐의 가치가 높아지면서 환율이 하락한다. 이전보다 적은 돈으로 미국 달러와 바꿀 수 있는 것이다.'에서, 환율이 하락하면 같은 금액의 달러를 구할 때 돈이 더 적게 든다는 것을 알 수 있습니다.

오답 풀이

① ❸문단의 '환율은 세계 경제 상황에 따라 매일매일 달라진다.'에서 확인할 수 있습니다.

② ❷문단의 '환율을 표시할 때는 미국의 달러를 기준으로 삼아 표시하는 경우가 많다. 달러는 전 세계적으로 널리 사용되면서 화폐 가치의 변동이 적기 때문이다.'에서 확인할 수 있습니다.

③ ❶문단의 '환율은 서로 다른 두 나라의 화폐를 맞바꾸는 비율이다.'에서 확인할 수 있습니다.

④ ❺문단의 '세계 각국은 자국의 환율이 급격히 상승하거나 하락하는 것을 막기 위해 노력하고 있다.'에서 확인할 수 있습니다.

3 ❸문단에 따르면, 자국의 화폐를 사려는 사람이 많아져서 자국 화폐의 가치가 높아지는 것을 '환율 하락'이라고 합니다. 반대로 자국 화폐의 가치가 떨어지면서 환율이 올라가는 것을 '환율 상승'이라고 합니다.

4 ❹문단에 따르면, 환율이 상승하면 외국 상품을 그만큼 더 비싼 값에 수입해야 하고, 환율이 하락하면 자국 상품의 수출이 감소합니다. 이는 달리 말하면 환율 상승은 수출에 유리하지만 수입에 불리하고, 환율 하락은 수출에 불리하지만 수입에 유리하다는 것입니다.

유형 분석/추론하기

특정 부분의 내용을 간략하게 재정리해야 하는 경우에는 핵심 용어를 중심으로 내용을 정리하는 것이 좋습니다. 즉 ❹문단의 내용을 중심으로 환율 상승과 수출, 수입의 관계, 환율 하락과 수출, 수입의 관계를 정리해야 합니다. 예를 들어 '더 비싸게 수입해야 한다.'는 것은 수입에 불리하다고 정리하는 것입니다.

080쪽 지문 분석

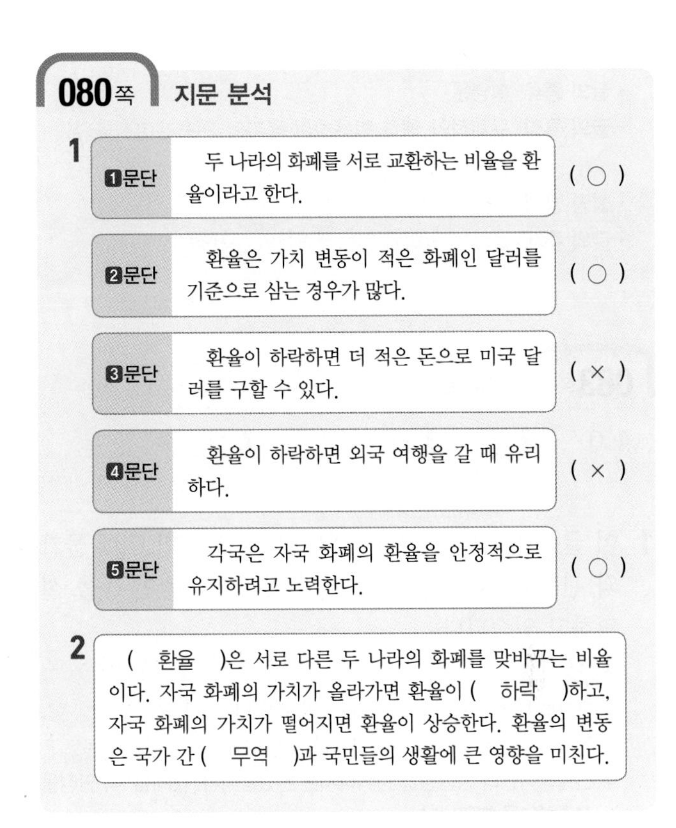

1

❶문단	두 나라의 화폐를 서로 교환하는 비율을 환율이라고 한다.	(○)
❷문단	환율은 가치 변동이 적은 화폐인 달러를 기준으로 삼는 경우가 많다.	(○)
❸문단	환율이 하락하면 더 적은 돈으로 미국 달러를 구할 수 있다.	(×)
❹문단	환율이 하락하면 외국 여행을 갈 때 유리하다.	(×)
❺문단	각국은 자국 화폐의 환율을 안정적으로 유지하려고 노력한다.	(○)

2 (환율)은 서로 다른 두 나라의 화폐를 맞바꾸는 비율이다. 자국 화폐의 가치가 올라가면 환율이 (하락)하고, 자국 화폐의 가치가 떨어지면 환율이 상승한다. 환율의 변동은 국가 간 (무역)과 국민들의 생활에 큰 영향을 미친다.

1 ❸문단의 중심 내용은 '우리나라 화폐의 가치가 올라가면 환율이 상승하고, 가치가 떨어지면 환율이 하락한다.'입니다. ❹문단의 중심 내용은 '환율의 변동은 국가 경제와 국민 생활에 영향을 미친다.'입니다.

2 환율의 개념과 환율 변동의 과정, 영향에 대하여 이해한 내용을 바탕으로 정리합니다.

081쪽 오늘의 어휘

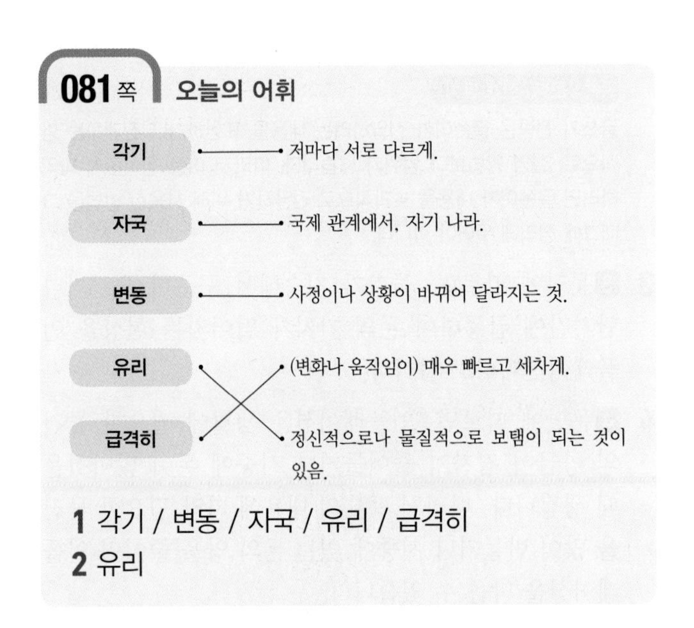

1 각기 / 변동 / 자국 / 유리 / 급격히
2 유리

- **글의 종류** 설명문
- **글의 특징** 구체적인 예를 활용하여 물가와 인플레이션을 설명하는 글입니다.
- **설명 방식** 정의, 예시, 인과
- **글의 주제** 물가의 의의와 인플레이션의 문제점

083쪽 지문 독해

1 ① **2** ② **3** 인플레이션 **4** ③

1 이 글은 물가의 개념과 의의를 먼저 설명한 뒤에 물가와 관련된 인플레이션의 개념 및 영향, 원인 등을 설명하고 있습니다.

오답 풀이

② 물가를 낮추는 방법을 제시하지 않았습니다.
③ 물가와 관련된 이론을 소개하지 않았습니다.
④ 인플레이션의 장단점을 분석하지는 않았습니다. 문제점, 즉 단점을 설명하였을 뿐입니다.
⑤ 인플레이션의 문제점을 설명하였지만, 인플레이션을 막아야 한다고 주장하지는 않았습니다.

2 2문단에서 권위 있는 전문가의 견해는 나오지 않습니다.

오답 풀이

① 1문단의 '물가가 무엇이길래 뉴스에서 중요하게 다루는 것일까?'에서 질문의 방식을 활용하여 내용에 대한 독자의 관심을 유도하고 있습니다.
③ 3문단에서 문제 현상인 인플레이션이 경제에 미치는 부정적 영향을 인과의 방식으로 제시하고 있습니다.
④ 3문단에서 인플레이션의 개념을 제시하고 있습니다.
⑤ 4문단에서 제1차 세계 대전 뒤의 독일 상황을 사례로 제시하고 있습니다.

유형 분석/전개 방식

글쓰기 전략은 글쓴이가 전달하려는 내용을 표현하거나 전개하는 방식으로, 설명 방법보다 범위가 넓습니다. 따라서 이를 정확하게 파악하려면 글쓴이가 내용을 효과적으로 전달하기 위해 사용한 방법을 그때그때 정리해 두어야 합니다.

3 3문단에 따르면, 물가가 지속해서 꾸준히 오르거나 단기간에 급등하여 돈의 가치가 떨어지는 현상을 인플레이션이라고 합니다.

4 4문단에 따르면, 인플레이션은 생활에 필요한 물건의 공급이 갑자기 줄어들거나 시중에 돈이 많아졌을 때 생깁니다. 따라서 보기의 내용에 따라 필요한 물건을 많이 만들거나 시중에 있는 돈의 양을 줄이면 인플레이션을 막을 수 있습니다.

084쪽 지문 분석

1 주요 상품들의 가격을 종합하여 평균을 낸 값을 (물가, 척도)라고 한다. 그리고 이것이 계속 (상승, 하락)하여 돈의 가치가 (상승, 하락)하는 현상을 인플레이션이라고 한다.

2

(물가)의 개념	(인플레이션)의 개념과 문제점
• 시장에서 팔리는 상품들 중 표본이 될 만한 물건의 값을 종합하여 평균을 낸 것	• 물가가 계속 올라 돈의 (가치)가 떨어지는 현상 ⇨ 국가 경제에 안 좋은 영향을 미침.

물가의 의의	인플레이션의 원인
• 돈의 가치를 알려 주는 척도 예 물가 (상승) ⇨ 돈의 가치 하락 물가 하락 ⇨ 돈의 가치 상승	• 생활에 필요한 물건의 공급이 줄거나 시중에 (돈)이 많아졌을 때 발생함. ⇨ 국가 차원의 여러 정책을 시행함.

1 시장에서 팔리는 물건들의 가격을 종합하여 평균을 낸 값을 물가라고 하고, 물가가 지속적으로 상승하여 돈의 가치가 떨어지는 현상을 인플레이션이라고 합니다.

2 1~4문단에서 설명한 물가와 인플레이션의 개념을 정리합니다. 물가는 돈의 가치를 알려 주는 척도인데, 물가가 급격히 올라 돈의 가치가 떨어지면 인플레이션이 일어납니다. 인플레이션은 국가 경제에 악영향을 미치므로 국가 차원에서 이를 막기 위한 정책을 시행합니다.

085쪽 오늘의 어휘

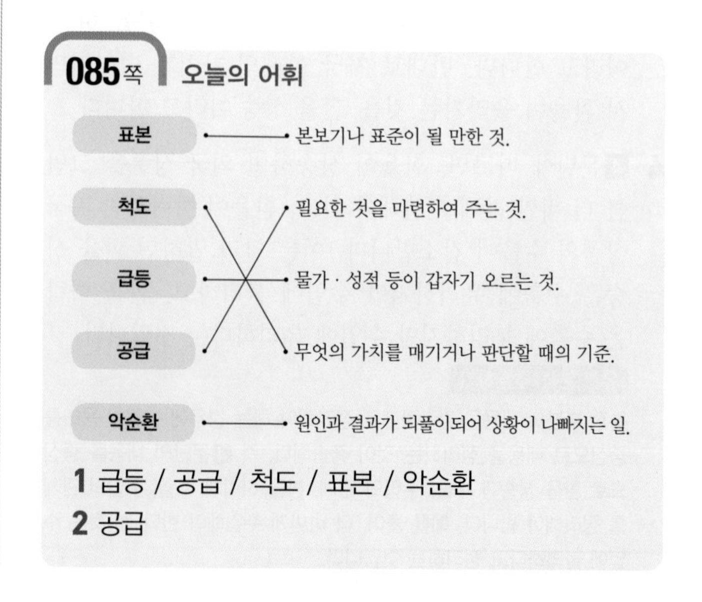

1 급등 / 공급 / 척도 / 표본 / 악순환
2 공급

- **글의 종류** 설명문
- **글의 특징** 관세 같은 무역 장벽을 없애 무역이 자유롭게 이루어지도록 하는 자유 무역주의에 대해 설명하는 글이다.
- **설명 방식** 정의, 예시, 인과
- **글의 주제** 자유 무역의 긍정적인 면과 부정적인 면

087쪽 지문 독해

1 ④ **2** ④ **3** ㉠ 그러나 ㉡ 그러므로 **4** ⑤

1 이 글은 무역의 필요성을 바탕으로 자유 무역주의의 긍정적인 면과 문제점을 설명하고 있습니다. 수입을 억제하기 위한 관세 부과 정책은 자유 무역주의를 설명하기 위한 것이지 그 자체가 이 글의 설명 대상은 아닙니다.

2 ❸문단의 '자유 무역 협정이란 관세 부과 같은 국가의 간섭 없이 무역을 자유롭게 하자는 나라 간의 약속이다. 이 협정을 맺으면 수출과 수입이 더 활발해진다.'에서, 자유 무역주의는 수출과 수입을 모두 증가하게 한다는 것을 알 수 있습니다.

오답 풀이

① ❹문단의 '자유 무역주의 상황에서 기업이 살아남기 위해서는 다른 나라 제품과의 경쟁에서 이길 수 있는 제품을 만들어야 한다.'에서 알 수 있습니다.
② ❷문단의 '관세가 붙으면 상품의 가격이 비싸져서 그 상품을 사려는 사람이 줄어든다. 그러면 그것과 같은 상품을 생산하는 국내 기업을 보호할 수 있다.'에서 알 수 있습니다.
③ ❸문단의 '관세 같은 무역 장벽을 없애 무역이 자유롭게 이루어지도록 하는 것을 자유 무역주의라고 한다.'에서 알 수 있습니다.
⑤ ❸문단의 '자유 무역 협정이란 관세 부과 같은 국가의 간섭 없이 무역을 자유롭게 하자는 나라 간의 약속이다.'에서 알 수 있습니다.

3 문맥상 ㉠의 앞과 뒤의 내용은 상반되는 내용입니다. 따라서 '그러나', '하지만', '그렇지만'같이 역접의 관계를 나타내는 말이 들어가야 합니다. 그리고 ㉡의 앞뒤 내용은 서로 원인과 결과로 이어지고 있습니다. 따라서 ㉡에는 인과의 관계를 나타내는 '그래서', '따라서', '그러므로' 같은 말이 들어가야 합니다.

4 외국산 컴퓨터에 엄청난 관세를 매기는 것은 수입을 억제하는 정책으로, 자유 무역주의에 반대되는 보호 무역주의의 예입니다.

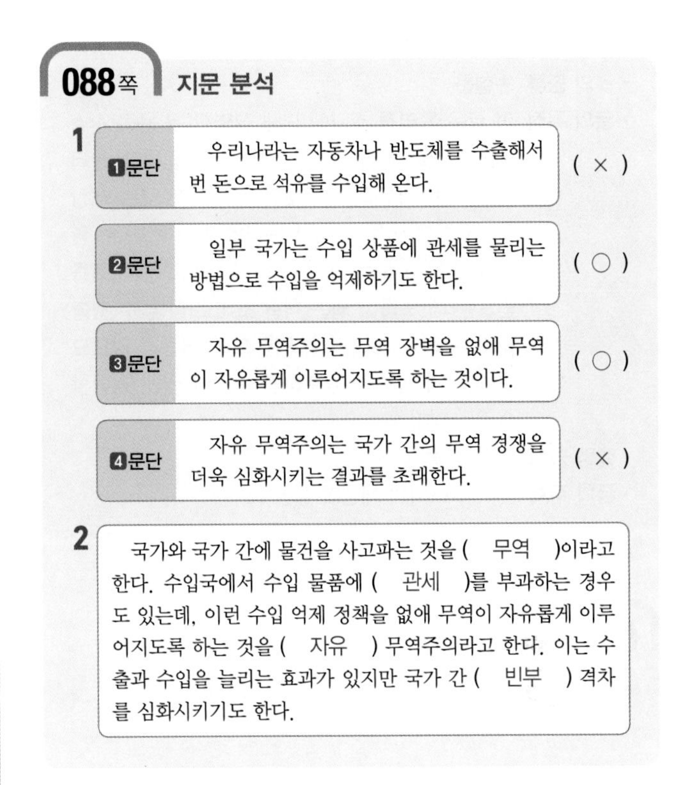

088쪽 지문 분석

1

❶문단	우리나라는 자동차나 반도체를 수출해서 번 돈으로 석유를 수입해 온다.	(×)
❷문단	일부 국가는 수입 상품에 관세를 물리는 방법으로 수입을 억제하기도 한다.	(○)
❸문단	자유 무역주의는 무역 장벽을 없애 무역이 자유롭게 이루어지도록 하는 것이다.	(○)
❹문단	자유 무역주의는 국가 간의 무역 경쟁을 더욱 심화시키는 결과를 초래한다.	(×)

2 국가와 국가 간에 물건을 사고파는 것을 (무역)이라고 한다. 수입국에서 수입 물품에 (관세)를 부과하는 경우도 있는데, 이런 수입 억제 정책을 없애 무역이 자유롭게 이루어지도록 하는 것을 (자유) 무역주의라고 한다. 이는 수출과 수입을 늘리는 효과가 있지만 국가 간 (빈부) 격차를 심화시키기도 한다.

1 ❶문단의 중심 내용은 국가 간에 물건을 사고파는 무역은 서로의 필요에 의해 자연스럽게 이루어진다는 것이고, ❹문단은 자유 무역주의의 문제점을 극복하기 위해서는 기업이 제품 경쟁력을 길러야 한다는 것입니다.

2 이 글은 자유 무역주의와 자유 무역 협정의 개념을 소개하고 자유 무역주의의 긍정적인 면과 부정적인 면을 설명하고 있습니다.

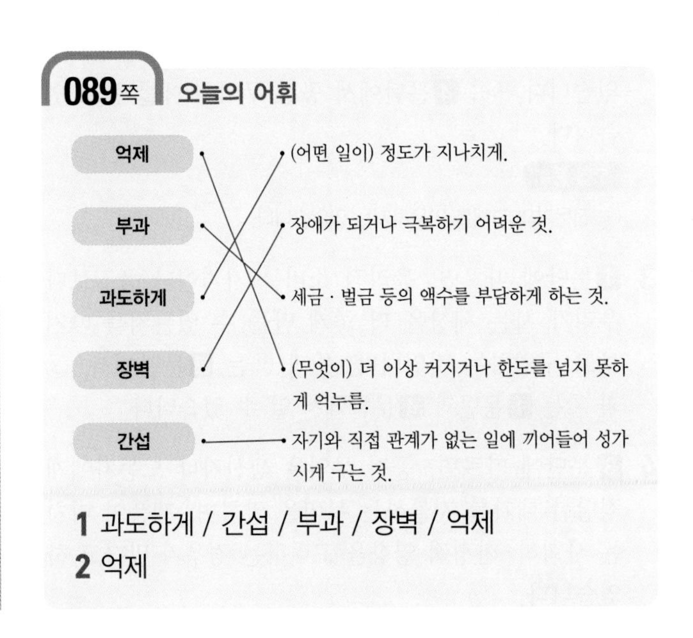

089쪽 오늘의 어휘

1 과도하게 / 간섭 / 부과 / 장벽 / 억제
2 억제

- **글의 종류** 논설문
- **글의 특징** 이 글은 윤리적 소비에 대해 설명한 뒤 윤리적 소비의 실천에 동참하자고 주장하는 글입니다. 윤리적 소비는 개인의 이익보다는 우리가 사는 세상을 더 좋게 만들기 위한 목적을 지닌 소비로, 환경에 도움이 되는 녹색 소비와 정의로운 사회를 만드는 데 도움이 되는 착한 소비로 나눌 수 있습니다. 윤리적 소비의 실천은 그리 어렵지 않으므로 약간의 불편만 감수하면 누구나 쉽게 참여할 수 있습니다.
- **설명 방식** 정의, 분류, 예시
- **글의 주제** 윤리적 소비의 개념과 실천 요구

091쪽 지문 독해

1 ③ **2** ㉮, ㉰, ㉱ **3** ⑤ **4** 지원

1 이 글은 ❶~❸문단에서 윤리적 소비와 실천 방법을 설명한 뒤에 ❹문단에서 윤리적 소비에 동참할 것을 주장하고 있습니다.

유형 분석/글의 특징

글의 특징은 대개 글의 주제와 관련되어 있습니다. 이를 파악하기 위해서는 글쓴이가 어떤 내용을 제시하고 있는지를 살펴보아야 합니다. 이때 부분적인 내용이 아니라 글 전체의 내용을 모두 고려합니다. 그리고 글쓴이가 어떤 방식으로 글을 전개하고 있는지 선택지 내용과 맞추어 봅니다.

2 ㉮: ❶문단에서 윤리적 소비의 개념을 제시하고 있습니다. ㉰: ❷문단과 ❸문단에서 윤리적 소비를 목적에 따라 녹색 소비와 착한 소비로 나누어서 설명하고 있습니다. ㉱: ❹문단에서 공정 무역의 예를 들고 있습니다.

오답 풀이

㉯: 전문가의 견해를 인용하지는 않았습니다.

3 ❶문단에 따르면, 윤리적 소비는 가격이나 품질보다 우리가 사는 세상을 더 좋게 만들 수 있는지를 따져 보고 구입하는 것입니다. ①과 ②는 ❷문단에서, ③과 ④는 ❶문단과 ❹문단에서 알 수 있습니다.

4 ❸문단에 따르면, 공정 무역은 생산자나 노동자에게 정당한 대가를 지불하는 무역을 말하며, 제품이 미치는 사회적·환경적 영향을 고려하는 경우가 많다고 하였습니다.

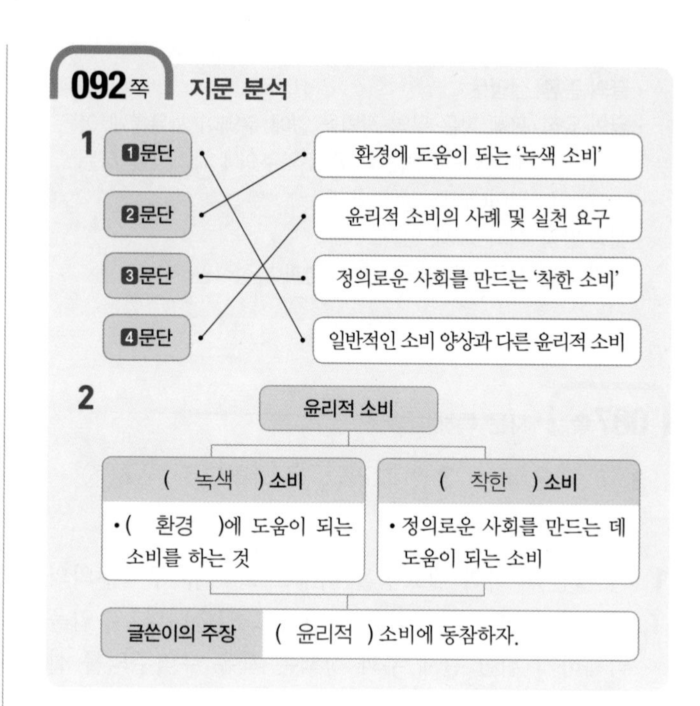

1 ❶문단에서는 일반적인 소비 양상과 다른 윤리적 소비에 대하여 소개하고, ❷문단에서는 윤리적 소비 방법 중에서 환경에 도움이 되는 '녹색 소비'를, ❸문단에서는 정의로운 사회를 만드는 '착한 소비'를 구체적으로 설명하고 있습니다. 그리고 ❹문단에서는 윤리적 소비의 사례를 제시한 뒤 동참할 것을 요구하고 있습니다.

2 윤리적 소비를 '녹색 소비'와 '착한 소비'로 나누어 설명하였습니다. 글쓴이의 주장은 ❹문단의 '우리 모두 윤리적 소비에 동참하자.'에 나와 있습니다.

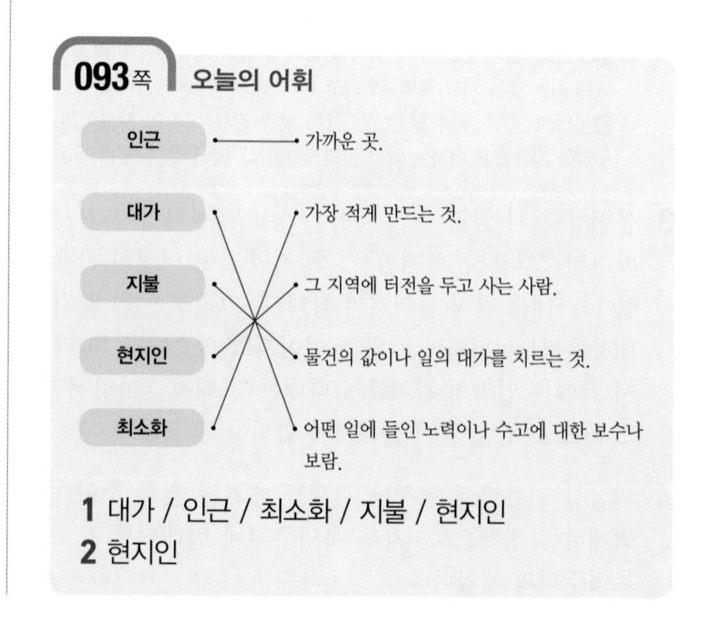

- **글의 종류** 설명문
- **글의 특징** 진화론이 등장하게 된 배경과 이후 등장한 진화론에 대해 설명하는 글입니다. 특히 진화론을 주장한 두 학자의 이론을 구체적인 예를 들어 소개하고 있습니다.
- **설명 방식** 정의, 예시, 비교
- **글의 주제** 생명 진화에 대한 여러 가지 이론

095쪽 지문 독해

1 ④ **2** ③ **3** ㉠ 라마르크 ㉡ 용불용설 ㉢ 다윈 ㉣ 자연 선택설 **4** 자연 선택설

1 ❹문단에서 돌연변이설과 격리설을 소개했지만 한계는 설명하지 않았습니다. ①과 ③은 ❶문단에서, ②는 ❹문단에서, ⑤는 ❷문단에서 설명하고 있습니다.

2 라마르크의 이론은 진화론을 체계적으로 주장한 첫 이론이자 다윈의 진화론이 나오는 데 기여한 이론입니다. 그러나 진화를 설명하는 이론으로 인정받지 못하였습니다.

오답 풀이

① ❹문단에서 돌연변이설과 격리설 등이 등장했다고 했습니다.
② ❶문단에서 화석이 발견되면서 종의 변화에 대해 사람들이 의문을 가졌다고 했습니다.
④ ❹문단에서 연구가 아직도 활발히 진행 중이라고 했습니다.
⑤ ❸문단에서 비글호를 타고 세계 일주를 하면서 발견한 생물에 대한 생각들이 다윈 진화론의 계기가 되었음을 설명하고 있습니다.

3 라마르크의 용불용설은 목이 짧은 기린이 환경에 적응해 목이 길어지고 그것이 진화로 이어졌다는 이론입니다. 다윈의 자연 선택설은 목이 짧은 기린과 긴 기린이 있었으나(형질 차이) 환경에 적응한 목이 긴 기린만 살아남아 진화로 이어졌다는(적자생존) 이론입니다.

4 다윈의 자연 선택설과 관련 있는 내용입니다. 서로 다른 형질을 가진 개체들 중 환경에 따라 살아남은 형질을 가진 개체의 자손들만 태어나고, 이를 계속하다 보면 처음과는 전혀 다른 형질을 지닌 새로운 종으로 진화하게 된다는 이론입니다.

유형 분석/추론하기

제시된 글 외의 자료를 글에 나온 이론과 관련지어 보는 문제입니다. 제시된 글에 나온 상황과 본문에 나온 진화론의 핵심 내용을 잘 살펴 봅니다.

096쪽 지문 분석

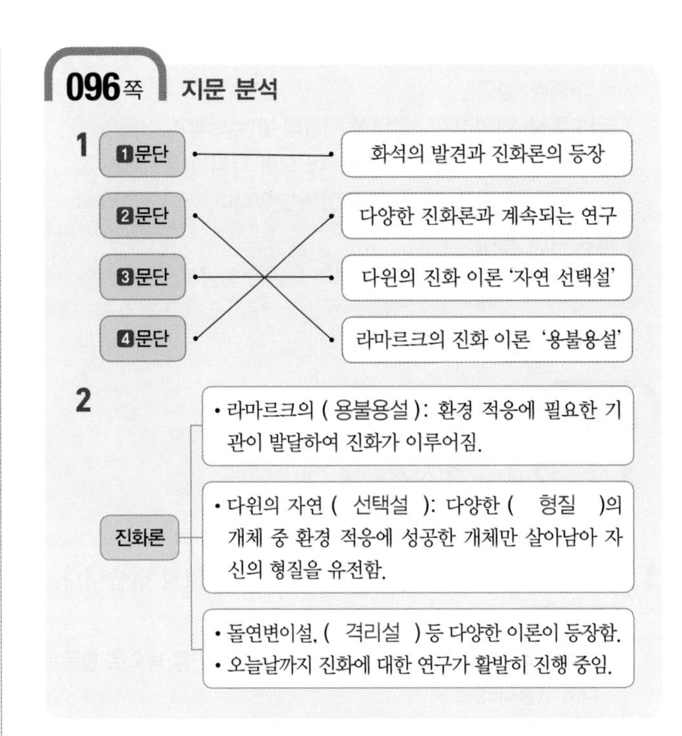

1 ❶문단에서는 화석이 발견되면서 종의 변화에 의문을 제기하는 사람들이 생겼다고 했습니다. ❷, ❸문단에서는 대표적인 진화론인 라마르크의 용불용설과 다윈의 자연 선택설을 소개했습니다. ❹문단에서는 다양한 진화론의 등장과 함께 지금도 여전히 진화론 연구가 진행 중이라고 했습니다.

2 이 글에서 설명한 진화론인 라마르크의 용불용설과 다윈의 자연 선택설의 주요 내용과 그 외 다양한 진화론에 대해 정리해 봅니다.

097쪽 오늘의 어휘

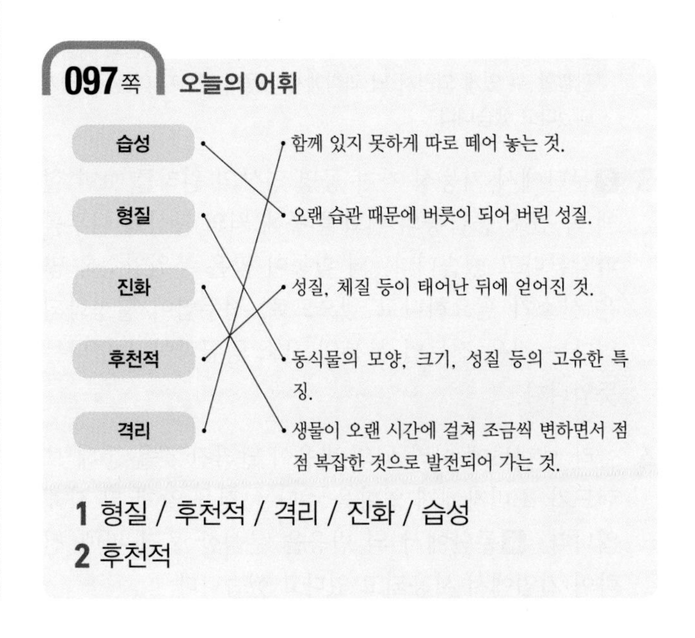

1 형질 / 후천적 / 격리 / 진화 / 습성
2 후천적

- **글의 종류** 설명문
- **글의 특징** 뇌 과학이 뇌 영상 기술의 발달과 함께 마음의 병을 치료할 수 있게 되었으며 다양한 분야에서 활용되고 있음을 설명하는 글입니다.
- **설명 방식** 예시
- **글의 주제** 뇌 과학의 마음 치료와 다양한 활용

099쪽 지문 독해

1 ③ **2** ④ **3** 산소 **4** ㉠

1 뇌 과학의 역사나 발달 과정은 설명하고 있지 않습니다.

오답 풀이

① ❹문단에서 물건 판매 전략을 짜거나 법정 증거물 등으로 활용된다고 했습니다.
② ❷문단에서 기능성 자기 공명 영상은 혈액 안의 산소 공급량의 변화를 촬영한다고 했습니다.
④ ❸문단에서 뇌 과학이 연구를 통해 우울증이나 주의력 결핍증 등을 치료한다고 했습니다.
⑤ ❷문단에서 자기 공명 영상을 통해 환자의 뇌를 연구하는 과정을 설명하고 있습니다.

2 뇌의 변화를 관찰해 인간의 행동과 심리를 파악할 수 있다는 것이 뇌 과학자들의 입장입니다.

오답 풀이

① ❹문단을 보면 법학 분야에서 거짓말 탐지기 자료보다 뇌 영상 자료가 정확하다는 주장이 나오고 있다고 했습니다.
② ❸문단에서 뇌의 반응을 통해 우울증, 주의력 결핍증 등을 판단할 수 있다고 했습니다.
③ ❸문단에서 뇌에 자극을 주는 치료가 가능하다고 했습니다.
⑤ ❷문단에서 뇌 영상 기술의 발달로 해부 없이 뇌의 반응과 작용을 관찰할 수 있게 되면서 뇌 과학에서 마음의 병까지 다룰 수 있게 되었다고 했습니다.

3 ❷문단에서 기능성 자기 공명 영상의 원리를 보면 혈액 속 산소 공급량의 변화를 통해 뇌의 활성화 여부를 파악한다고 했습니다. 뇌 활동이 많은 부위일수록 많은 산소가 필요하다고 했으므로, 전두엽이 활성화되었다는 것은 전두엽 부분의 산소 공급량이 늘었다는 뜻입니다.

4 콜라 브랜드에 따라 뇌의 반응이 달라진 것을 통해 브랜드가 소비자에게 영향을 준다는 것을 알게 된 사례입니다. ❹문단에서 뇌 반응을 분석한 물건 판매 전략이 기업에서 사용되고 있다고 했습니다.

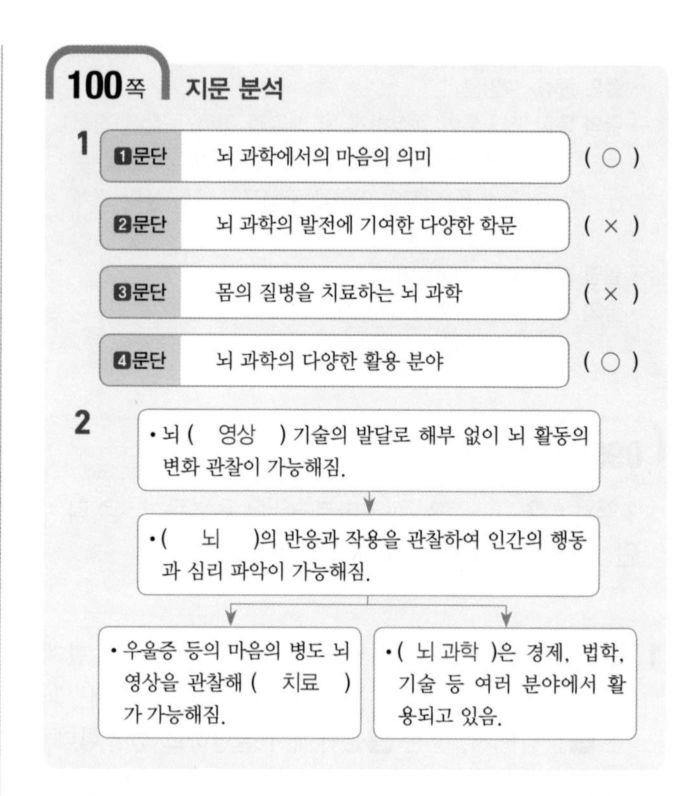

1 ❷문단은 뇌 과학 발전에 기여한 뇌 영상 기술의 발달을 설명하고 있으며, ❸문단은 마음의 병을 치료하는 뇌 과학에 대해 설명하고 있습니다.

2 뇌 과학의 발달로 어떤 일들이 가능해졌고 어떤 분야에서 활용되는지 정리합니다. 기능성 자기 공명 영상을 통해 뇌의 반응과 작용을 관찰할 수 있게 되면서 마음의 병도 뇌 과학으로 치료할 수 있게 되었고, 경제, 법학, 기술 등의 분야에서 활용할 수 있게 되었습니다.

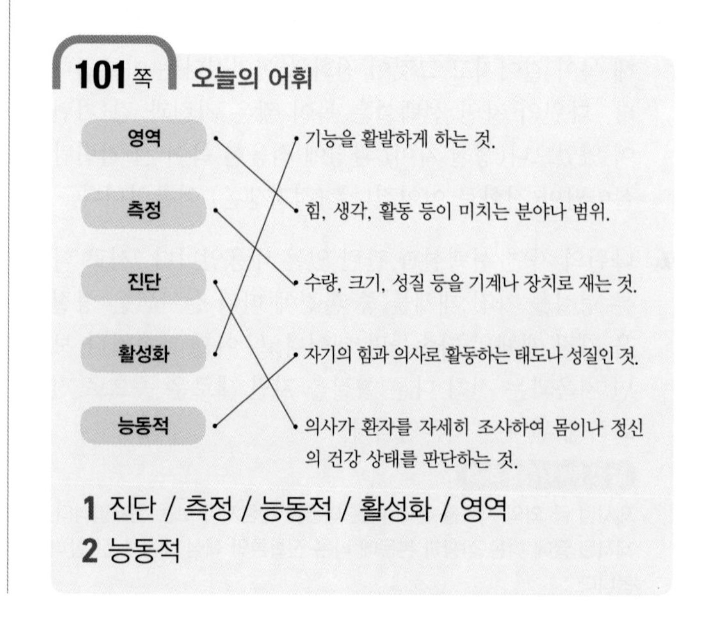

- **글의 종류** 설명문
- **글의 특징** 해로운 미생물도 있지만 이로운 미생물이 더 많으므로 이를 적극적으로 알고 활용해야 함을 설명하는 글입니다.
- **설명 방식** 정의, 예시, 대조, 인과
- **글의 주제** 이로운 미생물의 기능과 활용

103쪽 지문 독해

1 ⑤ **2** ⑤ **3** ① **4** ㉰, ㉱, ㉲

1 미생물에는 해로운 미생물도 있지만 이로운 미생물이 더 많음을 알려 주고 이로운 미생물의 기능을 예를 들어 설명하면서, 미생물을 좋은 방향으로 활용할 수 있도록 노력해야 한다고 강조하는 글입니다.

2 5문단에서 미생물은 완전히 없앨 수 없고, 미생물을 없애면 인간도 살아갈 수 없다고 했습니다.

오답 풀이

① 2문단에서 우리 몸에 필요한 영양분을 제공해 주거나 소화를 돕는 미생물이 있다고 한 것을 보면 알 수 있습니다.
② 2문단에서 미생물을 활용해 음식을 만든다는 것을 알 수 있습니다.
③ 3문단에서 미생물이 동식물의 사체를 분해해 주는 기능이 없었다면 생태계는 동식물의 사체가 가득할 것이라고 했습니다.
④ 2문단에서 미생물에는 해로운 것도 있지만 이로운 것이 더 많다고 했습니다.

3 앞 문장에서는 사람들이 흔히 미생물이라 하면 병원균을 떠올린다고 했고, 뒷 문장에서는 미생물을 해로운 것으로만 생각한다고 했으므로, 원인과 결과로 두 문장을 이어 주는 '그래서'가 들어가야 합니다.

오답 풀이

② 앞의 내용과 상반되는 내용이 이어질 때 쓰는 이어 주는 말입니다.
③, ④ 앞의 내용과 뒤의 내용이 반대되는 경우에 쓰는 이어 주는 말입니다.
⑤ 앞 문장에 결과가 나오고 뒤에 원인이 이어질 때 쓰는 이어 주는 말입니다.

4 ㉰, ㉱ 3문단에서 미생물 음식물 처리기와 미생물 비료를 환경 보호에 미생물을 활용한 예로 설명했습니다. ㉲ 4문단에서 다양하고 넓은 분야에서 활발하게 미생물을 활용하는 예로 섬유 가공 공정에 쓰이는 효소를 생산하는 미생물을 설명했습니다.

104쪽 지문 분석

1

미생물은 해로운 미생물도 있지만 (이로운) 미생물이 더 많다. 이로운 미생물은 우리 몸의 건강을 돕거나 (환경) 을 보호하는 등 다양한 역할을 한다. (미생물)은 완전히 없앨 수 없고, 없어서도 안 되므로 미생물을 좋은 방향으로 이용할 수 있도록 노력해야 한다.

2

이로운 (미생물)

• 우리 몸에 영양분을 제공하고 소화를 도움. • 흙에 영양을 제공함. • (음식)을 맛있게 만들 수 있음.	• 동식물의 사체, 배설물 등을 (분해) 함.	• 대량으로 (배양) 하는 기술이 발전하여 다양한 분야에 활용됨.

↓

미생물을 좋은 방향으로 이용할 수 있도록 (노력)해야 함.

1 이 글은 이로운 미생물의 기능을 설명하면서, 이로운 미생물을 잘 활용하도록 노력해야 한다는 것을 강조하고 있습니다. 글의 중심 내용이 잘 드러나도록 빈칸을 채워 글을 요약합니다.

2 이 글에서는 미생물이 해롭다는 일반적인 생각에 반대하면서 이로운 미생물과 그 다양한 기능을 설명한 내용을 표로 정리하고 있습니다. 이로운 미생물이 하는 다양한 역할과 장점, 이로운 미생물에 대한 태도 등을 정리해 봅니다.

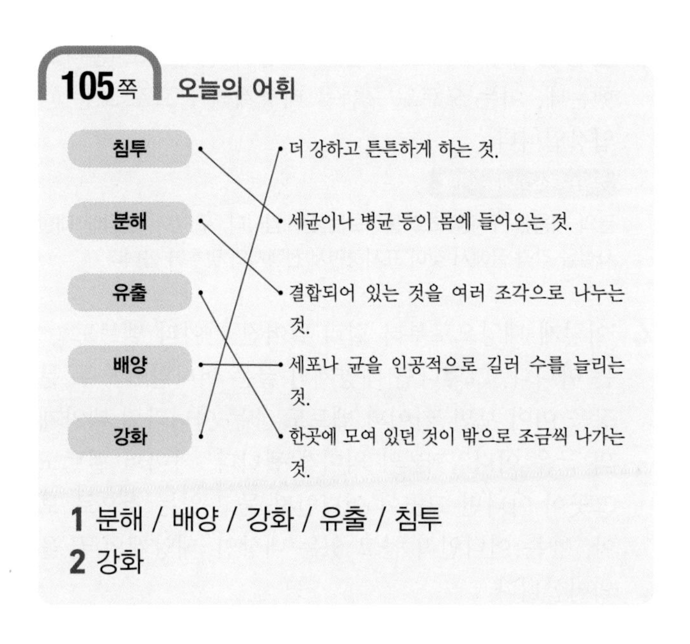

- **글의 종류** 설명문
- **글의 특징** 태양계에 존재하는 행성과 태양계 외곽에 존재하는 천체들에 대해 설명하며 태양계의 끝으로 볼 수 있는 태양권 계면과 오르트 구름에 대해 소개하는 글입니다.
- **설명 방식** 정의, 분류, 문답
- **글의 주제** 태양계와 태양계의 끝

107쪽 지문 독해

1 ④ **2** ⑤ **3** ③ **4** 태양계의 끝

1 이 글에서는 태양계의 끝을 태양권 계면과 오르트 구름 두 가지로 본다고 설명하고 있습니다. 어느 것이 더 알맞은지는 설명하지 않았습니다. ①은 ❷문단에서, ②는 ❶문단에서, ③은 ❸문단에서, ⑤는 ❹문단에서 확인할 수 있습니다.

2 공통점을 중심으로 설명하는 것은 비교의 방식입니다. 이 글에 비교의 설명 방식은 사용되지 않았습니다.

오답 풀이

① ❶문단에서 태양계의 뜻을 정의의 방식으로 설명하고 있습니다.
② ❶문단에서 지구의 공전 궤도를 기준으로 행성들을 내행성과 외행성으로 분류하였습니다.
③ ❷문단에서 카이퍼 벨트의 모양을 도넛 모양에 빗대어 설명하였습니다.
④ ❸문단에서 '태양계의 끝은 어디일까? 태양권 계면을 태양계의 끝으로 볼 수 있다.'라고 묻고 답하는 방식으로 설명하였습니다.

3 ❹문단에서 오르트 구름을 혜성의 근원지로 본다고 했는데, 이는 오르트 구름을 태양계의 끝으로 보는 ㉡ 입장입니다.

유형 분석/내용 이해

글의 내용을 구체적으로 물어보는 문제입니다. 두 가지 입장에 대한 사실을 각각 글에서 찾아 표시하면서 선택지와 맞추어 봅니다.

4 '이렇게 태양으로부터 멀리 떨어진 카이퍼 벨트도 ㉮는 아니다. 그렇다면 태양계의 끝은 어디일까?' 두 문장을 이어 보면 '카이퍼 벨트도 ㉮는 아니라면 태양계의 끝은 어디일까?'의 의미가 됩니다. 카이퍼 벨트도 그곳이 아니면 그곳이 어디인지 묻고 있는 것으로 보아, ㉮는 어디인지 묻고 있는 대상인 '태양계의 끝'을 의미합니다.

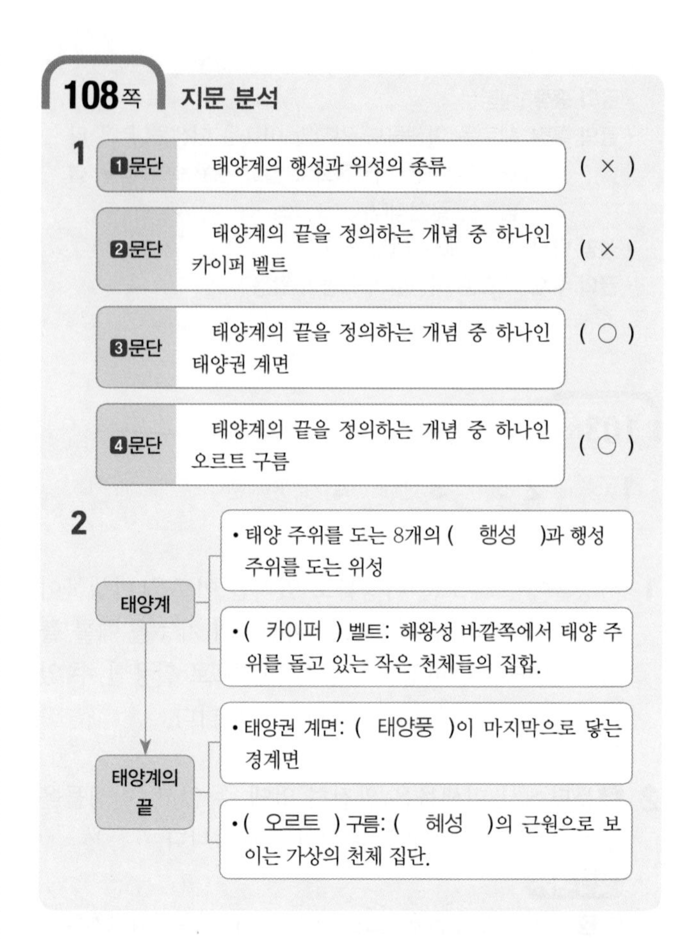

1 ❶문단에서 위성의 종류는 설명하고 있지 않습니다. ❷문단에서는 카이퍼 벨트의 개념과 특징을 설명하고 있으나, 카이퍼 벨트가 태양계의 끝을 정의하는 개념은 아닙니다.

2 태양계와 카이퍼 벨트, 태양권 계면과 오르트 구름에 대한 중요 내용을 정리합니다.

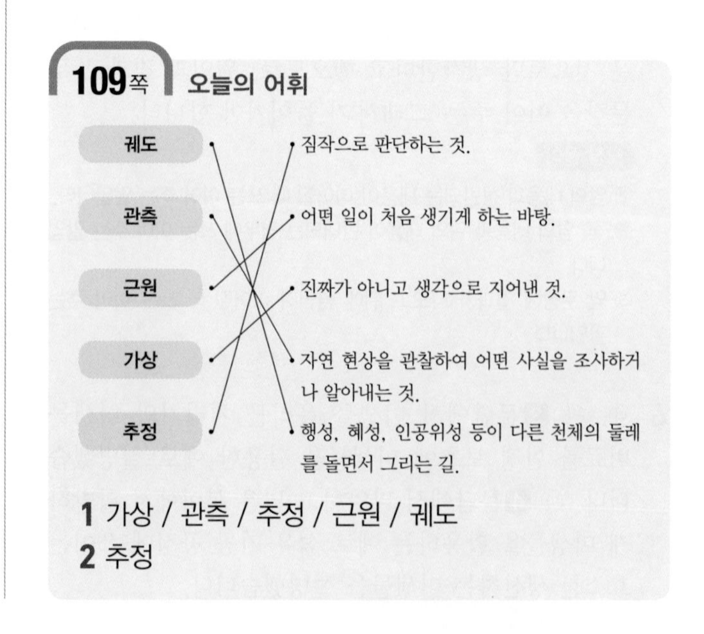

- **글의 종류** 설명문
- **글의 특징** OTT 서비스를 소개하는 글입니다. 기존의 영상 시청 방식인 셋톱박스에 대해 설명하고 OTT 서비스의 장점, 앞으로의 전망을 설명하고 있습니다.
- **설명 방식** 정의, 대조
- **글의 주제** OTT 서비스의 특징과 전망

111쪽 지문 독해

1 ① **2** ② **3** ① **4** ㉮: 밤 늦게 ㉯: 할머니 댁 ㉰: 만화 영화 시리즈 ㉱: 스마트폰

1 이 글은 OTT 서비스의 개념과 장점, 앞으로의 전망을 설명한 글입니다.

2 ❷문단에서 셋톱박스를 이용하면 지상파, 유료 케이블 채널, 인터넷 영상 등을 텔레비전으로 볼 수 있다고 했습니다.

오답 풀이

① ❹문단에서 다양한 OTT 업체가 경쟁하고 있다고 했습니다.
③ ❷문단에서 기본적으로 있는 텔레비전 선만으로는 지상파 방송만 시청할 수 있다고 했습니다.
④ ❸문단에서 OTT 서비스의 가장 큰 장점은 텔레비전을 통해 영상을 보지 않아도 되는 것이라고 했습니다. 그 때문에 다양한 기기로 원하는 장소에서 영상을 볼 수 있습니다.
⑤ ❶문단에서 원하는 시간에 원하는 방송만 보는 사람이 늘기 때문이라고 했습니다.

3 앞 문장에서는 기존의 시청자가 수동적이라고 했습니다. '이와 달리'라는 말 뒤에서는 OTT 서비스는 시청자가 원하는 것을 선택 소비한다고 설명하고 있습니다. 시청자가 선택적으로 소비하는 것은 적극적으로 소비하는 것을 뜻하므로, ㉠에는 '수동적'이라는 말과 뜻이 반대되는 '능동적' 또는 '적극적'이라는 말이 들어가야 알맞습니다.

4 ㉮ 내가 선택한 시간 – OTT 서비스는 밤 늦게도 시청이 가능합니다.
㉯ 내가 선택한 장소 – 텔레비전이 고장 난 할머니 댁에서도 시청이 가능합니다.
㉰ 내가 선택한 영상 – 만화 영화 시리즈만 골라서 시청이 가능합니다.
㉱ 내가 선택한 기기 – 스마트폰으로도 시청이 가능합니다.

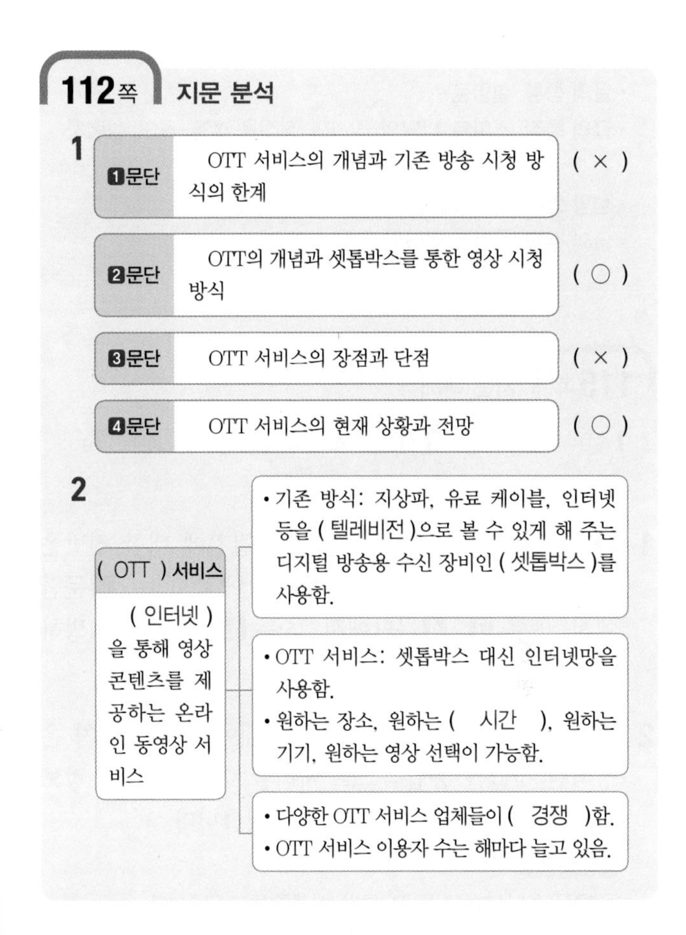

1 ❶문단에서는 OTT 서비스의 개념을 설명하고 있지만, 기존 방송 시청 방식의 한계에 대해서는 설명하지 않았습니다. ❸문단에서는 OTT 서비스의 장점을 설명하고 있습니다. 단점은 설명하고 있지 않습니다.

2 OTT 서비스의 개념과 특징, 앞으로의 전망을 정리합니다.

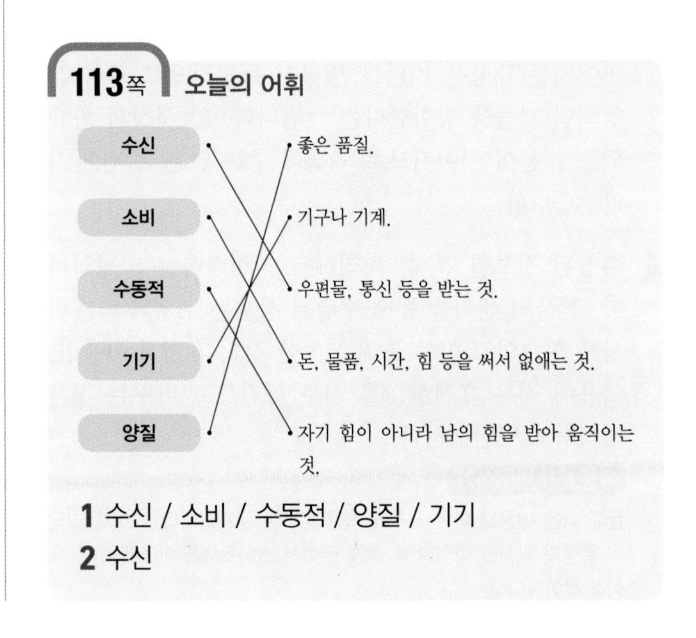

- **글의 종류** 설명문
- **글의 특징** 스마트 빌딩의 원리와 장점을 예를 들어 설명하는 글입니다.
- **설명 방식** 정의, 예시, 대조
- **글의 주제** 스마트 빌딩의 원리와 장점

115쪽 지문 독해

1 ④ **2** ⑤ **3** ① **4** ㉮: ③ ㉯: ④ ㉰: ⑤

1 ❶스마트 빌딩이 앞으로 어떻게 될지에 대한 전망은 나와 있지 않습니다. ①은 ❶문단에서, ②는 ❷문단에서, ③은 ❸, ❹문단에서, ⑤는 ❶문단에서 설명하고 있습니다.

2 ❷문단에서 스마트 빌딩은 건물 내에서 각각 설치 운영되던 것들을 종합적으로 처리할 수 있는 통합 정보 시스템을 갖춰 관리가 편하다고 했습니다.

오답 풀이

① ❹문단에서 에너지를 절감하는 사례를 들고 있습니다.
② ❶문단에서 기존 건물의 관리에 사람의 노력이 많이 든다고 했으며, 이와 달리 ❷문단에서 통합 관리가 가능한 스마트 빌딩은 관리가 쉽다고 했습니다.
③ ❷문단에서 건축과 기계, 전기를 정보 통신 기술을 접목해 연결한다고 했습니다.
④ ❹문단에서 스스로 정보 처리가 가능해 지능형 빌딩이라고 한다고 했습니다.

3 바로 앞부분에서 기존 건물의 시설들이 각각 운영되고 별도 관리가 필요함을 설명하였습니다. 빈칸 뒤에 이어지는 내용은 스마트 빌딩이 독립적으로 설치 운영되던 것들을 통합한다는 것입니다. 앞 문장과 반대되는 내용이 이어지므로 연결해 주는 말은 '반면에'가 알맞습니다.

4 수집된 정보를 분석, 처리해서 최적화하는 과정입니다. 건물의 센서를 통해 수집된 정보는 조명과 기계의 사용 횟수이고 이를 통해 분석한 것이 휴게실 이용량, 이용이 적은 휴게실 B를 사무 공간으로 바꾸는 것은 최적화의 방안입니다.

유형 분석/적용하기

글에 나온 내용을 다른 사례에 적용해 보는 문제입니다. 스마트 빌딩의 특성과 장점을 파악한 후 보기 글에서 스마트 빌딩에 해당하는 특성을 찾아봅니다.

116쪽 지문 분석

1 (스마트)빌딩은 모든 시스템을 하나의 연결망으로 통합해 건물을 효율적으로 관리하고 사용자들에게 편안한 업무 환경을 만들어 주는 첨단 건물이다. (통합)정보 시스템을 갖추어 건물 스스로 상태를 판단해 최적으로 운영하는 것이 가능하므로 (지능형)빌딩이라고도 한다.

2 (스마트)빌딩

개념	기능	장점
• 건물의 각 시설을 정보(통신) 기술로 연결해 통합 정보 시스템을 갖춤.	• (정보)를 수집하고 분석함. → 잘못된 부분을 수정하고 효율적으로 개선함. → 건물을 (최적)의 상태로 유지함.	• 건물이 어떻게 사용되고 있는지 한눈에 알 수 있음. • 문제 발생 시 알기 쉬움. • (원격) 제어가 가능함.

1 '스마트 빌딩'의 개념과 원리, 장점으로 제시된 내용을 정리해 봅니다.

2 이 글에서 설명한 스마트 빌딩의 운영 원리와 장점을 정리합니다. 스마트 빌딩은 통합 정보 시스템을 갖추고 있으며 스스로 정보를 수집하고 분석하여 잘못된 부분을 수정 및 개선할 수 있습니다.

117쪽 오늘의 어휘

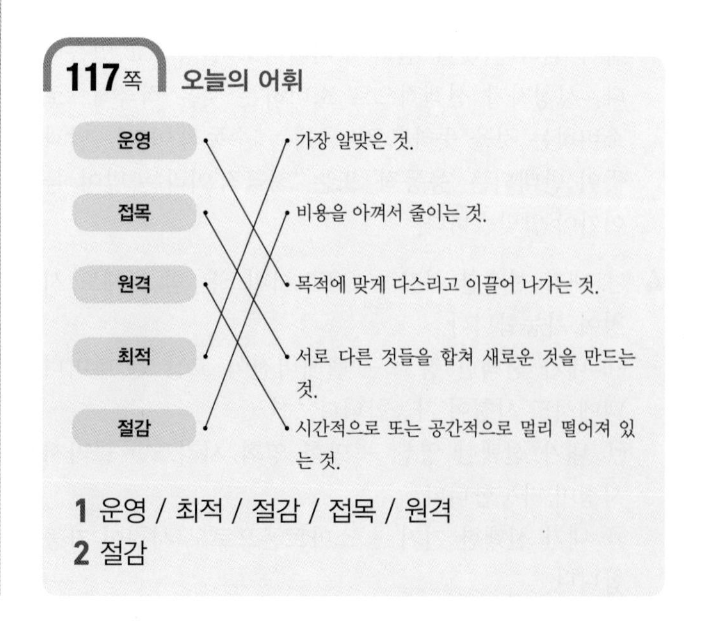

1 운영 / 최적 / 절감 / 접목 / 원격
2 절감

기술 03 우주 기술이 만든 물건들

- **글의 종류** 설명문
- **글의 특징** 우주 탐사를 위한 연구 과정에서 개발된 기술이 우리 삶에 도움을 주는 물건들을 만드는 데 활용되고 있음을 구체적인 예를 통해 설명하는 글입니다.
- **설명 방식** 정의, 예시, 나열
- **글의 주제** 우주 탐사 기술을 활용하여 만든 편리한 물건들

119쪽 지문 독해

1 ④ **2** ③ **3** ⑤ **4** 공기

1 이 글은 우주 탐사 기술이 우리 삶에서 다양하게 활용되고 있음을 정수기, 화재 경보 장치, 에어쿠션 신발, 공기 정화기 등의 구체적인 물건들을 예로 들어 설명하고 있습니다.

2 화재 경보 장치는 1973년 우주 정거장 스카이랩 발사를 위한 연구 시 개발된 장치입니다. 형상 기억 합금, 정수기, 무선 전동 드릴, 무선 진공 청소기는 1969년 아폴로 11호 우주선 발사를 위한 연구 중 개발된 장치입니다.

3 ❷문단에서 형상 기억 합금은 일정한 조건이 되면 원래의 모양으로 돌아가는 합금임을 알 수 있습니다. 즉 변화를 주었다가도 원래 모습으로 돌아갈 수 있습니다. 아폴로 11호의 안테나는 평소에는 접혀 있다가 온도 조건이 충족되면 원래의 모양으로 돌아가 안테나의 기능을 할 수 있습니다.

오답 풀이

① ❹문단에서 연기 감지 화재 경보 장치가 설치된 것은 화재의 위험에 대비하기 위해서입니다.
② ❻문단에서 우주선에서 음식을 바로 조리해 먹을 수 있게 냉동 건조 기술을 개발했다고 했습니다.
③ ❸문단에서 달 착륙 계획을 진행하며 우주인의 식수 문제를 해결하기 위해 정수기가 개발되었다고 했습니다.
④ ❻문단에서 우주에서 식물을 재배하기 위해 공기 정화기를 개발했다고 했습니다

4 ❺문단에서 우주인들이 에어쿠션 신발을 신으면 각종 충격을 공기로 완충해 무중력 상태에서 관절을 보호할 수 있다고 했습니다. 점프를 많이 하는 농구 선수들에게 에어쿠션 신발은 점프로 인해 충격을 받을 관절을 보호하는 효과를 가져올 수 있습니다.

120쪽 지문 분석

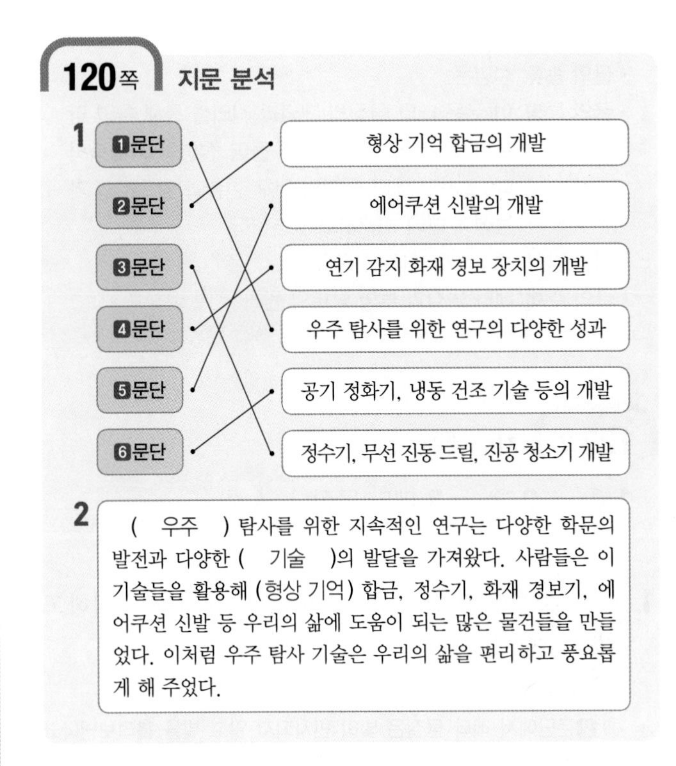

2 (우주) 탐사를 위한 지속적인 연구는 다양한 학문의 발전과 다양한 (기술)의 발달을 가져왔다. 사람들은 이 기술들을 활용해 (형상 기억) 합금, 정수기, 화재 경보기, 에어쿠션 신발 등 우리의 삶에 도움이 되는 많은 물건들을 만들었다. 이처럼 우주 탐사 기술은 우리의 삶을 편리하고 풍요롭게 해 주었다.

1 ❶문단에서는 우주 탐사를 위한 연구와 그 성과에 대해 설명하였고, ❷~❻문단에서는 우주 기술이 적용된 일상생활의 다양한 물건들을 소개하고 있습니다.

2 이 글에서 말하고자 하는 중심 내용을 파악해 봅니다. 우주 탐사를 위해 개발한 물건 또는 기술들이 우리의 일상생활을 편리하게 하는 다양한 물건들(형상 기억 합금, 정수기, 화재 경보기, 에어쿠션 신발 등)을 만들 수 있게 했음을 알려 주고 있습니다.

121쪽 오늘의 어휘

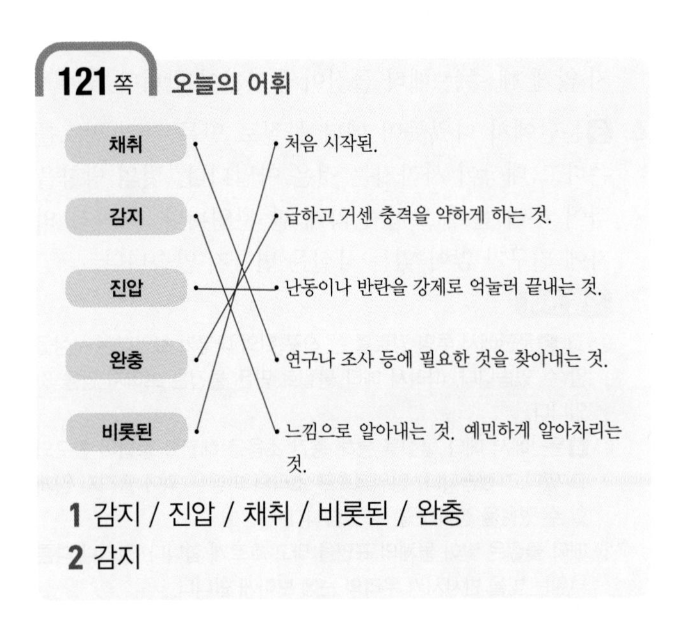

1 감지 / 진압 / 채취 / 비롯된 / 완충
2 감지

- **글의 종류** 설명문
- **글의 특징** 이 글은 메타 물질의 개념과 원리를 통해 투명 망토가 실현 가능함을 예를 들어 설명하고 있습니다. 그리고 메타 물질의 연구 현황과 앞으로의 가능성에 대해 소개하고 있습니다.
- **설명 방식** 정의, 예시, 대조, 문답
- **글의 주제** 메타 물질과 투명 망토의 원리

123쪽 지문 독해

1 ① **2** ② **3** 메타 물질 **4** ④

1 메타 물질이 어떤 구조로 이루어졌는지는 설명하고 있지 않습니다.

오답 풀이

② ❷문단에서 메타 물질은 빛이 반사되지 않고 빛을 흘려보낸다고 설명했습니다.
③ ❹문단에서 스텔스 기술이나 층간 소음 방지 기술에 대해 예를 들었습니다.
④ ❹문단에서 비싸고 만들기 어려우며 대량 생산 기술이 아직 부족하다고 했습니다.
⑤ ❷, ❸문단을 통해 빛을 흘려보내 반사되는 빛을 없앰으로써 망토를 쓴 대상이 보이지 않게 함을 알 수 있습니다.

2 빗대어 설명한 것은 맞으나 시냇물을 빛에, 돌을 메타 물질에 빗대어 설명했습니다.

3 나무와 나 사이에 친구가 있고 친구가 보이는 상황에서 친구가 망토를 쓰자, 나무와 나 사이에 있는 친구가 망토에 가려져 보이지 않게 되고 나무가 보인다는 내용입니다. 내용이 이어지려면 망토가 친구를 보이지 않게 해 주는 메타 물질이 들어가야 합니다.

4 ❸문단에서 나왔듯이 메타 물질로 만든 투명 망토를 쓴다고 대상이 사라지는 것은 아닙니다. 빛의 방향을 꺾어 우리 눈에 보이지 않게 할 뿐입니다. 따라서 의자에 친구가 앉아 있는 사실은 변하지 않습니다.

오답 풀이

①, ③ ❸문단에서 투명 망토를 쓴 친구 뒤의 나무가 보인다는 사실을 알 수 있습니다. 따라서 메타 물질로 만든 물건은 보이지 않을 것입니다.
② ❹문단에서 메타 물질을 통해 층간 소음을 해결할 방법이 연구되고 있다고 했습니다. 인위적으로 소리의 파장을 꺾어 들리지 않게 할 수 있음을 짐작해 볼 수 있습니다.
⑤ 메타 물질은 빛이 물체의 표면을 타고 흐르게 합니다. 그러나 다른 부위는 빛을 반사시켜 우리의 눈에 보이게 합니다.

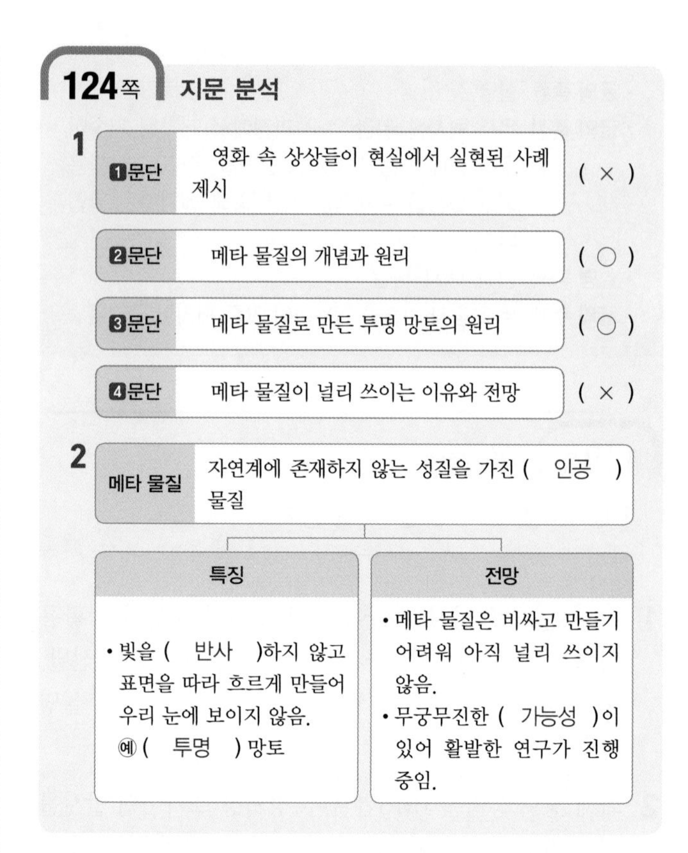

1 ❶문단에서는 영화 속 투명 망토의 이야기를 통해 화제를 제시할 뿐 영화 속 상상들이 현실에서 실현되었다는 이야기는 없습니다. ❹문단은 메타 물질이 널리 쓰이지 못하는 이유와 그럼에도 무궁무진한 가능성이 있기에 활발히 연구 중이라는 이야기를 하고 있습니다.

2 메타 물질의 개념과 특징, 앞으로의 전망을 정리해 봅니다.

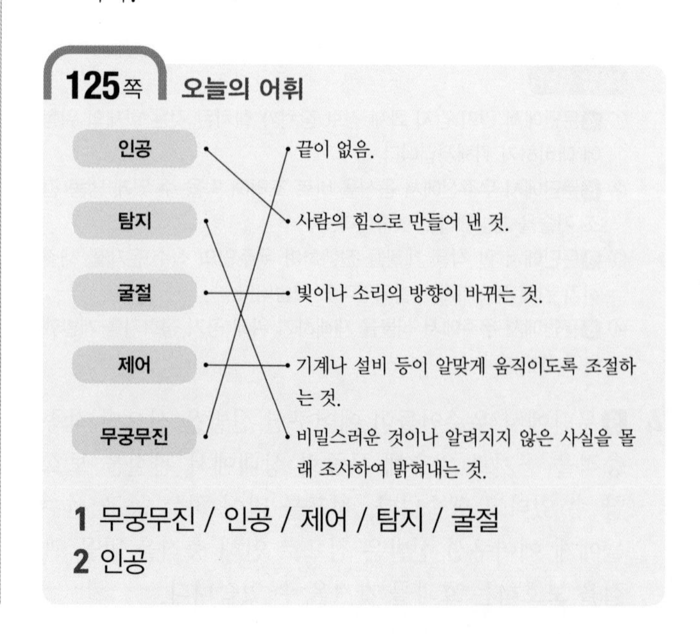

- **글의 종류** 설명문
- **글의 특징** 펜싱의 개념과 경기 복장, 종목, 경기 방식과 규칙을 설명하는 글입니다.
- **설명 방식** 정의, 분류
- **글의 주제** 펜싱의 종목과 경기 운영 방식

129쪽 지문 독해

1 ② **2** ③ **3** ㉠, ㉤, ㉧ **4** 에페

1 펜싱 경기장의 모양에 대한 정보는 이 글에 나와 있지 않습니다.

오답 풀이

① ❷문단에서 사용하는 검에 따라 나눈다고 했습니다.
③ ❶문단에서 펜싱복은 합성 섬유로, 검은 합금 강철로 만든다고 했습니다.
④ ❸문단에 구체적인 내용이 나와 있습니다.
⑤ ❶문단에서 센서의 작용으로 득점을 알린다고 했습니다.

2 ❸문단에서 개인전은 3라운드지만 단체전은 3인이 3라운드씩 경기를 치르므로 총 9라운드의 시합을 한다고 했습니다.

오답 풀이

① ❶문단에서 고대 로마 검투에서 시작한 고전적 스포츠라고 했습니다.
② ❷문단에서 사브르는 찌르기와 베기가 가능해 다양한 기술을 펼칠 수 있다고 했습니다.
④ ❷문단에서 플뢰레는 얼굴과 팔다리를 제외한 몸통 부분만 공격할 수 있다고 했습니다.
⑤ ❸문단에서 개인전은 3분씩 3라운드이지만 사브르는 한 선수가 8점을 먼저 얻으면 3분을 채우지 않아도 다음 라운드로 넘어갈 수 있으므로, 9분이 되기 전에 경기가 종료될 수 있습니다.

3 ㉠ ❷문단에 따르면 플뢰레는 찌르기만 가능합니다.
㉤ ❷문단에 따르면 사브르는 머리와 양팔을 포함한 상체 전부를 공격할 수 있습니다.
㉧ ❸문단에 따르면 동시에 공격을 성공했을 때 사브르는 먼저 공격 자세를 취한 사람이 득점합니다.

4 다리를 공격할 수 있는 종목은 몸 전체가 표적이 되는 에페입니다.

유형 분석/적용하기

지문의 내용을 실제 사례에 적용해 보는 문제입니다. 글에서 설명한 펜싱의 세 종목 플뢰레, 에페, 사브르의 특징(공격 유효 부위, 검의 모양, 득점 여부를 정하는 방식 등)을 살펴보고 제시된 경기 모습과 비교하여 답을 찾습니다.

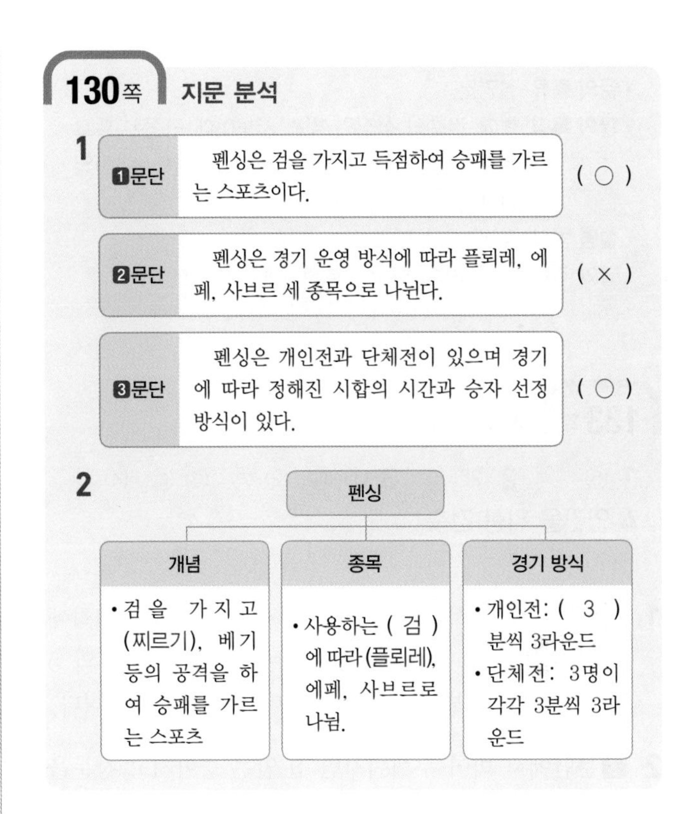

130쪽 지문 분석

1

❶문단	펜싱은 검을 가지고 득점하여 승패를 가르는 스포츠이다.	(○)
❷문단	펜싱은 경기 운영 방식에 따라 플뢰레, 에페, 사브르 세 종목으로 나뉜다.	(×)
❸문단	펜싱은 개인전과 단체전이 있으며 경기에 따라 정해진 시합의 시간과 승자 선정 방식이 있다.	(○)

2

펜싱

개념	종목	경기 방식
• 검을 가지고 (찌르기), 베기 등의 공격을 하여 승패를 가르는 스포츠	• 사용하는 (검)에 따라 (플뢰레), 에페, 사브르로 나뉨.	• 개인전: (3)분씩 3라운드 • 단체전: 3명이 각각 3분씩 3라운드

1 ❷문단에서 사용하는 검에 따라 세부 종목을 나눈다고 했습니다. 플뢰레, 에페, 사브르는 사용하는 검이 서로 다르며 사용할 수 있는 기술과 공격 가능한 신체 부위도 서로 다르다고 했습니다.

2 이 글에서 설명한 펜싱의 개념과 종목, 경기 방식을 정리합니다.

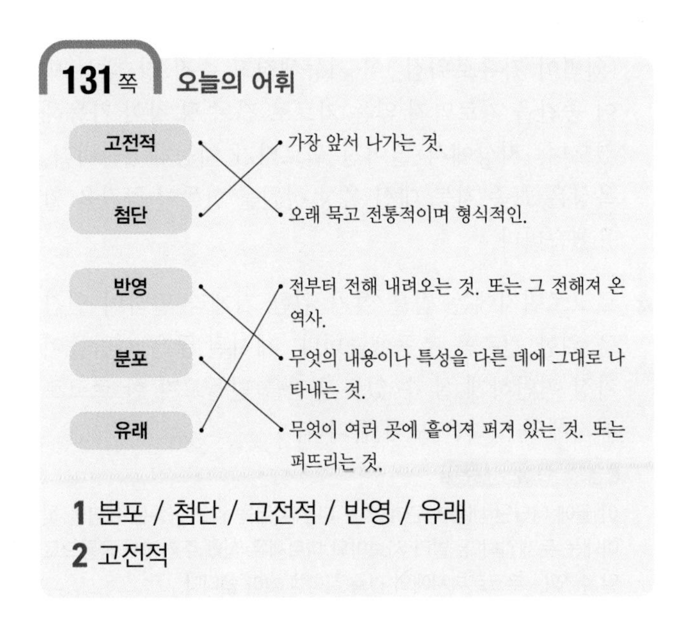

131쪽 오늘의 어휘

1 분포 / 첨단 / 고전적 / 반영 / 유래
2 고전적

- **글의 종류** 설명문
- **글의 특징** 현대 건축의 상징인 빌라 사보아에 구현된 르코르뷔지에의 새로운 건축 5원칙을 설명하는 글입니다.
- **설명 방식** 정의, 예시, 대조
- **글의 주제** 빌라 사보아와 르코르뷔지에 건축의 5원칙

133쪽 지문 독해

1 ⑤ **2** ② **3** (1) ㉡ (2) ㉣ (3) ㉢ (4) ㉠
4 인간을 위한 건축

1 이 글은 빌라 사보아에 구현된 새로운 건축 5원칙에 대해 설명하고 있습니다. 르코르뷔지에의 '건축의 5원칙'이 실현된 빌라 사보아는 현대 건축의 상징입니다.

2 ❸문단에서 벽이 두꺼워지면 집 안은 좁아지고 창문을 크게 낼 수 없어 빛이 많이 들지 않는다고 했습니다.

오답 풀이

① ❷문단에서 필로티 구조는 오늘날 흔히 볼 수 있다고 했습니다.
③ ❸문단에서 벽으로 지탱하던 이전 건축물과 달리 콘크리트 기둥을 사용함으로써 현대 건축의 원칙인 자유로운 평면, 입면, 수평 창이 가능해졌다고 했습니다.
④ ❸, ❹문단에서 자연을 감상하기 좋다고 했습니다.
⑤ ❸, ❹문단에서 거주자가 원하는 대로 공간을 활용하기 좋다고 했습니다.

3 르코르뷔지에 이전의 건축물은 벽이 건물을 지탱하므로 지상에 맞닿는 튼튼한 외벽을 가져야 했습니다. 그러나 철근 콘크리트의 사용으로 벽은 자유로운 입면(외벽이 자유로워짐.)이 가능해졌고 수직 창 대신 벽이 중간을 가로막지 않는 가로로 긴 수평 창이 가능해졌으며, 지상에서 떨어진 필로티가 가능해졌습니다. 옥상은 뾰족 지붕 대신 옥상 정원을 만들어 공간을 활용했습니다.

4 르코르뷔지에는 집을 살기 위한 기계라 말하며 인간을 위한 건축을 추구했습니다. 제시된 글은 사람들이 가장 편안하게 살 수 있는 공간을 만들고자 한 르코르뷔지에의 노력을 보여 줍니다.

유형 분석/적용하기

이 글에 나타난 내용과 관계 있는 다른 지문을 읽고 공통된 개념을 찾아내는 문제입니다. 빌라 사보아와 마르세유 집합 주거에서 공통으로 알 수 있는 르코르뷔지에의 건축 철학을 찾아 씁니다.

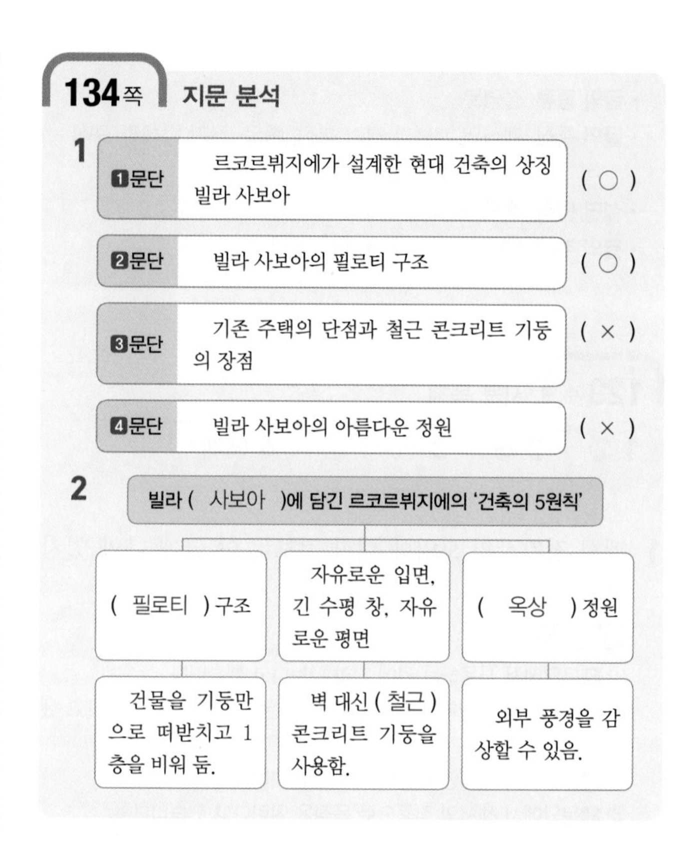

1 ❸문단에서는 철근 콘크리트 기둥으로 인해 가능해진 빌라 사보아의 자유로운 입면, 자유로운 평면, 긴 수평 창을 설명하고 있습니다. ❹문단에서는 빌라 사보아의 경사로와 옥상 정원에 대해 설명하고 있습니다.

2 빌라 사보아에 담긴 르코르뷔지에의 건축 5원칙인 '필로티, 긴 수평 창, 자유로운 입면, 자유로운 평면, 옥상 정원'에 대하여 정리합니다.

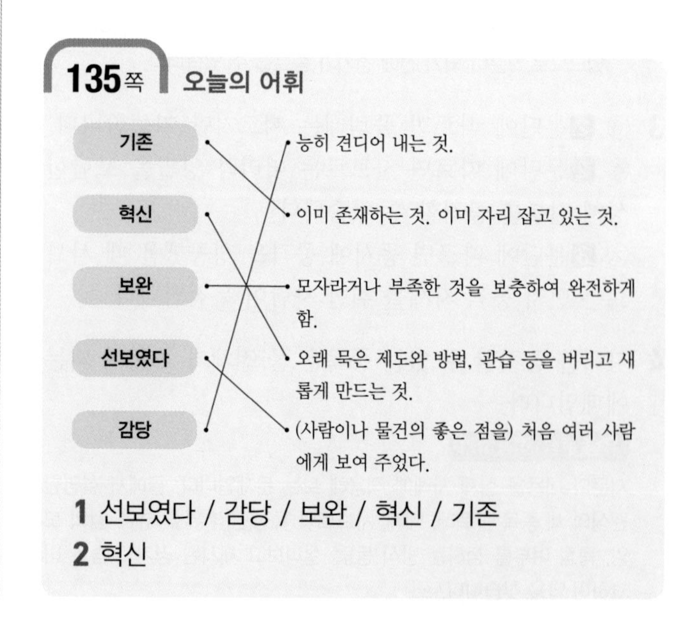

예술 03 발레의 변화

- **글의 종류** 설명문
- **글의 특징** 발레의 유래와 발레의 변화를 시간의 흐름에 따라 설명하는 글입니다.
- **설명 방식** 비교, 순서
- **글의 주제** 시대별 발레의 특징과 변화

137쪽 지문 독해

1 ③ 2 ③ 3 ④ 4 ㉡

1 이 글은 시간의 흐름에 따른 발레의 변화에 대해 설명한 글입니다.

2 14~15세기부터 20세기에 이르기까지 시간의 흐름에 따른 발레의 변화를 설명하는 방식을 사용하고 있습니다. 예시(①), 인과(②), 문답(④), 유추(⑤)의 설명 방법은 쓰이지 않았습니다.

3 남성 무용수는 낭만 발레에서는 여성 무용수를 보조하는 역할에 그쳤지만, 고전 발레에서는 주인공도 가능했습니다. 따라서 낭만 발레에서 고전 발레로 변화할 때 남성 무용수의 역할은 중요해집니다. 그러나 현대 발레에서는 무용수의 성별에 따른 역할 구분이 약화되기 때문에 남성 무용수의 역할이 특별히 중요해졌다고 볼 수 없습니다.

오답 풀이

① ❶문단에서 이탈리아에서 발생해 프랑스로 전파되었다고 했습니다.

② 여성 무용수는 낭만 발레에서는 '로맨틱 튀튀'를, 고전 발레에서는 '클래식 튀튀'를 입었습니다.

③ ❸문단에서 고전 발레는 무용수의 화려한 기교를 보여 주기 위해 일정한 규칙과 절차를 도입하였고 정교하고 정확한 동작을 바탕으로 안무가 정해졌다고 했습니다. 이를 통해 기술과 형식이 중시되었음을 확인할 수 있습니다.

⑤ ❹문단에서 현대 발레는 특별한 줄거리 없이 특정 이미지나 주제를 표현한다고 했습니다.

4 '호두까기 인형'은 동화를 바탕으로 한 낭만적인 줄거리를 가지고 있으며, 2막에서 화려한 기술의 '그랑 파 드되'와 다채로운 춤인 '디베르티스망'을 추는 것으로 보아 고전 발레임을 알 수 있습니다.

유형 분석 / 적용하기

글에서 나온 내용을 실제 사례에 적용해 보는 문제입니다. 발레 작품에 대한 설명을 읽고 어떤 특징이 있는지 살펴봅니다. 각 발레의 특징에 해당하는 용어들을 특히 유의하여 봅니다.

138쪽 지문 분석

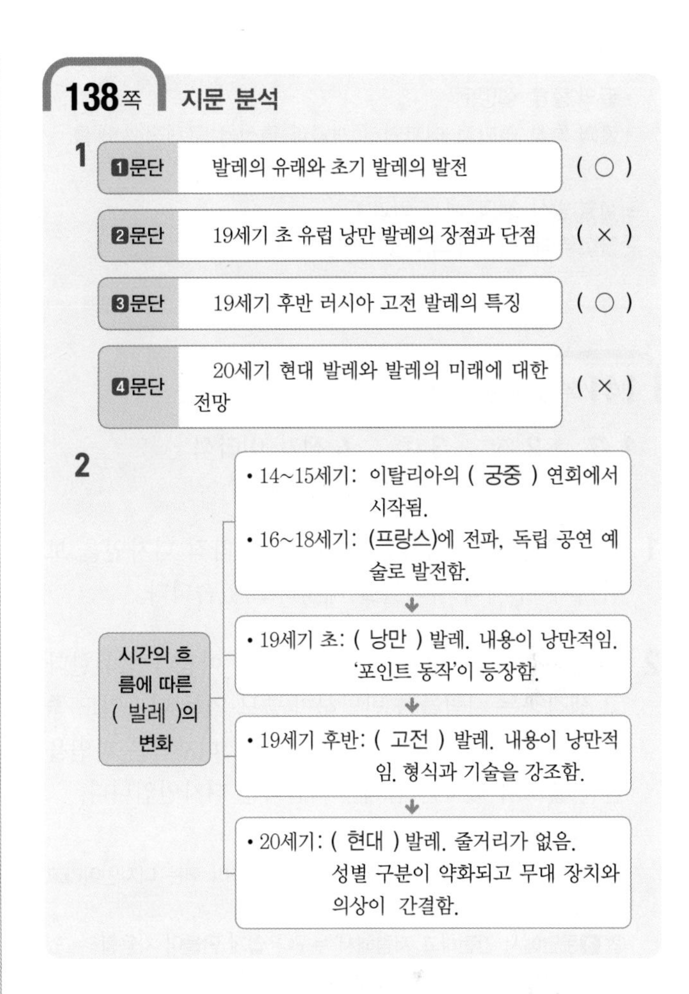

1

❶문단	발레의 유래와 초기 발레의 발전	(○)
❷문단	19세기 초 유럽 낭만 발레의 장점과 단점	(×)
❸문단	19세기 후반 러시아 고전 발레의 특징	(○)
❹문단	20세기 현대 발레와 발레의 미래에 대한 전망	(×)

2

시간의 흐름에 따른 (발레)의 변화

- 14~15세기: 이탈리아의 (궁중) 연회에서 시작됨.
- 16~18세기: (프랑스)에 전파, 독립 공연 예술로 발전함.

↓

- 19세기 초: (낭만) 발레. 내용이 낭만적임. '포인트 동작'이 등장함.

↓

- 19세기 후반: (고전) 발레. 내용이 낭만적임. 형식과 기술을 강조함.

↓

- 20세기: (현대) 발레. 줄거리가 없음. 성별 구분이 약화되고 무대 장치와 의상이 간결함.

1 ❷문단에서는 낭만 발레의 성격과 특징을 설명했지만 장점과 단점을 지적하지는 않았습니다. ❹문단에서는 현대 발레의 성격과 특징을 설명했습니다.

2 발레의 시작부터 낭만 발레, 고전 발레, 현대 발레의 흐름을 정리하여 씁니다.

139쪽 오늘의 어휘

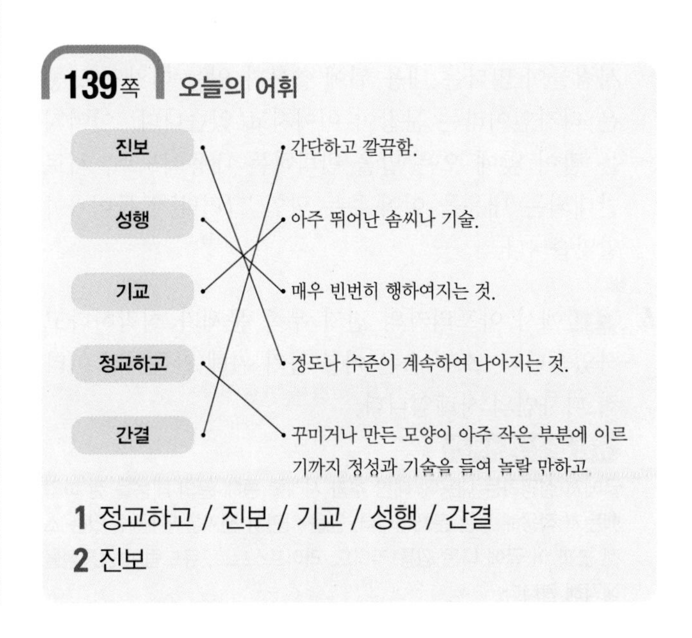

1 정교하고 / 진보 / 기교 / 성행 / 간결

2 진보

- **글의 종류** 설명문
- **글의 특징** 이타적 디자인의 개념과 특징을 구체적 사례를 통해 설명하는 글입니다.
- **설명 방식** 정의, 예시, 인과
- **글의 주제** 이타적 디자인의 개념과 예

141쪽 지문 독해

1 ③ **2** ⑤ **3** ① **4** 전기, 이타적

1 이 글은 이타적 디자인의 개념과 이타적 디자인을 보여 주는 구체적 사례들을 제시하고 있습니다.

2 ❷문단에서 좋은 디자인은 겉모습이 아름다워야 한다고 생각하는 사람들을 반박하며 쓸모 있는 디자인도 좋은 디자인이라고 하였습니다. 이타적 디자인은 타인을 돕는 쓸모가 있다는 점에서 아름다운 디자인입니다.

오답 풀이

① ❷문단에서 이타적 디자인은 타인에게 도움이 되는 디자인이라고 했습니다.
② ❸문단에서 간편하고 저렴해서 누구나 쉽게 만들어 사용할 수 있다고 했습니다. 각각의 사례를 봐도 간편하게 만들어 사람들이 쓰기 쉽게 했음을 짐작해 볼 수 있습니다.
③ 깡통 라디오나 라이프스트로는 모두 저렴한 비용으로 만들어진 것으로, 이를 통해 이타적 디자인은 비용도 고려한다는 것을 짐작할 수 있습니다.
④ 각각의 사례에서 볼 수 있듯 도움이 필요한 상황에 도움을 주기 위한 디자인이 이타적 디자인입니다.

3 겉모습이 아름다운 것이 좋은 디자인이라고 생각하는 사람들이 많다는 내용 뒤에 쓸모가 있는 디자인도 좋은 디자인이라는 문장이 이어지고 있습니다. 이어지는 말이 앞에 오는 말을 반박하는 내용이므로, 서로 반대되는 내용을 이어 주는 말인 '그러나'가 들어가야 알맞습니다.

4 보기 에서 아프리카의 전기 부족 문제가 심각하다고 하였습니다. 소켓 볼은 이를 돕기 위해 만들어진 이타적 디자인의 사례입니다.

유형 분석/적용하기

글에서 설명하는 내용에 대한 추가 사례를 통해 글의 내용을 잘 파악했는지 적용해 보는 문제입니다. 공을 차면서 전기를 만들 수 있는 소켓 볼과 이 글에 나온 깡통 라디오, 라이프스트로, 큐드럼의 공통점을 생각해 봅니다.

142쪽 지문 분석

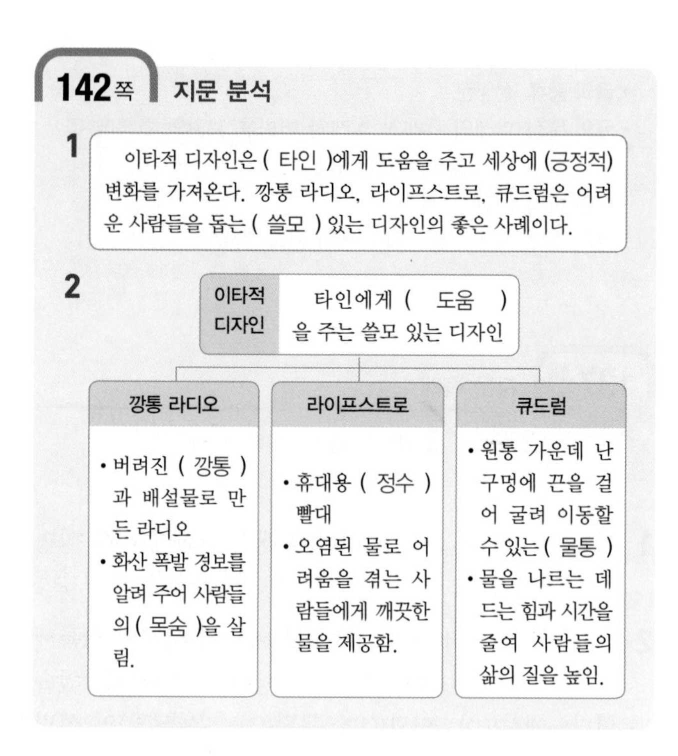

1 이 글에 나온 이타적 디자인의 개념과 이타적 디자인의 사례인 깡통 라디오, 라이프스트로, 큐드럼에 대한 내용을 정리해 봅니다.

2 이타적 디자인의 사례로 제시된 깡통 라디오, 라이프스트로, 큐드럼에 대해 정리합니다. 깡통 라디오는 버려진 깡통과 배설물로 만들어져 저렴하면서도 발리섬 사람들에게 유용한 정보를 신속하게 알려 주었습니다. 라이프스트로는 휴대용 정수 빨대로 사람들이 물을 안전하게 마실 수 있도록 도왔으며, 큐드럼은 물통을 굴리면서 옮길 수 있게 함으로써 물을 나르는 데 드는 힘과 시간을 절약할 수 있도록 했습니다.

143쪽 오늘의 어휘

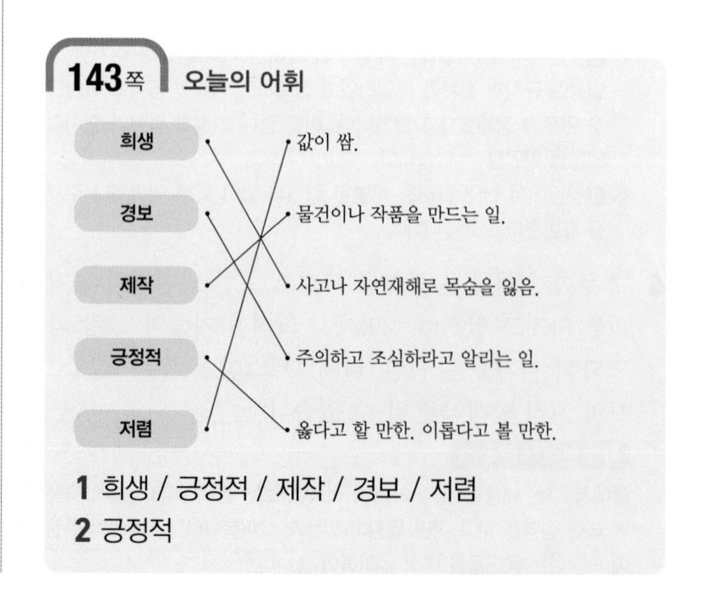

- **글의 종류** 전기문
- **글의 특징** 장자가 활동한 시대와 장자가 펼친 사상, 장자가 자신의 생각을 전달한 방식에 대해 설명하고 있는 글입니다.
- **설명 방식** 정의, 예시
- **글의 주제** 장자의 사상과 그가 남긴 이야기

145쪽 지문 독해

1 ③ **2** ④ **3** ㉰, ㉲, ㉳ **4** 인위적

1 장자가 쓴 책은 나와 있지 않습니다.

오답 풀이

① 2문단에 장자의 사상이 나와 있습니다.
② 2문단 마지막에 장자에 대한 후대 사람들의 평가가 나와 있습니다.
④ 1문단에서 춘추 전국 시대에 대해 설명했습니다.
⑤ 3문단에서 장자는 생각을 이야기 형식으로 전달했다고 했습니다.

2 3문단에서 장자는 자신의 생각을 이야기 형식으로 전달하기를 좋아했다고 했습니다. 그의 엉뚱하고 재미있는 이야기는 사람들에게 깨달음을 주기 위한 방식이지, 재미를 목적으로 한 것이 아닙니다.

오답 풀이

① 2문단에서 장자는 세상 모든 것을 구별 없이 똑같이 대해야 한다고 주장했음을 알 수 있습니다.
② 1문단에서 춘추 전국 시대에 활동한 사상가와 학문을 제자백가라 했습니다.
③ 2문단에서 무위자연의 개념을 설명했습니다.
⑤ 1문단에서 제자백가의 사상가들은 혼란스러운 시대에 나라를 구하는 방안을 제시하며 등장했다고 했습니다.

3 ㉰와 ㉲는 2문단에서 말한 본성에 맞게 그대로 살아가는 자연스러운 삶의 태도를 말합니다. ㉳는 2문단에서 말한, 세상 모든 것을 똑같이 대하고 구별하지 않는 태도입니다.

오답 풀이

㉮, ㉱: 도덕을 중시하는 유가의 주장입니다.
㉯: 법을 중시하는 법가의 주장입니다.

4 2문단에서 장자는 규칙을 만들어 지키게 하고 기준을 세워 고치려 하는 것을 인위적이라고 비판했다고 했습니다.

유형 분석/낱말 찾기

글에 나온 낱말을 찾는 문제입니다. 글에 나온 장자의 생각을 잘 표현하고 있는 낱말들을 찾아 표시해 봅니다.

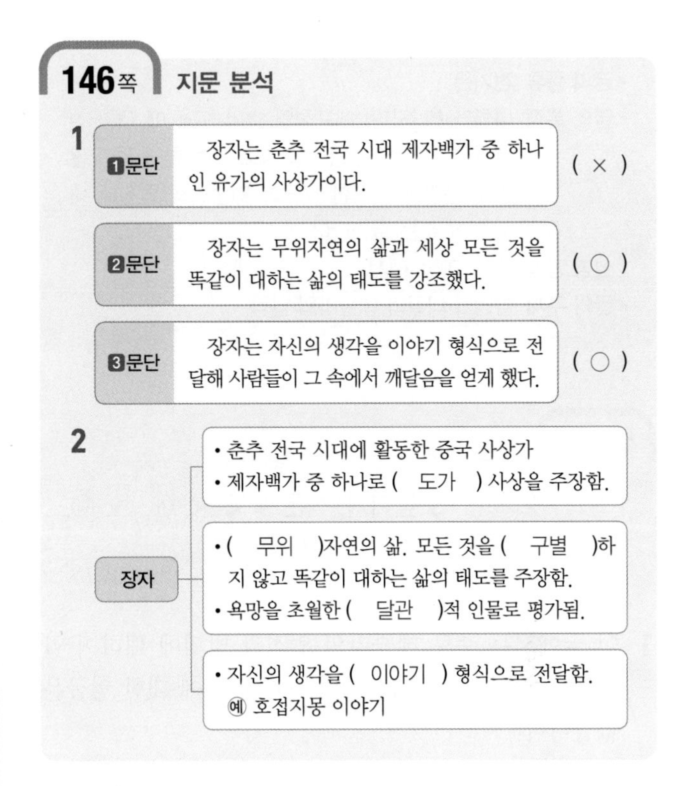

1 장자는 춘추 전국 시대 제자백가 중 하나인 도가의 사상가입니다.

2 장자가 활동했던 시대 상황과 장자의 사상을 정리해 봅니다. 장자는 춘추 전국 시대의 제자백가 중 도가의 사상가로, 모든 것을 구별하지 않고 똑같이 대하는 삶의 태도를 주장했습니다. 그는 자신의 생각을 이야기 형식으로 전달하여 사람들에게 깨달음을 주었습니다.

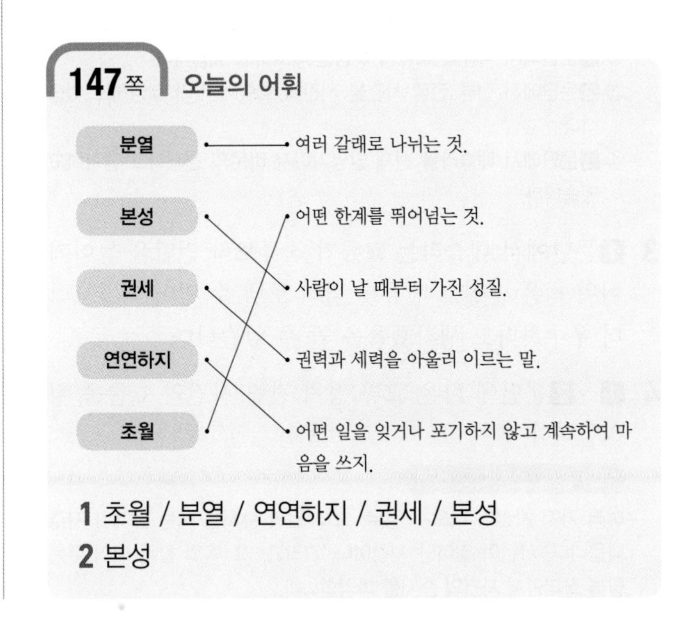

인물 **02 천재 발명가 니콜라 테슬라** **148~151쪽**

- **글의 종류** 전기문
- **글의 특징** 니콜라 테슬라의 대표적인 발명 '교류'에 대한 설명과 그의 다른 발명들을 예로 들며 현대 전기 문명의 근간을 완성한 니콜라 테슬라의 업적에 대해 알려 주는 글입니다.
- **설명 방식** 대조, 과정, 예시
- **글의 주제** 발명가 니콜라 테슬라의 업적

149쪽 지문 독해

1 ① **2** ⑤ **3** 높이기, 적은 **4** ㉯, ㉮, ㉲, ㉰, ㉱, ㉳

1 이 글에서는 주로 테슬라의 업적과 발명에 대하여 알려 주고 있습니다. 테슬라의 가족 관계에 대한 언급은 없습니다.

오답 풀이

② 2, 3문단에서 교류 관련 장치들과 테슬라 코일, 무선 통신 등을 발명했다고 설명하고 있습니다.
③ 1, 3문단에서 1856년 출생, 1943년 사망했다는 것을 알 수 있습니다.
④ 3문단에서 살아 있는 동안은 성과를 인정받지 못했다고 했습니다.
⑤ 4문단에서 오늘날에는 그의 성과가 재평가되면서 많은 사람들이 그를 기억한다고 했습니다.

2 이 글에 '인용'의 설명 방식은 쓰이지 않았습니다.

오답 풀이

① 4문단에서 테슬라의 업적을 재평가하는 오늘날의 다양한 사례들을 예를 들어 설명하고 있습니다.
② 1문단에서 직류와 교류의 특징을 대조하고 있습니다.
③ 2문단에서 전류 전쟁 사건을 시간의 흐름에 따라 설명하고 있습니다.
④ 3문단에서 테슬라를 천재 발명가이자 비운의 천재라고 평가하고 있습니다.

3 1문단에서 테슬라는 교류가 직류보다 전압을 높이기 쉬워 적은 손실로 전류를 멀리 보낼 수 있어 직류보다 더 우수하다고 생각했음을 알 수 있습니다.

4 1~2문단에 나온 교류 장치 관련 사건의 흐름을 정리합니다.

유형 분석/순서대로 쓰기

여러 가지 사건이 나오는 경우, 그 사건의 순서를 쓰는 문제가 자주 나옵니다. 사건이 일어난 시간이나 '그리고, 그 후'와 같은 이어 주는 말을 살피면서 사건의 순서를 파악합니다.

150쪽 지문 분석

1 니콜라 테슬라는 현대 (전기) 문명의 바탕이 되는 (교류) 장치를 발명했으며, 수많은 전기 실험으로 현대 과학 및 기술 발전에 크게 기여한 (천재) 발명가이다.

2

테슬라의 업적	테슬라에 대한 평가
• (교류) 방식 장치를 개발함. • (에디슨)에게 교류 장치의 우수성을 주장했으나 인정받지 못함. ↓ • '(전류) 전쟁'에서 교류 방식이 인정받아 널리 쓰이게 됨. ↓ • 테슬라 코일, 무선 통신 등 수많은 발명 특허를 획득함.	• 천재 발명가였으나 살아 있는 동안 제대로 인정받지 못함. • 오늘날 그의 성과가 (재평가)됨. • 그의 업적을 기리는 수많은 명칭, 상, 기념일 등이 있음.

1 니콜라 테슬라의 업적과 그에 대한 평가를 정리합니다. 테슬라는 현대 전기에서 아주 중요한 역할을 하는 '교류' 장치를 비롯하여 현대 과학 기술에 영향을 준 수많은 발명품을 발명한 사람입니다. 그는 당시에는 성과를 인정받지 못했지만 오늘날에는 천재 발명가로 재평가받고 있습니다.

2 테슬라가 한 일을 시간 순서대로 정리하고, 당시의 평가와 오늘날의 평가를 비교해 봅니다.

151쪽 오늘의 어휘

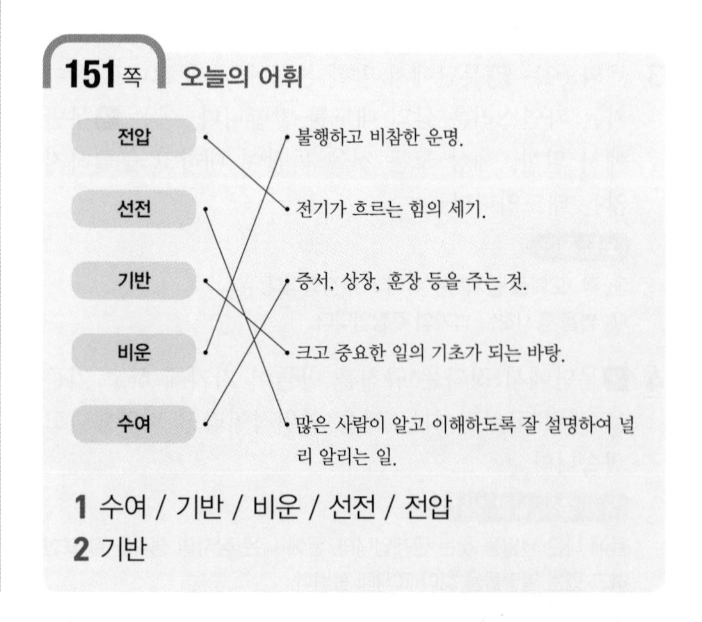

1 수여 / 기반 / 비운 / 선전 / 전압
2 기반

인물 03 개혁을 꿈꾸고 실천한 박지원 152~155쪽

- **글의 종류** 전기문
- **글의 특징** 박지원의 삶과 그의 사상에 대해 설명하는 글입니다.
- **글의 주제** 박지원의 생애와 사상

153쪽 지문 독해

1 ③ **2** ② **3** ③ **4** 상공업

1 박지원의 개혁 사상이 후대에 미친 영향은 나타나지 않았습니다.

오답 풀이

① 3문단에서 끊임없이 새로운 것을 배우고 자신의 학문이 백성의 삶을 풍요롭게 할 수 있도록 실천하는 삶을 살았다고 박지원을 평가하고 있습니다.
② 이 글은 박지원의 출생부터 죽음에 이르기까지를 시간의 흐름에 따라 서술하고 있습니다.
④ 3문단에서 벼슬 기간 동안 베틀, 물레방아 등의 물건을 만들어 백성들의 삶을 편하게 하려 한 일이나 『과농소초』를 저술해 청나라의 농사법을 도입하려 한 일에서 알 수 있습니다.
⑤ 1문단에서 박지원의 청나라 여행의 여정과 기간을 확인할 수 있습니다.

2 북학론을 함께 주장한 사람들이 누구인지는 나와 있지 않습니다.

오답 풀이

① 2문단에 북학론의 내용이 나옵니다.
③ 2문단에서 청나라를 업신여기고 안 좋게 생각한 것을 알 수 있습니다.
④ 3문단에서 박지원이 관리가 되어 한 일을 알 수 있습니다.
⑤ 1문단에서 『열하일기』의 내용과 「호질」, 「허생전」의 제목을 확인할 수 있습니다.

3 2문단에서 박지원은 겉치레와 형식에만 힘쓰고 명분과 체면을 중시하는 조선의 양반들을 비판했다고 했습니다. 이를 통해 박지원은 명분과 체면보다 나라에 실질적으로 이득이 되는 것을 더 중요하게 생각했다는 것을 알 수 있습니다.

4 2문단에서 북학론이 청의 문물을 받아들이고 상공업을 발달시켜 경제를 활발히 하자는 개혁론이라고 설명했습니다.

유형 분석/적용하기

글의 내용과 관련된 추가 정보를 읽고 파악하는 문제입니다. 박지원이 주장한 실학, 특히 북학론에서 중시한 것이 무엇인지 찾아봅니다.

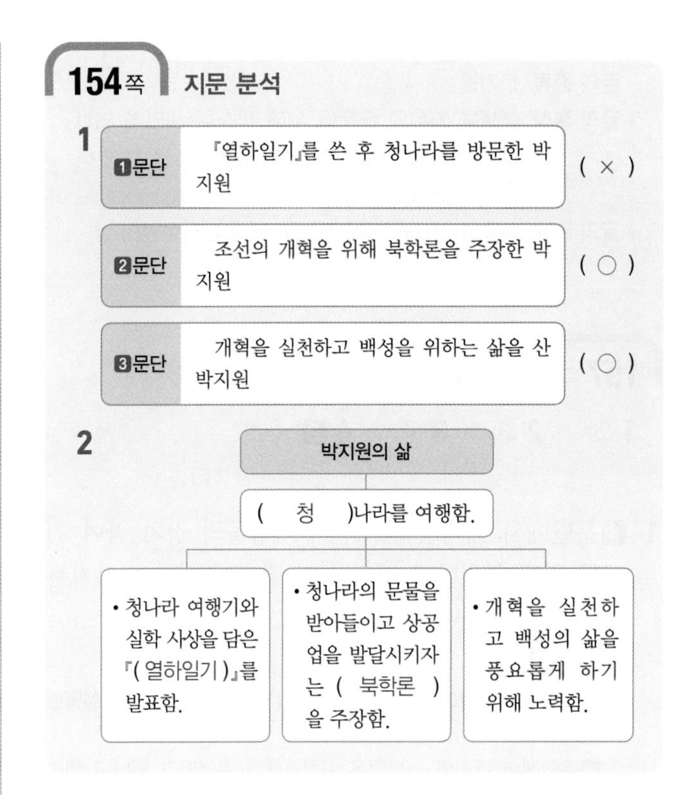

1 1문단에서는 박지원이 청나라를 방문한 후 그 경험을 바탕으로 『열하일기』를 썼다고 했습니다. 2문단에서는 조선의 개혁을 위해 박지원이 주장한 북학론의 내용을 설명하고 있습니다. 3문단에서는 박지원이 관리로서 개혁을 실천하고 백성을 위해 한 일들을 보여 주고 있습니다.

2 청나라를 여행한 뒤 박지원이 한 일과 그가 주장한 사상을 정리합니다.

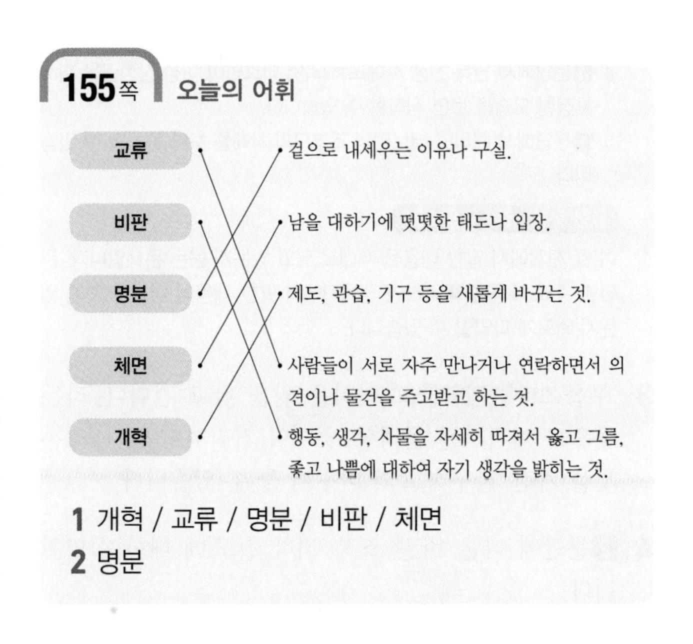

인물 04 흑인 해방 운동가 해리엇 터브먼 156~159쪽

- **글의 종류** 전기문
- **글의 특징** 평생을 자유와 평등을 위해 투쟁한 해리엇 터브먼의 삶을 시간의 순서에 따라 설명하고 그에 대한 평가를 덧붙인 글입니다.
- **글의 주제** 자유와 평등을 위해 투쟁한 해리엇 터브먼의 삶

157쪽 지문 독해

1 ⑤ 2 ③ 3 ④ 4 ❷

1 ❹문단에서 해리엇 터브먼이 여성들의 정치 참여 권리를 위해 힘썼다고 했으나 그 결과에 대한 이야기는 나와 있지 않습니다.

오답 풀이

① ❶문단과 ❹문단에서 해리엇 터브먼의 출생과 사망 시기를 설명했습니다.
② ❹문단에서 해리엇 터브먼은 사람들에게 존경받고 있다고 했습니다.
③ ❷문단에서 당시 미국 남부와 북부의 상황 설명을 통해 북부로 탈출해 자유를 얻으려 한 이유를 알 수 있습니다.
④ ❸문단에 해리엇 터브먼의 여러 업적이 나와 있습니다.

2 ❷문단에서 북부에서는 적은 임금을 주고 흑인들을 공장에 취직시켰다고 했습니다.

오답 풀이

① ❹문단에서 노예제가 폐지된 후에도 '해리엇 터브먼의 집'을 만드는 등 어려운 흑인들을 위해 애쓴 해리엇 터브먼의 삶을 보면 알 수 있습니다.
② ❸문단에 해리엇 터브먼이 남북 전쟁에 참여하여 공을 세운 내용이 나옵니다.
④ ❹문단에서 남북 전쟁 후에도 해리엇 터브먼이 여성 참정권을 위해 투쟁한 모습을 보면 짐작할 수 있습니다.
⑤ ❶문단에서 해리엇 터브먼의 조부모의 사례를 보아 짐작할 수 있습니다.

유형 분석/세부 내용 이해

이 글 전체에서 말한 내용을 제대로 알고 있는지 묻는 문제입니다. 문단별 주요 내용을 파악하면 선택지에서 말한 내용이 어느 위치에 있는지 빠르게 파악할 수 있습니다.

3 '무릅쓰다'는 '힘들고 어려운 일을 참고 견디다.'라는 뜻으로 여기서는 문맥상 '얽매여 거리끼지 않다.'라는 뜻을 가진 '불구하고'와 바꾸어 쓸 수 있습니다.

4 ❷문단에 나온 비밀 조직 '지하 철도'에 대한 설명입니다.

158쪽 지문 분석

1 해리엇 터브먼은 흑인 여성(노예)로 태어나(자유)와(평등)을 위해 끊임없이 투쟁한 인물이다. 남북 전쟁에서는 여성 최초로 무장 군대를 이끌고 흑인 노예 해방에 앞장섰으며, 전쟁 이후에도 (여성)들의 정치 참여와 흑인들의 삶을 위해 노력했다.

2 해리엇 터브먼의 삶

- 1820년 미국 남부 한 농장에서 태어남.
- 힘겹고 고된 (노예)의 삶을 살아가게 됨.

↓

- 1849년 (북부)로 탈출하여 자유를 얻음.

↓

- 다른 흑인 노예들의 (탈출)을 도움.
- 1861년 남북 전쟁에 참여해 노예 (해방)에 앞장섬.

↓

- 여성의 (정치) 참여와 흑인들의 삶을 위해 힘씀.
- 죽을 때까지 자유와 평등을 위해 싸움.

1 흑인 여성으로 태어나 평생을 자유와 평등을 위해 투쟁한 해리엇 터브먼의 삶에서 중요한 내용들을 찾아 요약합니다.

2 ❶~❹문단에 나타난 해리엇 터브먼의 삶을 순서대로 정리해 봅니다. 해리엇 터브먼은 노예로 태어나 고된 어린 시절을 보내고 북부로 탈출하여 다른 흑인 노예들의 해방을 위해 끊임없이 투쟁했습니다.

159쪽 오늘의 어휘

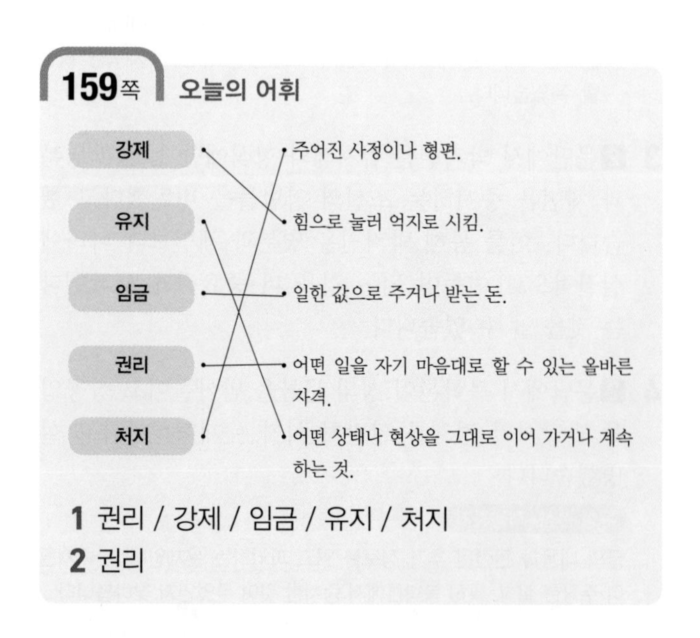

- **글의 종류** 설명문
- **글의 특징** 지구 온난화의 개념과 원인을 설명하고 지구 온난화가 가져온 여러 가지 문제점을 제시하는 글입니다.
- **설명 방식** 정의, 인과, 예시
- **글의 주제** 온난화가 초래한 지구의 위기

161쪽 지문 독해

1 ⑤ **2** ⑤ **3** ㉠ 사막화 ㉡ 이산화 탄소 **4** ③

1 지구 온난화 현상을 해결하는 방법을 설명하고 있지는 않습니다.

오답 풀이
① 1문단에 지구 온난화의 뜻이 나옵니다.
② 2문단에서 이산화 탄소의 증가를 원인으로 제시하였습니다.
③, ④ 3~6문단에서 지구 온난화로 인해 생기는 문제들을 설명하고 있습니다.

2 서로 다른 대상의 차이점을 설명하는 대조의 설명 방법은 나오지 않았습니다.

오답 풀이
① 1문단에서 지구 온난화를 정의하고 있습니다.
② 1문단에서 북극곰의 사례를 통해 화제를 제시하면서 묻고 답하는 방식을 사용해 독자의 관심을 끌고 있습니다.
③ 2문단에서 이산화 탄소의 증가와 온난화 현상을 인과의 방식으로 설명하고 있습니다.
④ 3문단에서 해수면 상승으로 물에 잠긴 투발루와 태평양 섬나라의 사례를 예로 들어 설명하고 있습니다.

3 4문단에서 사막화가 진행되면 숲이나 초원이 감소하고, 이로 인해 산소 공급량이 감소하고 이산화 탄소가 증가하면서 지구 온난화가 심해진다고 했습니다.

4 기온이 상승하면 열대 식물만 살아남고 낮은 온도에서 자라는 식물들이 멸종될 수 있다고 했으므로, 기온 상승이 모든 식물의 멸종을 불러오는 것은 아닙니다.

오답 풀이
① 6문단에서 알 수 있습니다.
② 4, 5문단에서 식량 부족 문제가 발생할 수 있다고 하였습니다.
④ 2문단에서 숲은 이산화 탄소를 흡수한다고 했습니다.
⑤ 2문단에서 이산화 탄소량의 증가 원인 중 하나로 석탄, 석유 등의 화석 연료 사용을 들고 있습니다. 따라서 석탄, 석유의 사용을 줄이면 이산화 탄소 발생량을 줄이고 온난화 현상을 막는 데 도움이 될 수 있습니다.

162쪽 지문 분석

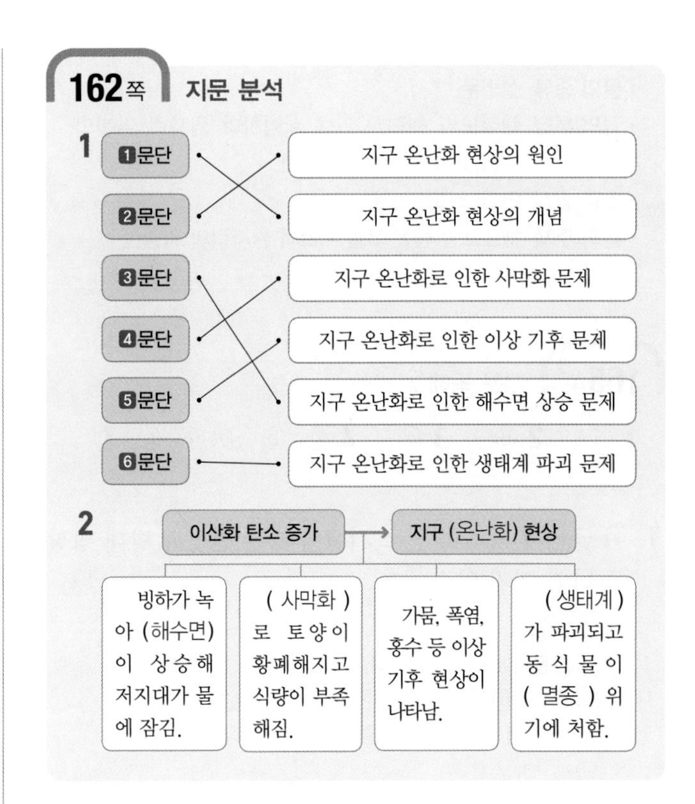

1 1문단에서 지구 온난화 현상의 개념을 설명하고, 2문단에서 지구 온난화 현상의 원인을 설명한 후, 3~6문단에서 지구 온난화로 인해 생긴 문제점들을 제시하고 있습니다.

2 지구 온난화 현상으로 인해 생기는 문제점들을 정리해 봅니다.

163쪽 오늘의 어휘

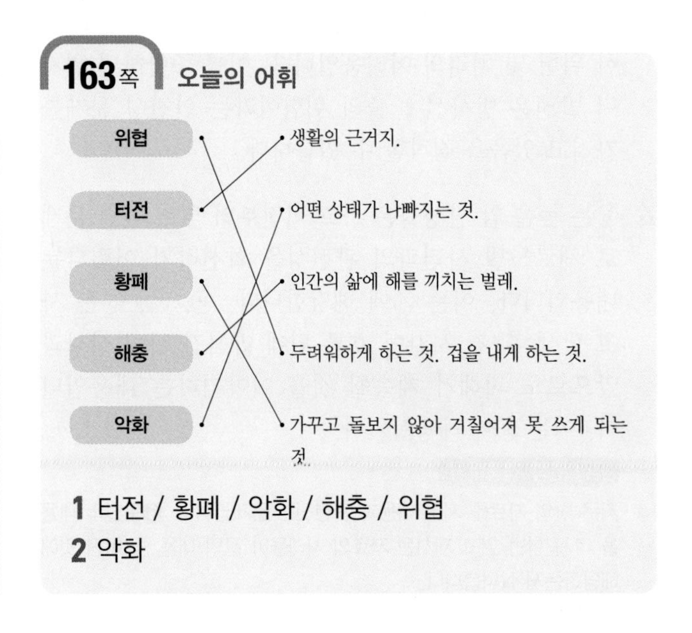

1 터전 / 황폐 / 악화 / 해충 / 위협
2 악화

환경 02 체르노빌 원전 사고

- **글의 종류** 설명문
- **글의 특징** 체르노빌 원전 사고를 설명하며 원자력 발전의 위험을 알려 주는 글입니다.
- **설명 방식** 인과, 비교
- **글의 주제** 체르노빌 원전 폭발 사고와 원자력의 위험성

165쪽 지문 독해

1 ⑤ 2 ⑤ 3 ④ 4 ㉮: ⓑ ㉯: ⓐ, ⓒ, ⓓ

1 이 글에 원자력 발전소 건설에 대한 찬성과 반대 입장은 나와 있지 않습니다.

오답 풀이

①, ② ❹문단에 나와 있습니다.
③ ❸문단에서 원전 사고로 인한 피해에 대해 설명했습니다.
④ ❶문단에서 1986년 4월 26일이라고 했습니다.

2 ❶문단에서 작은 입자들이 먼 지역까지 바람을 타고 퍼졌다고 했습니다.

오답 풀이

① ❸문단에서 토양과 지하수도 방사선에 오염되었다고 했습니다.
② 폭발 사고가 일어나면 안전성을 보장할 수 없습니다.
③ ❷문단을 통해 사고 후 대처가 빠르게 일어나지 않았음을 알 수 있습니다.
④ ❸문단에서 피해 지역 사람들의 모든 질병과 사망의 원인을 체르노빌 사고로 볼 수는 없지만 피해가 심각한 것은 확실하다고 했습니다.

3 ㉠ 뒤에 이어지는 원자력 발전의 단점은 폭발로 인한 방사능 오염과 폐기물에 남아 있는 방사성 물질로 인한 위험 및 처리의 어려움입니다. 이를 종합하면 원자력 발전은 방사선 노출의 위험이라는 안전성 문제를 가지고 있음을 짐작할 수 있습니다.

4 ⓑ는 높은 암 발생률은 사고 이전부터 있어 왔던 문제로 체르노빌 사건과의 관련성을 확신하기 어렵다는 내용입니다. 이는 ㉮에 해당합니다. ⓐ, ⓒ, ⓓ는 사고 발생 후 긴 시간이 흐른 뒤에 밝혀진 피해 상황과 앞으로도 피해가 계속될 것을 이야기하는 내용입니다. 이는 ㉯에 해당합니다.

유형 분석/적용하기

지문 밖의 자료를 지문 내용과 관련짓는 문제입니다. ❸문단의 내용을 다시 한번 읽고 제시된 자료의 사례들이 글의 내용 중 어떤 것에 해당하는지 살펴봅니다.

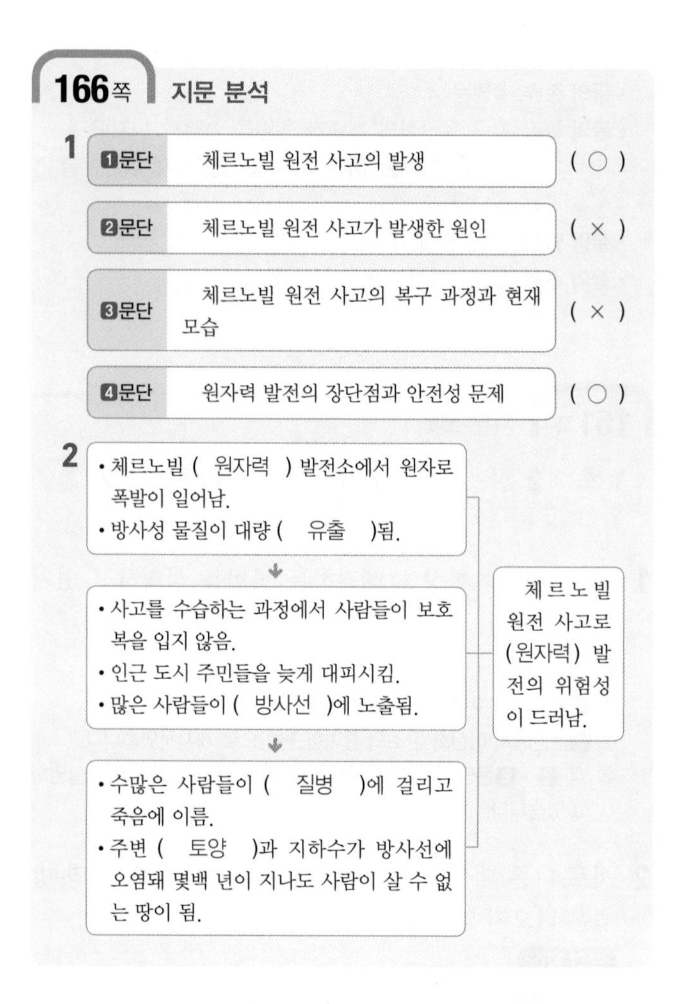

1 ❷문단은 사고 발생 후 처리 과정, ❸문단은 사고로 인한 결과와 피해에 대해 설명하고 있습니다.

2 체르노빌 원전 사고의 발생, 처리 과정, 피해 내용을 정리합니다.

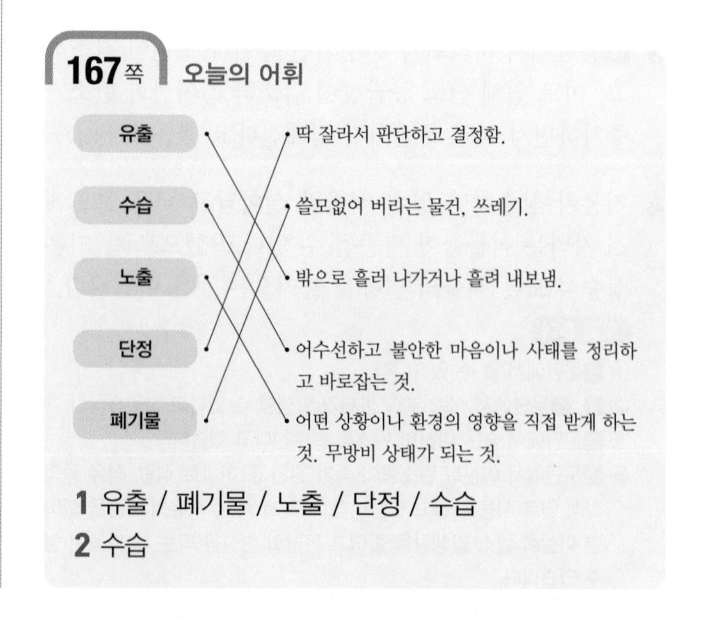

- **글의 종류** 설명문
- **글의 특징** 유전자 조작 농산물의 개념을 설명하고 그에 대한 찬반 논란과 유전자 조작 농산물 표시 제도에 대해 소개하는 글입니다.
- **설명 방식** 정의, 예시, 대조
- **글의 주제** 유전자 조작 농산물의 개념과 현황

169쪽 지문 독해

1 ⑤ **2** ② **3** ④ **4** (1) ㉮, ㉰, ㉳ (2) ㉯, ㉱, ㉲

1 ❶문단에서 유전자와 유전자 조작, 유전자 조작 농산물의 뜻을 설명하고 있습니다. ❹문단에서 유전자 조작 농산물 표시 제도의 목적을 확인할 수 있습니다. 국가별 유전자 조작 농산물 표시 제도 시행 시기는 나와 있지 않습니다. 우리나라의 시행 시기만 확인할 수 있습니다.

2 ❸문단에서 유전자 조작 농산물은 생태계의 균형과 질서를 파괴할 수도 있다고 했습니다.

오답 풀이

① ❷문단에서 유전자 조작 농산물을 찬성하는 근거로 든 내용을 통해 확인할 수 있습니다.
③ ❹문단에서 확인할 수 있습니다.
④ ❶문단에서 확인할 수 있습니다.
⑤ ❸문단에서 유전자 조작 농산물을 반대하는 사람들의 근거로 제시되었습니다.

유형 분석 / 세부 내용 이해

이 글 전체에서 말한 내용을 제대로 알고 있는지 묻는 문제입니다. 문단별 주요 내용을 파악하면 선택지의 내용이 어느 위치에 있는지 빠르게 파악할 수 있습니다.

3 앞부분에 있는 ❷문단에서 유전자 조작 농산물에 찬성하는 입장에 대해 설명했습니다. ㉠ 뒤에 나오는 ❸문단의 내용은 유전자 조작 농산물에 반대하는 입장에 대한 설명입니다. 그러므로 ㉠에는 서로 다른 내용을 연결하는 이어 주는 말인 '하지만'이 들어가야 알맞습니다.

4 ❷문단의 내용으로 보아 ㉮, ㉰, ㉳는 유전자 조작 농산물을 찬성하는 사람들의 시각임을 알 수 있습니다. 그리고 ❸문단의 내용으로 보아 ㉯, ㉱, ㉲는 유전자 조작 농산물을 반대하는 사람들의 시각임을 알 수 있습니다.

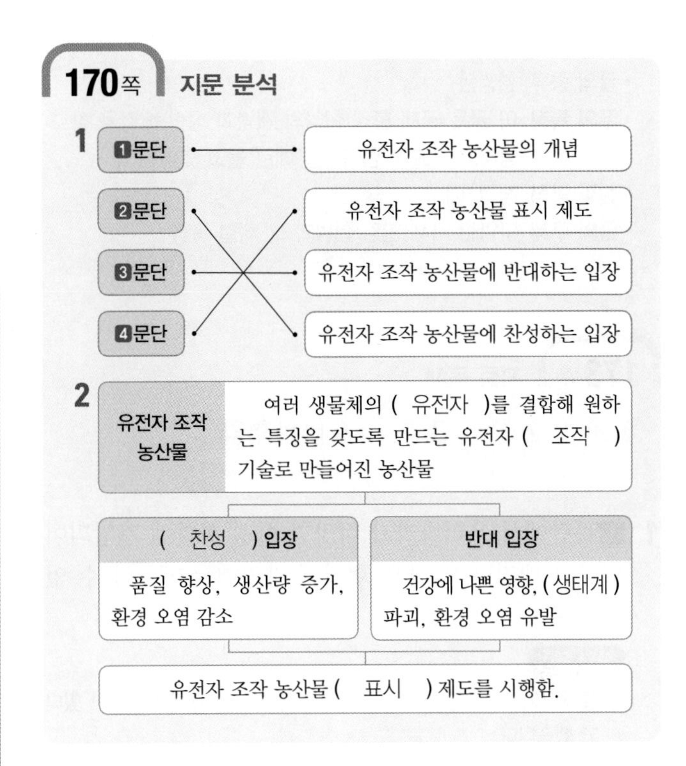

1 ❶문단에서는 유전자 조작 농산물의 개념을 설명하였습니다. ❷문단에서는 유전자 조작 농산물에 찬성하는 입장을 설명하였습니다. ❸문단에서는 유전자 조작 농산물에 반대하는 입장을 설명하였습니다. ❹문단에서는 유전자 조작 농산물 표시 제도에 대해 설명하였습니다.

2 이 글에서 말하고자 하는 중심 내용을 파악해 봅니다. 유전자 조작 농산물의 뜻과 이에 대한 찬성과 반대 입장, 유전자 조작 농산물 표시 제도에 대해 정리해 봅니다.

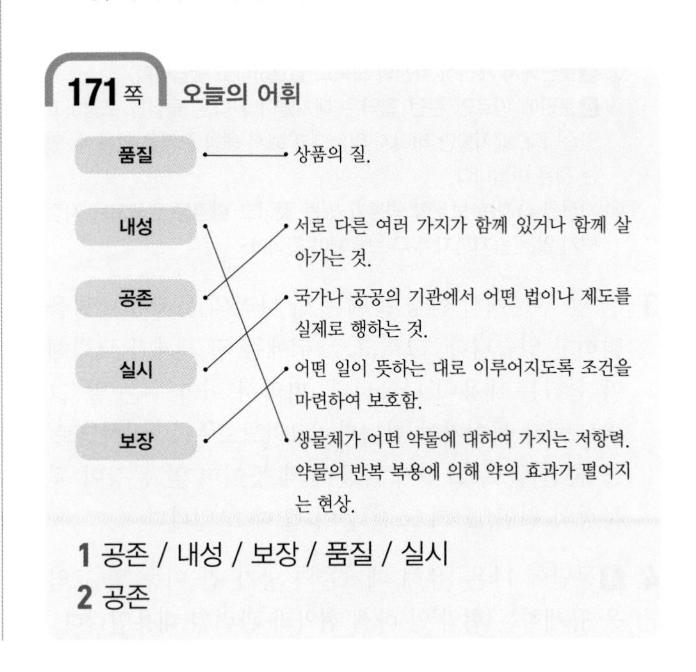

1 공존 / 내성 / 보장 / 품질 / 실시
2 공존

- **글의 종류** 설명문
- **글의 특징** 이 글은 국제 환경 협약의 개념과 성립 배경을 설명하고 대표적 협약들을 예로 들고 있습니다.
- **설명 방식** 정의, 예시
- **글의 주제** 다양한 국제 환경 협약과 그 체결 목적

173쪽 지문 독해

1 ④ **2** ⑤ **3** ② **4** 바젤 협약

1 ❶문단에서 우리나라가 다양한 환경 협약에 가입되어 있다고 했지만 몇 개의 협약에 가입했는지는 알 수 없습니다.

오답 풀이

① ❶문단에서 환경을 위한 국가 간 협력 절차와 규제를 갖추고 있다고 했습니다.
② ❶문단에서 환경 문제를 해결하기 위한 세계 공동의 노력이라고 했습니다.
③ 본문의 람사르 협약, 몬트리올 의정서, 바젤 협약 모두 우리나라가 가입한 환경 협약임을 밝히고 있습니다.
⑤ ❷~❺문단에서 다양한 국제 환경 협약의 내용을 설명하고 있습니다.

2 ❸문단에서 몬트리올 의정서는 오존층을 파괴하는 기체 물질을 규제하고 있으며 이를 포함한 제품을 비가입국으로부터 수입할 수 없다고 했습니다.

오답 풀이

① ❸문단에 '비가입국'이라는 말이 나오는 것으로 보아 모두가 가입해야 하는 것은 아님을 알 수 있습니다.
② ❶문단에서 개인적 차원의 노력도 필요하다고 했습니다.
③ ❺문단에 따르면 런던 협약은 폐기물이나 다른 물질을 포함하고 있습니다. 폐기물만 버리지 않는다고 해서 해양 오염을 막을 수 있는 것은 아닙니다.
④ 지정된 습지는 보호할 의무가 있는 것이고 환경을 위해서는 지정되지 않은 습지까지 두루 보호해야 합니다.

3 ㉠ 앞 부분에서 환경 문제는 한 나라의 문제가 아님을 밝히고 있습니다. 그리고 ㉠ 뒤에는 전 세계가 노력해야 한다는 내용이 나옵니다. 따라서 이어 주는 말 '그러므로'가 들어가야 합니다. '그러므로'는 '그러하므로'를 줄인 말로 '그렇기 때문에'의 뜻이며 앞 문장이 뒤 문장의 원인, 근거 조건 등이 될 때 쓰입니다.

4 ❹문단에 나온 '유해 폐기물의 국가 간 이동 및 교역을 규제하는 협약'인 바젤 협약과 관련된 내용입니다.

174쪽 지문 분석

1 (국제 환경 협약)은 환경을 보호하기 위해 체결되는 국가 간의 약속으로서, 주로 지구적 차원의 환경을 보전하기 위한 국가별 의무 또는 노력을 규정하고 있다. 현재 170여 개의 국제 환경 협약이 체결되어 있으며 주요한 협약으로는 람사르 협약, (몬트리올) 의정서, 바젤 협약 등이 있다.

2

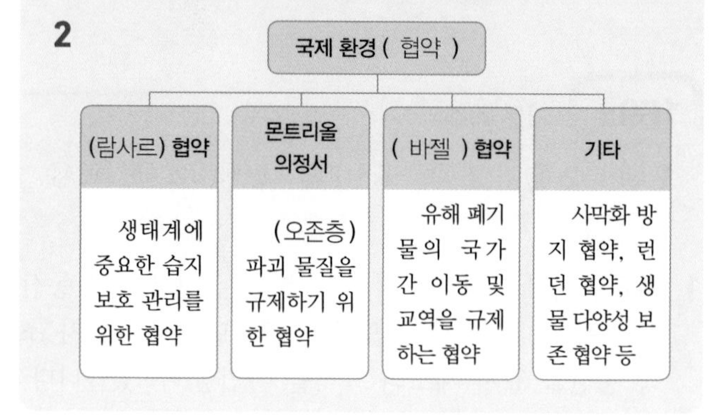

1 국제 환경 협약의 개념과 목적을 정리합니다.

2 국제 환경 협약의 예로 제시한 협약들에 대한 내용을 정리해 봅니다. 이 글에서는 습지 보호를 위한 '람사르 협약', 오존층 파괴를 막기 위한 '몬트리올 의정서', 유해 폐기물을 함부로 버리지 않게 하기 위한 '바젤 협약'을 구체적으로 소개하였고, 그 외에 '사막화 방지 협약', '런던 협약', '생물 다양성 보존 협약' 등 국제 환경 협약이 다양하다고 했습니다.

175쪽 오늘의 어휘

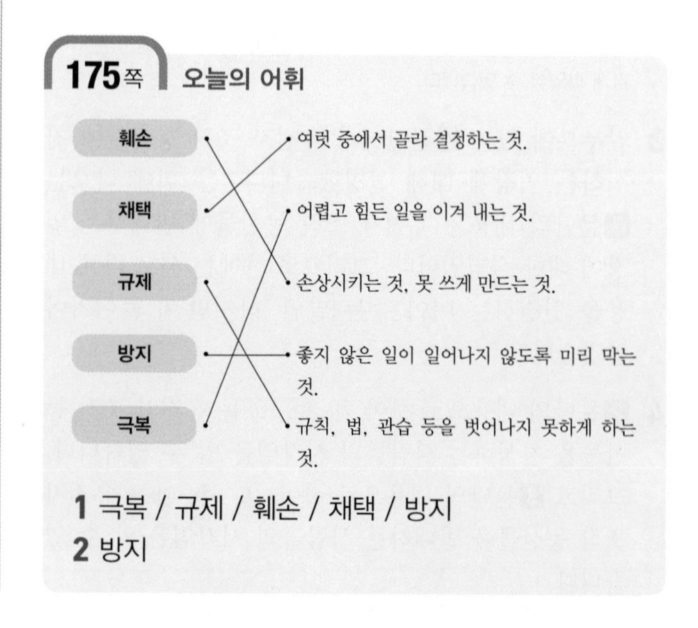

1 극복 / 규제 / 훼손 / 채택 / 방지
2 방지

정답과 해설